Ostsee

SOWJETUNION

Kaliningrad
(Königsberg)

Gdańsk
(Danzig)

Stettin

Oder

Frankfurt
a. d. Oder

Neisse

POLEN

Wrocław
(Breslau)

TSCHECHOSLOWAK

onau

C H

DAS HEUTIGE
DEUTSCHLAND

——— Grenzen des heutigen Deutschlands

- - - Grenzen verlorener Gebiete

31. V. 55

Lernen Sie Deutsch!

H. French
den 31. Mai, 1955

Lernen Sie Deutsch!

Revised Edition

Oscar C. BURKHARD
formerly University of Minnesota

Edwin F. MENZE
University of Minnesota

Henry Holt and Company

In this revision of *Lernen Sie Deutsch!* much of the material in the earlier version has been retained and many new features have been added. The lesson arrangement has been improved so that each unit now presents 1) a reading section in coherent narrative form, illustrating two or three grammar elements; 2) a grammar section explaining the grammar principles developed in the reading; 3) exercises for oral and written work designed to offer frequent repetition of the vocabulary and grammar of the lesson; 4) a brief conversation, based on daily life; 5) a second reading section adapted to illustrate and stress inductively the grammatical principles of the lesson, with marginal vocabulary, visible at a glance; 6) questions on the reading section, additional exercise suggestions, and a translation exercise; 7) a complete lesson vocabulary.

The book aims to proceed from the known to the unknown. The vocabulary of the early lessons is based largely on cognates, which will give the student a quick mastery of a sizable vocabulary in return for a minimum of effort.

Although this book emphasizes the reading approach, it also stresses the importance of a speaking knowledge of German. Both reading and grammar sections present material of carefully graded content.

The reading sections deal with aspects of familiar everyday life. The vocabulary of these reading sections is restricted to those of the Standard Vocabulary of the Chicago, N.G.T., and Purin's frequency lists. Emphasis is put on the practice of repetition, as in all learning the principle of repetition is an essential factor; and especially in language study it is indispensable. Frequent use of a limited, carefully selected vocabulary and of the most important principles of grammar is the basis on which this book is founded.

The drawings are by Mr. Arthur Wellmann of Riverdale, Maryland.

O.C.B. and E.F.M.

CONTENTS

[vi]

[**vii**]

[ix]

The Alphabet

GERMAN TYPE	ROMAN TYPE	NAME	GERMAM TYPE	ROMAN TYPE	NAME
𝔄 α	A a	*ah*	𝔑 n	N n	*enn*
𝔅 b	B b	*bay*	𝔒 o	O o	*oh*
ℭ c	C c	*tsay*	𝔓 p	P p	*pay*
𝔇 d	D d	*day*	𝔔 q	Q q	*koo*
𝔈 e	E e	*ay*	𝔑 r	R r	*err*
𝔉 f	F f	*eff*	𝔖 ſ s	S s	*ess*
𝔊 g	G g	*gay*	𝔗 t	T t	*tay*
𝔥 h	H h	*hah*	𝔘 u	U u	*oo*
𝔍 i	I i	*ee*	𝔙 v	V v	*fow*
𝔍 j	J j	*yot*	𝔚 w	W w	*vay*
𝔎 k	K k	*kah*	𝔛 x	X x	*ix*
𝔏 l	L l	*ell*	𝔜 y	Y y	*ipsilon*
𝔐 m	M m	*emm*	𝔷 z	Z z	*tset*

In referring to these letters always use the German names, as they suggest the sound represented.

Modified vowels or **Umlaute:** Ä, ä, Ö, ö, Ü, ü.

Compound consonants: ch = c + h, ck = c + k, ß = s + z, tz = t + z.

The same letter 𝔍 is used for capital I and J. Before a consonant it is I, before a vowel it is J: 𝔍rland, 𝔍ahr.

Distinguish carefully between 𝔄 and 𝔘, 𝔅 and 𝔙, ℭ and 𝔈, 𝔑 and 𝔎 ſ and f, n and u, r and x.

[**xi**]

Pronunciation

A correct pronunciation can be acquired only by careful imitation and long practice.

German sounds can be represented by English sounds only approximately, as there are few exact equivalents. Therefore the following descriptions can only supplement oral instruction.

In general, German words are spelled as they are pronounced.

There are no silent letters in German except ĥ when it indicates length of the preceding vowel, and e in ie, the usual form of long i.

German sounds are uttered with more tenseness and precision than the corresponding English sounds.

Vowels

German vowels have but one sound and preserve the same sound from beginning to end. (In English the long vowels end with a diphthongal glide a = a^i, o = o^u.)

Vowels may be either long or short. Long vowels are very long, and short vowels very short.

A vowel is long:

1. when doubled or followed by ĥ: Haar, See, iĥn, Oĥr,
2. when final in the word: bu, ſo, ba,
3. at the end of a stressed syllable: ĥa=ben, ge=ben,
4. when followed by a single consonant: gut, rot, Hut, Gras.
   (In the following monosyllables, however, the vowel is short: es, bas, bes, was, man, ab, an, in, mit, um, von.)

A vowel is short:

1. when followed by a double consonant: Mann, fommen, wollen, Teller,
2. when followed by two or more consonants: oft, Neſt, Fenſter.

A long stem vowel remains long, even if another consonant is added through an ending: legen, legſt, legt, gelegt.

Long a as in *far:*	ĥaben, Vater, Name, Haar, Haĥn.
Short a as in *cart:*	Hand, Mann, Arm, Ball.
Long e as in *gate:*	dem, ſeĥr, Feder, Schnee.
Short e as in *let:*	beſt, ſechs, elf, Meſſer.

Long i as in *machine:* ihr, vier, fieben, Tiger.
Short i as in *pin:* ift, Wind, Ring, Tifch.
Long o as in *no:* wo, oder, Rofe, Boot.
Short o as in *obey:* oft, Gold, Sonne, Sommer.
Long u as in *rule:* du, gut, Schuh, Bruder.
Short u as in *put:* und, kurz, Hund, Mutter.

e in final syllables is slurred like *a* in *comma:* habe, komme, Name.

Umlaut is the modification of a, o, u to ä, ö, ü.

Long ä as in *care:* fpät, fchläft, Väter, Mädchen.
Short ä as in *let:* Hände, älter, Männer, Städte.
Long ö, round the lips and pronounce long *e:* Öfen, fchön, Röte.
Short ö, round the lips and pronounce short *e:* öffnen, können, Röcke.
Long ü, round the lips and pronounce long *i:* über, fühl, Tür, Schüler.
Short ü, round the lips and pronounce short *i:* fünf, dünn, füllen, Glück.

DIPHTHONGS:
ei, ai like *i* in *mine:* ein, mein, Mai, Kaifer.
au like *ou* in *house:* auf, aus, Haus, Maus.
eu, äu, round the lips and say *oi(l):* neun, deutfch, Bäume, Fräulein.

THE GLOTTAL STOP. Before a word or syllable beginning with a stressed vowel the breath is stopped for an instant closing the glottis. This glottal stop causes a click, which can be heard if the word is whispered:

'an, 'auf, 'aus, 'es, 'ift, 'er'innern.
'Ich 'effe 'einen 'Apfel.

Consonants

The consonants f, h, k, m, n, p, t, x are pronounced as in English.

In pronouncing d, t, n, l the tongue is pressed against the upper teeth at the edge of the gum. (In forming the corresponding English sounds the tongue touches the roof of the mouth.)

b = *b* at the beginning of a word or syllable: bin, Buch, Bruder.
   = *p* at the end of a word or syllable and before ft and t: ab, gibft, gibt.

c   = *ts* before ä, e, i, ŋ: Cäſar, Celſius, Cicero, Cyrus.
     = *k* before a, o, u: Café, Contax, Curhaven.

ch   after vowels has no equivalent in English. It is produced
     by forcing the breath between the raised blade of the
     tongue and the roof of the mouth.
     After e, i, ä, ö, ü, ei, ie and consonants it has the sound of
     h in *hew*. Practice by whispering this *h* sound forcibly.
     Then whisper ich, mich, dich, ſich, nicht.
     After a, o, u, au the ch is produced in the throat by raising
     the back part of the tongue toward the roof of the mouth
     and forcibly expelling the breath: acht, Loch, Buch, auch.

chs = *ks:* ſechs, Ochs, Fuchs.

d   = *d* at the beginning of a word or syllable: der, das, Bruder.
     = *t* at the end of a word or syllable or before a consonant: und,
     Mädchen.

g   = *g* as in *go*, at the beginning of a word or syllable: Garten,
     ſagen.
     = *k* at the end of a word or syllable and before ſt and t: Tag,
     legſt, legt.
     The ending –ig is pronounced –ich: König, wenig.

j   = *y* in *yes:* ja, Jahr, Juni.

l   differs from English *l*. It is produced by pressing the tip of
     the tongue against the back of the upper teeth, keeping
     the blade of the tongue flat: lang, Land, elf, zwölf.

ng   is always pronounced like *ng* in *singer:* lang, Finger, bringen.

pf   = *pf* in *helpful:* Pferd, Apfel, Kopf, pfeifen.

ph   = *f:* Philoſoph, Photographie.

q   occurs only before u = *kv:* Quelle, quer.

r   There are two pronunciations of r: the trilled r and the
     uvular or guttural r. The trilled r is produced by the
     vibration of the tip of the tongue against the upper gum.
     It is distinctly trilled. The uvular r is produced by the
     vibration of the uvula. This r is used in everyday speech
     in Germany, but is difficult for the foreigner. The student
     is advised to use the trilled r which is the r used by actors,
     singers and public speakers: rund, rot, hören, Bruder.

ſ ß The round ß is used at the end of a word or syllable, else-where ſ.

ſ = *z* in *zone* at the beginning of a word or syllable: ſein, ſieben, Sohn, Roſe.

Elsewhere like *s* in *so:* das, Haus, iſt, haſt.

ſ = *sh* in initial ſt, ſp: Stuhl, Stadt, ſprechen, ſpielen.

ſch = *sh:* Schule, Schuh, ſchön, Fiſch.

ſſ ß = *ss* in *miss*. ſſ is found only between two short vowels, else-where ß is used: der Fuß, die Füße, der Fluß, die Flüſſe, eſſen, weiß, wußte.

th = *t:* Theater, Thron. *th* occurs only in words of foreign origin. German has no *th* sound.

v = *f:* vier, viel, von, Vater. But in words of foreign origin, except when final, as English *v:* Violine, November, Univerſität.

w = *v* in *vent:* wer, was, Waſſer, Winter.

z = *ts* in *its:* zehn, zu, zwei, Zimmer, Arzt.

Stress

Simple words stress the stem syllable: Va'ter, ha'ben.

Compound nouns stress the first element: Hand'ſchuh, Haus'tür.

Foreign words usually stress the last syllable: Student', Ad=vokat'.

Verbs in –ieren stress –ie: ſtudie'ren, addie'ren.

Separable verbs stress the prefix: an'fangen, aus'gehen.

The inseparable prefixes be–, ent–, er–, ge–, ver, zer– are never stressed.

Capitals

Capitalize:

All nouns and words used as nouns: das Haus, der Deutſche, das Rauchen, etwas Neues.

The personal pronoun Sie and the possessive Ihr.

The personal pronouns du and ihr and their possessives dein and euer, when used in letters.

Do not capitalize:

The pronoun ich, unless it begins a sentence.

Adjectives denoting nationality: das deutſche Buch.

Syllabication

A single consonant between two vowels goes with the following syllable: Bru=der, ha=ben.

ch, sch, ß, st are not divided: Bü=cher, Ma=sche, Stra=ße, Fen=ster.

Of two or more consonants the last goes with the following syllable: An=fang, En=de.

ck is divided and written k=k: bek=ken.

Compound words are separated into their component parts: hin=aus, her=ein, Hand=schuh.

Punctuation

The comma is used:

1. To set off all dependent clauses:

Das ist der Mann, den ich sah.

2. To set off infinitive phrases containing modifiers:

Wir sind hier, um Deutsch zu lernen.

3. Between co-ordinate clauses when each has its own subject and verb:

Er ist krank, und ich muß ihn besuchen.

The exclamation point is used after imperatives:

Kommen Sie schnell!

Observe the quotation marks:

Er fragte: „Wo wohnen Sie?"

CLASSROOM EXPRESSIONS

Guten Morgen!	Good morning.
Guten Tag!	How do you do?, Hello.
Guten Abend, Herr, Frau, Fräulein Braun!	Good evening, Mr., Mrs., Miss Braun.
Wie geht es Ihnen? Wie befinden Sie sich?	How are you?
Es geht mir gut, danke. Ich befinde mich wohl, danke.	I am well, thank you.
Welche Aufgabe haben wir heute? Die zweite, dritte, vierte usw.	Which lesson do we have today? The second, third, fourth, etc.
Machen Sie das Buch auf! Lesen Sie auf Seite drei, sechs, zehn! Bitte, fangen Sie an zu lesen! Lesen Sie laut und deutlich! Bitte, lesen Sie lauter!	Open your book. Read on page three, six, ten. Please, begin to read. Read loud and distinctly. Please read louder.
Sprechen Sie Deutsch! Sprechen Sie Deutsch?	Speak German. Do you speak German?
Verstehen Sie das? Was bedeutet das?	Do you understand that? What does that mean?
Sagen Sie das auf deutsch, auf englisch! Wiederholen Sie das! Noch einmal, bitte! Richtig! Falsch! Fragen Sie! Antworten Sie! Weiter, bitte! Lesen Sie weiter!	Say that in German, in English. Repeat that. Once more, please. Right. Correct. Wrong. Ask. Answer. Continue, please. Read on.
Stehen Sie auf! Setzen Sie sich!	Stand up. Sit down.
Gehen Sie an die Tafel! Schreiben Sie! Machen Sie das Buch zu! Das genügt. Auf Wiedersehen!	Go to the board. Write. Close your book(s). That is sufficient. That will do. Good-bye.

Lernen Sie Deutsch!

1

Was ist das?

MASCULINE

Das ist **der** Finger, das ist **der** Arm, und das ist **der** Fuß.

Dies ist **ein** Finger, dies ist **ein** Arm, und dies ist **ein** Fuß.

FEMININE

Das ist **die** Hand, das ist **die** Nase, und das ist **die** Lippe.

Dies ist **eine** Hand, dies ist **eine** Nase, und dies ist **eine** Lippe.

NEUTER

Das ist **das** Auge, das ist **das** Ohr, und das ist **das** Kinn.

Dies ist **ein** Auge, dies ist **ein** Ohr, und dies ist **ein** Kinn.

Wie ist das?

15 Ist **der** Finger groß?   Ja, **er** ist groß, **er** ist nicht klein.

Ist **der** Arm lang?   Ja, **er** ist lang, **er** ist nicht kurz.

Ist **die** Hand weiß?   Ja, **sie** ist weiß, **sie** ist nicht schwarz.

Ist **die** Lippe rot?   Ja, **sie** ist rot, **sie** ist nicht blau.

Ist **das** Auge blau?   Nein, **es** ist nicht blau, **es** ist braun.

20 Ist **das** Kinn rund?   Nein, **es** ist nicht rund, **es** ist spitz.

Das Gras ist grün.   Die Maus ist grau.

Die Milch ist weiß.   Der Himmel ist blau.

Der Schüler ist jung.   Der Lehrer ist alt.

Der Sommer ist warm.   Der Winter ist kalt.

[2]

GRAMMAR

Genders; Nominative Case; Definite and Indefinite Articles; Personal Pronoun.

1. Genders.

There are three genders in German: masculine, feminine, and neuter. Nouns denoting living beings are usually masculine or feminine according to sex, but names of inanimate objects may be masculine, feminine, or neuter. Nouns ending in –**chen** and –**lein** (diminutive endings) are always neuter: **das Mädchen** *girl*, **das Fräulein** *young lady, Miss.*

2. Capitalization.

All nouns are capitalized.

3. Nominative Case.

The nominative case is the case of the subject or of the predicate noun: **Er** ist **der Lehrer.** *He is the teacher.*

4. Definite Article.

The form of the definite article varies according to gender. To learn the gender of a noun, therefore, *always learn the article with it:* **der** Finger, **die** Hand, **das** Auge.

5. Personal Pronoun.

The gender of the personal pronoun of the third person must agree with the noun to which it refers.

	MASC.	FEM.	NEUT.
Definite article	der	die	das
Personal pronoun — 3rd person	er	sie	es
Indefinite article	ein	eine	ein

6. Predicate Adjectives.

Predicate adjectives are not declined: der Arm ist **lang**; die Hand ist **klein**; das Gras ist **grün**.

7. Indefinite Article.

The negative of the indefinite article **ein** is **kein** *no, not any, not a.*

He is *no* teacher.	Er ist **kein** Lehrer.
That is *not a* hand.	Das ist **keine** Hand.
He does *not* say *a* word.	Er sagt **kein** Wort.

EXERCISES — SERIES A _____

I. Supply the definite article and use each noun in 1) a statement, 2) a question, 3) a positive answer, 4) a negative answer. EXAMPLE: 1. Das ist der Arm. 2. Ist das der Arm? 3. Ja, das ist der Arm. 4. Nein, das ist nicht der Arm.

      1. — Arm, 2. — Hand, 3. — Lippe, 4. — Ohr, 5. — Maus, 6. — Auge, 7. — Nase, 8. — Milch, 9. — Finger, 10. — Winter, 11. — Gras, 12. — Fuß.

II. Supply the proper form of the indefinite article and **kein**. EXAMPLE: 1. Das ist ein Auge. 2. Ist das ein Auge? 3. Ja, das ist **ein** Auge. 4. Nein, das ist **kein** Auge.

      1. — Auge, 2. — Arm, 3. — Hand, 4. — Lehrer, 5. — Winter, 6. — Ohr, 7. — Maus, 8. — Fuß, 9. — Nase, 10. — Sommer, 11. — Finger, 12. — Schüler.

III. Answer with the pronouns: **er, sie, es.** EXAMPLE: Wie ist der Finger? **Er** ist klein.

      1. der Arm? 2. die Hand? 3. das Auge? 4. die Lippe? 5. das Gras? 6. die Milch? 7. der Fuß? 8. der Sommer? 9. der Himmel? 10. der Lehrer? 11. der Schüler? 12. die Maus?

IV. Supply the proper form of the indefinite article and **kein**. EXAMPLE: Ist das **ein** Finger? Nein, das ist **kein** Finger, das ist **ein** Arm.

      1. Ist das — Hand? Nein, das ist — Hand, das ist — Fuß. 2. Ist das — Auge? Nein, das ist — Auge, das ist — Ohr. 3. Ist das — Nase? Nein, das ist — Nase, das ist — Lippe. 4. Ist das — Ohr? Nein, das ist — Ohr, das ist — Kinn. 5. Ist das — Fuß? Nein, das ist — Fuß, das ist — Arm.

V. Answer as in the following example: Ist der Finger lang? Nein, **er** ist **kurz.**

      1. Ist die Nase grün?   Nein, — ist —.
      2. Ist das Auge weiß?   Nein, — ist —.
      3. Ist der Winter warm?   Nein, — ist —.
      4. Ist die Milch schwarz?   Nein, — ist —.
      5. Ist der Himmel braun?   Nein, — ist —.

ALLERLEI

Die Farben (*colors*)

weiß (*white*) — schwarz (*black*)   grün (*green*) — gelb (*yellow*)

rot (*red*) — blau (*blue*)   grau (*gray*) — braun (*brown*)

Die Lippe, das Auge und das Haar

Die Lippe ist rot, das Auge blau,
Das Haar ist braun, es ist nicht grau.

VOCABULARY

erste Aufgabe first lesson
was ist das? what is that?
nicht wahr? isn't it? *
er, sie, es ist he, she, it is

der Fuß foot
der Garten garden
der Herr gentleman, Mr.
der Himmel sky, heaven
der Lehrer teacher
der Schüler pupil, student
der Sommer summer

die Farbe color
die Lippe lip
die Maus mouse
die Milch milk
die Nase nose
die Sonne sun

das Allerlei miscellaneous

alt old
dick thick
groß large, big, great

das Auge eye
das Bett bed
das Buch book
(das) Deutschland Germany
das Eis ice
das Fräulein young lady, Miss
das Gras grass
das Haar hair
das Haus house
das Kinn chin
das Lesestück reading selection
das Mädchen girl
das Ohr ear
das Papier paper
das Wort word

jung young
dünn thin
klein small, little

* **nicht wahr?** literally (*is it*) *not true?* renders the English repetition of the auxiliary after a question, as *hasn't he? isn't it? don't you?*, etc.

hart hard	**weich** soft
kalt cold	**warm** warm
kurz short	**lang** long
rund round	**spitz** pointed
dies this	**das** that
ein, eine, ein a, an, one	**kein, keine, kein** no, not a, not any
ja yes	**uns** (to) us
mir (to) me	**was** what
nein no	**wie** how, as
nicht not	**wir** we
nur only	**zu** too
so so, as	**zwei** two

CONVERSATION _____

Auswendig lernen!   Memorize.

Guten Morgen!   ### Good Morning!

1. Guten Morgen, Herr Braun.
2. Guten Tag, Fräulein Keller.
3. Wie geht es Ihnen?
4. Sehr gut, danke, und Ihnen?

5. Es geht mir auch gut.
6. Schönes Wetter, nicht wahr?
7. Ja, das Wetter ist sehr schön.

8. Es ist warm, es ist nicht kalt.
9. Auf Wiedersehen.
10. Auf Wiedersehen.

1. Good morning, Mr. Braun.
2. How do you do, Miss Keller?
3. How are you?
4. Very well, thank you; and you?

5. I am well too.
6. Beautiful weather, isn't it?
7. Yes, the weather is very beautiful.

8. It is warm; it is not cold.
9. Good-bye.
10. Good-bye.

COGNATES _____

German and English are closely related languages. As branches of the same family tree of Germanic languages they have many words in common. Such words which have the same root in the original language are called *cognates*.

1. The words in the following lists may be called *perfect cognates* since they have the same spelling and the same meaning in both languages:

der **April'**	das **Gold**	die **Nation'**	der **Sand**
der **Arm**	der **Hammer**	das **Nest**	der **Septem'ber**
der **August'**	die **Hand**	der **Novem'ber**	das **Sofa**
der **Ball**	das **Horn**	der **Park**	der **Student'**
die **Butter**	der **Hunger**	die **Person'**	das **Thea'ter**
der **Fall**	das **Land**	der **Plan**	der **Tiger**
der **Finger**	die **Million'**	der **Profes'sor**	der **Wanderer**
die **Form**	die **Minu'te**	der **Ring**	der **Wind**
der **Frost**	das **Muse'um**	die **Rose**	der **Winter**
das **Gas**	der **Name**	der **Sack**	der **Wolf**
best	**blond**	**mild**	**still**
bitter	**golden**	**oft**	**warm**
blind	**in**	**so**	**wild**

2. Drop the infinitive ending **–en** (or **–n**) of the following verbs, and the English cognates become apparent:

beginnen	enden	hängen	sinken
binden	fallen	senden	springen
bringen	finden	singen	wandern

3. Observe the following cognates:

Der Ball ist rund.	Der Arm ist lang.
Das Papier' ist dünn.	Das Buch ist dick.
Der Park ist grün.	Das Bett ist hart.
Das Eis ist kalt.	Die Sonne ist warm.
Das Haus ist weiß.	Der Garten ist groß.

LESESTÜCKE _____

Was ist das und wie ist das?

Das ist ein Arm. Der Arm ist lang, er ist nicht kurz. Der Finger ist klein, er ist nicht groß.

5 Der Wolf ist grau, der Elefant ist grau, die Maus ist grau. Ist der Esel auch grau? Ja, er ist auch grau. Ist die Kuh grau? Nein, sie ist braun.

Der Ball ist rund, das Nest ist rund, und der Ring ist auch rund.

10 Die Butter ist gelb, das Gold ist gelb, die Rose ist gelb, weiß oder rot.

der Elefant' *elephant*

der Esel *donkey*   auch *also*

oder *or*

Es ist Winter. Es ist kalt. Der Winter
bringt Schnee und Eis. Der Schnee ist weiß.
Der Park ist oft weiß im Winter. Im Sommer ist er grün.

5   Der Winter ist nicht immer kalt. Der
Sommer ist oft sehr warm. Der Wind ist
kalt im Winter. Im Sommer ist er warm.
    Der Sommer beginnt im Juni und
endet im September. Er bringt das Gras.
10 Das Gras ist grün. Der Busch ist auch grün.
Die Sonne scheint oft im Sommer. Im Winter scheint sie nicht so oft.

bringt *brings*	der Schnee *snow*
oft *often*	
immer *always*	
sehr *very*	
im *in the*	
beginnt' *begins*	der Juni *June*
endet *ends*	
der Busch *bush*	
scheint *shines*	

Die braune Kuh

Muh, muh, muh,
So macht die braune Kuh;
15 Sie gibt uns Milch und Butter,
Wir geben ihr das Futter.
Muh, muh, muh,
So macht die braune Kuh.

muh *moo*	
macht *here*: *says*	die Kuh *cow*
sie gibt *she gives*	
wir geben *we give*	ihr *to her*
das Futter *fodder*	

Das Wetter

Im Winter ist das Wetter kalt. Hier
20 in Minnesota ist der Winter oft sehr kalt.
Im Sommer ist es oft heiß, sehr heiß. In
Mexiko ist es immer warm. Wie ist das
Wetter in Deutschland? In Deutschland ist
es im Winter auch kalt, aber nicht so kalt
25 wie in Minnesota. Hier ist der Winter zu
kalt und zu lang. Mein Freund sagt immer:
„Hier haben wir nur zwei Jahreszeiten, Juli
und Winter."

das Wetter *weather*	hier *here*
aber *but*	
wie *as*	zu kalt *too cold*
mein Freund *my friend*	sagt
says	
haben wir *we have*	nur zwei
Jahreszeiten *only two seasons*	
der Juli *July*	

EXERCISES — SERIES B

I. Questions:

1. Was ist kurz? 2. Was ist lang? 3. Ist der Arm kurz? 4. Ist die Lippe rot? 5. Ist der Sommer warm? 6. Ist das Ohr blau? 7. Ist das Auge braun? 8. Ist der Lehrer alt? 9. Ist der Schnee weiß? 10. Ist die Maus groß?

II. Answer with a personal pronoun and an adjective. EXAMPLE: Wie ist der Ring? **Er** ist **rund.**

1. der Sommer? 2. die Rose? 3. die Maus? 4. das Gras? 5. das Auge? 6. die Nase? 7. der Winter? 8. der Schnee? 9. der Ball?

III. Supply the indefinite article, and answer in the negative with **kein.** EXAMPLE: Ist dies **ein** Finger? Nein, das ist **kein** Finger.

1. — Auge? 2. — Hand? 3. — Ring? 4. — Schüler? 5. — Lippe? 6. — Finger? 7. — Ball? 8. — Maus? 9. — Ohr?

IV. Give the English cognates of:

der Arm, der Ball, der Ring, der Winter, der Sommer, das Eis, das Gras, die Maus; warm, braun, grün, alt, hier, oft.

V. Translate:

1. What is this and what is that? 2. This is a finger and that is a hand. 3. That is the nose and this is the lip. 4. The eye is blue; the ear is white. 5. The foot is large; it is not small. 6. The arm is long; it is not short. 7. The ear is small; it is not large. 8. Is that a nose? No, that is no nose; that is a lip. 9. Is this an eye? No, this is no eye; this is an ear. 10. Is that the teacher? No, that is not the teacher; that is the pupil. 11. Is the milk red? No, it is white. 12. Is the sky brown? No, it is blue. 13. Is the winter cold? Yes, it is cold. 14. Is the summer cold? No, it is hot. 15. The sky is blue, the grass is green, and the snow is white. — a. Is that not a hand? b. The summer is warm. c. The book is thick. d. The winter is not warm. e. No winter is warm. f. The garden is large, not small.

2

Wer ist das?

Hier ist ein Bild. Dies ist eine Familie.

Das ist der Mann, der Vater, und dies ist der Sohn, der Bruder, der Junge.

Das ist die Frau, die Mutter, und dies ist die Tochter, die
5 Schwester.

Das ist das Kind, und dies ist das Mädchen, das Fräulein.

Der Vater ist ein Mann, die Mutter ist eine Frau.

Der Sohn ist ein Kind, die Tochter ist auch ein Kind.

Der Bruder ist ein Junge, die Schwester ist ein Mädchen.

10 Dieser Mann ist ein Lehrer, diese Frau ist eine Lehrerin.

Jener Junge ist ein Schüler, jenes Mädchen ist eine Schülerin.

Dieser Vater ist alt, dieser Sohn ist jung.

Jene Mutter ist krank, jene Tochter ist gesund.

Welches Mädchen ist fleißig? Welcher Junge ist faul?

15 Wo **sind** wir?

Wir **sind** hier. Wir **sind** in der Schule.

Was sagt der Lehrer?

Er sagt: ,,Ich **bin** der Lehrer, und Sie **sind** die Schüler.''

Frage und Antwort

Der Lehrer fragt.	Die Schüler antworten.
20 Die Frage:	Die Antwort:
Was bin ich?	Sie sind der Lehrer.
Was sind Sie alle?	Wir sind die Schüler.
Was ist Marie?	Sie ist eine Schülerin.
Was ist Fritz?	Er ist ein Schüler.
25 Was sind Marie und Fritz?	Sie sind Schüler.
Wo sind wir?	Wir sind hier in der Schule.
Wer ist der Mann?	Das ist der Lehrer.
Wie heißt er?	Er heißt Herr Braun.

Wer ist die Frau?	Das ist die Lehrerin.
Wie heißt sie?	Sie heißt Frau Braun.
Wer ist das Mädchen?	Das ist Marie.
Wer ist der Junge?	Das ist Fritz.

Wer ist es?
{ Ich bin es.
  Er ist es.
  Wir sind es. }

5

GRAMMAR _____
Present Tense of *sein; dieser, jener, welcher.*

1. Present Tense of *sein.*

ich **bin** hier	wir **sind** hier
du **bist** hier	ihr **seid** hier
er **ist** hier	sie **sind** hier

Sie **sind** hier (*formal address*)

2. *der*-words.

The **der**-words (**dieser** *this*, **jener** *that*, **jeder** *each, every*, **welcher** *which*) are declined like the definite article and agree in gender, number, and case with the nouns which they modify.

Masc.	Fem.	Neut.
dieser	diese	dieses
jener	jene	jenes
jeder	jede	jedes
welcher	welche	welches

3. Familiar Form of Address.

du and **ihr** are called the familiar form of address and are used only in addressing close relatives, intimate friends, children, and animals. The formal form of address is **Sie,** for both singular and plural. It is always capitalized to distinguish it from the third person plural.

4. Neuter Forms of *das, dies* and *es.*

The neuter forms **das** *that*, **dies** *this*, and **es** *it* are used to introduce a sentence without regard to the gender and number of the real subject, which follows the verb and determines its number:

Das (dies, es) ist der Vater (die Mutter).
That (this, it) is the father (the mother).

Das (dies, es) sind der Vater und die Mutter.
Those (these, they) are the father and the mother.

EXERCISES — SERIES A _____

I. Supply the proper form of 1) the definite article, 2) **dieser,** and 3) **welcher:**

1. — Mädchen, 2. — Schwester, 3. — Tochter, 4. — Frau, 5. — Bruder, 6. — Mann, 7. — Mutter, 8. — Schüler, 9. — Kind, 10. — Schülerin.

II. Supply the proper form of **sein**:

1. Ich — ein Schüler. 2. Er — der Lehrer. 3. Die Schülerin — hier. 4. — Sie hier? 5. — das ein Mann? 6. — das ein Schüler? 7. Wir — jung. 8. — ich alt? 9. — das die Mutter? 10. — sie fleißig? 11. — du ein Mädchen? 12. Das — ein Finger. 13. Das — die Schülerin. 14. Das — ein Kind. 15. Ihr — in der Schule. 16. — sie gesund? 17. Wer — der Junge? 18. Fritz und Marie — Schüler. 19. — Sie krank? 20. Es — der Schüler.

III. Conjugate in the present:

1. Ich bin jung. 2. Ich bin in der Schule. 3. Bin ich nicht groß? 4. Bin ich ein Schüler? 5. Wer bin ich? 6. Ich bin es. 7. Wo bin ich? 8. Ich bin hier.

IV. Substitute personal pronouns for the nouns:

1. Der Vater ist hier. 2. Der Lehrer ist nicht hier. 3. Das Mädchen ist krank. 4. Das Kind ist gesund. 5. Die Tochter ist jung. 6. Die Milch ist weiß. 7. Die Maus ist grau. 8. Der Himmel ist blau. 9. Die Schülerin ist klein. 10. Wo ist der Schüler?

V. Answer with the proper form of 1) **dieser,** 2) **jener.** EXAMPLE: Welcher Schüler ist fleißig? — **Dieser** Schüler ist fleißig, aber **jener** Schüler ist faul.

1. Welches Mädchen ist krank? 2. Welcher Lehrer ist alt? 3. Welche Tochter ist gesund? 4. Welches Kind ist klein? 5. Welche Hand ist groß? 6. Welche Rose ist weiß? 7. Welcher Finger ist klein? 8. Welche Nase ist kurz? 9. Welcher Bruder ist faul? 10. Welches Buch ist dick?

VOCABULARY _____

zweite Aufgabe second lesson
Sie sind die Schüler you are the pupils
ich bin es it is I
er ist es it is he
wir sind es it is we
Sind Sie es? Is it you?

eins	1	vier	4	sieben	7	zehn	10
zwei	2	fünf	5	acht	8	elf	11
drei	3	sechs	6	neun	9	zwölf	12

der **Bruder** brother
der **Junge** boy
der **Mann** man
der **Schüler** (*pl.* die **Schüler**) pupil
der **Sohn** son
der **Vater** father

die **Antwort** answer
die **Fami′lie** family
die **Frage** question
die **Frau** woman, Mrs.
die **Lehrerin** teacher (*fem.*)
die **Minu′te** minute
die **Mutter** mother
die **Schule** school
die **Schülerin** pupil (*fem.*)

die **Schwester** sister
die **Tochter** daughter

das **Bild** picture
das **Kind** child

dieser, –e, –es this
faul lazy
fleißig diligent
gesund healthy
jener, –e, –es that
krank ill
unser, unsre our
welcher, –e, –es which
wer who
wo where

CONVERSATION

Wir lernen auswendig.   We memorize.

Wer ist das?   ## Who is that?

1. Guten Tag!
2. Wer ist das?
3. Ist das nicht Herr Kaufmann?
4. Nein, das ist Herr Meyer.
5. Wie heißen Sie?
6. Ich heiße Karl Schilling.
7. Wie alt sind Sie? Ich bin achtzehn Jahre alt.
8. Wie heißt das Fräulein?

9. Sie heißt Ilse. Ist sie nicht hübsch?
10. Jawohl, sehr hübsch.

1. How do you do?
2. Who is that?
3. Isn't that Mr. Kaufmann?
4. No, that is Mr. Meyer.
5. What is your name?
6. My name is Karl Schilling.
7. How old are you? I am eighteen years old.
8. What is the name of the young lady?

9. Her name is Ilse. Isn't she pretty?
10. Yes, indeed, very pretty.

COGNATES

The words in the following lists may be called *near cognates* since they have the same meaning in German as in English though the spelling differs slightly.

der **Apfel**	apple		die **Lippe**	lip
der **Bär**	bear		der **Mann**	man
das **Bett**	bed		die **Maschi'ne**	machine
das **Bier**	beer		die **Maus**	mouse
das **Boot**	boat		die **Milch**	milk
der **Bruder**	brother		die **Musik'**	music
das **Buch**	book		die **Mutter**	mother
der **Busch**	bush		die **Nase**	nose
das **Ding**	thing		die **Natur'**	nature
das **Eis**	ice		der **Norden**	north
der **Elefant'**	elephant		der **Ochs**	ox
das **Ende**	end		der **Onkel**	uncle
die **Fami'lie**	family		das **Papier'**	paper
das **Feld**	field		der **Preis**	price
das **Feuer**	fire		der **Puls**	pulse
der **Fisch**	fish		das **Salz**	salt
der **Freund**	friend		das **Schiff**	ship
der **Fuß**	foot		der **Schuh**	shoe
der **Garten**	garden		die **Schule**	school
das **Glas**	glass		das **Schwein**	swine
das **Gras**	grass		das **Silber**	silver
das **Haar**	hair		der **Sohn**	son
das **Haus**	house		der **Sommer**	summer
die **Henne**	hen		die **Sonne**	sun
der **Hund**	hound		der **Tabak**	tobacco
das **Jahr**	year		der **Tee**	tea
der **Kaffee**	coffee		der **Ton**	tone
die **Katze**	cat		die **Universität'**	university
die **Klasse**	class		der **Vater**	father
das **Knie**	knee		der **Wagen**	wagon
die **Kohle**	coal		das **Wasser**	water
das **Konzert'**	concert		der **Wein**	wine
das **Lamm**	lamb		der **Westen**	west
die **Lampe**	lamp		das **Wort**	word
das **Licht**	light			

besser	better	hart	hard	rund	round
blau	blue	hier	here	sauer	sour
braun	brown	hundert	hundred	scharf	sharp
dick	thick	jung	young	sieben	seven
dünn	thin	kalt	cold	tausend	thousand
englisch	English	klar	clear	unter	under
fein	fine	lang	long	voll	full
frisch	fresh	laut	loud	weise	wise
grün	green	neu	new	weiß	white
gut	good				

LESESTÜCKE

Memorize:

Die Sonne scheint. Der Tag ist warm.
Das Wetter ist schön. Der Vogel singt.   *der Vogel bird   singt sings*
Der Ring ist an dem Finger.   *an on*
Der Finger ist an der Hand.
5 Die Hand ist an dem Arm.
Der Schuh ist an dem Fuß.   *der Schuh shoe*
Das Wasser ist in dem Glas.   *das Wasser water*
Der Fisch schwimmt in dem Wasser.   *der Fisch fish   schwimmt swims*
Die Maus hat Hunger, sie findet das Brot.   *sie findet it finds das Brot bread*
10 Die Katze findet die Maus.   *die Katze cat*
Die Henne sitzt auf dem Nest und legt   *die Henne hen   sitzt sits   auf*
das Ei.   *on*

Wie, wer, was und wo ist das?

Der Apfel ist rund. Der Bär ist braun   *der Apfel apple   der Bär bear*
oder schwarz. Das Bett ist hart oder weich.
15 Das Bier ist bitter. Das Buch ist groß oder   *das Bier beer*
klein. Das Haus ist alt oder neu. Das Gras,
der Busch und der Garten sind grün. Das
Wasser ist kalt und klar.
Ist der Tag lang oder kurz? Die Mi-
20 nute ist sehr kurz. Das Jahr ist immer lang.   *das Jahr year*
Im Winter ist die Nacht lang und der Tag   *die Nacht night*
kurz. Im Sommer ist die Nacht kurz und

der Tag lang. Im Juni ist der Tag so lang
wie die Nacht.

Der Vater ist ein Mann, und der Sohn
ist ein Junge. Die Mutter ist eine Frau, und
5 die Tochter ist ein Mädchen. Das Kind ist
kein Mann und keine Frau. Es ist ein Junge
oder ein Mädchen. Dieser Junge ist ein
Bruder, und jenes Mädchen ist eine Schwester. Nicht jeder Junge ist ein Bruder,
10 und nicht jedes Mädchen ist eine Schwester.
Jeder Junge ist ein Sohn, und jedes Mädchen ist eine Tochter.

Deutschland ist ein Land, England ist
ein Land, und Amerika ist auch ein Land.
15 Deutschland und England sind in Europa.

Berlin ist eine Stadt, London ist auch
eine Stadt. Berlin ist kein Land, sondern
eine Stadt.

Berlin ist eine Stadt in Deutschland,
20 Bremen ist auch eine Stadt in Deutschland.
Berlin und Bremen sind nicht in Amerika,
sondern in Deutschland. London ist eine
Stadt in England, und Paris ist eine Stadt
in Frankreich.

25 Wisconsin ist ein Staat in Amerika.
Texas ist auch ein Staat in Amerika. Mil-
waukee ist eine Stadt in Wisconsin.

Deutschland ist klein. Es ist nicht so
groß wie Amerika. Es ist so groß wie der
30 Staat Texas.

Die Deutschen sprechen Deutsch, die
Engländer sprechen Englisch. Ich bin Amerikaner, aber ich spreche auch Deutsch.
Sind Sie Amerikaner? Sprechen Sie
35 Deutsch? Lesen Sie Englisch? Wir sind
alle Amerikaner, und wir lesen und sprechen
Englisch und Deutsch.

Unser Land heißt Amerika. Unser
Staat heißt Illinois, und unsere Stadt heißt
40 Chicago.

---

so lang wie *as long as*

nicht jeder *not every*

Europa *Europe*
die Stadt *city*
das Land *country*

Frankreich *France*
der Staat *state*

die Deutschen *the Germans* die
Engländer *the English* Englisch *English (language)*

Amerikaner *an American*

Es ist September, und die Schule fängt an

die Schule fängt an *school begins*

Marie ist ein Mädchen. Fritz ist ein Junge. Sie sind beide sechs Jahre alt. Sie gehen in die Schule. Die Lehrerin fragt das Mädchen: „Wie heißt du?" Sie antwortet:
5 „Ich heiße Marie Braun." „Wie alt bist du?" „Ich bin sechs Jahre alt."

beide *both*   sie gehen in die Schule *they go to school*

wie heißt du? *what is your name?*

Sie fragt den Jungen: „Wie heißt du?" Er antwortet: „Ich heiße Fritz Braun." „Wie alt bist du?" „Ich bin auch sechs
10 Jahre alt." „Seid ihr Bruder und Schwester?" „O nein," antwortet Fritz, „wir sind Zwillinge."

Zwillinge *twins*

Im Garten

Karl und Fritz sind nicht hier. Sie sind im Garten. Der Vater weiß nicht, wo sie
15 sind. Er ruft laut: „Karl, wo bist du? Karl und Fritz, wo seid ihr?" Keine Antwort. Der Vater ruft lauter: „Karl und Fritz, wo seid ihr?" Karl antwortet: „Ich bin hier im Garten." „Was tust du?" „Nichts."
20 „Fritz, wo bist du?" „Ich bin auch hier im Garten." „Und was tust du?" Fritz antwortet laut: „Ich helfe Karl." *

weiß nicht *does not know*

ruft laut *calls loudly*

lauter *more loudly*

was tust du? *what are you doing?*

EXERCISES — SERIES B

I. Questions:

1. Wer ist ein Mann? 2. Wer ist eine Frau? 3. Wer ist ein Kind? 4. Ist der Sohn ein Junge? 5. Ist jeder Junge ein Sohn? 6. Was ist jedes Mädchen? 7. Ist die Schwester ein Sohn? 8. Was ist die Schwester? 9. Ist jeder Sohn ein Junge? 10. Ist jede Mutter auch eine Tochter?

II. In each answer use **dieser** or **jener**. EXAMPLE: Wer ist krank? **Dieses** Kind ist krank.

* German has no emphatic or progressive verb forms. For the three forms: *I help, I am helping, I do help*, German has but one form: **ich helfe**.

1. Wer ist ein Junge? 2. Wer ist eine Tochter? 3. Wer ist ein Kind? 4. Ist die Tochter kein Kind? 5. Welcher Mann ist groß? 6. Welche Frau ist alt? 7. Welches Kind ist gesund? 8. Wer ist keine Tochter? 9. Welches Mädchen ist klein? 10. Welcher Mann ist ein Lehrer?

III. Answer with personal pronouns. EXAMPLE: Ist der Mann alt? Ja, **er** ist alt.

1. Ist das Kind klein? 2. Ist der Lehrer alt? 3. Ist der Vater jung? 4. Wer ist hier? 5. Ist der Lehrer hier? 6. Ist der Schnee weiß? 7. Ist Fritz ein Mädchen? 8. Ist Marie ein Junge? 9. Ist Berlin ein Staat? 10. Ist England eine Stadt?

IV. Give the English cognates of:

das Land, der Vater, der Sohn, der Bruder, die Mutter, die Schule, die Henne.

V. Read each subject with each adjective. EXAMPLE: 1) *positive:* ich bin groß, du bist groß, etc.; 2) *negative:* ich bin nicht groß, etc.; 3) *as a question:* bin ich groß?, etc.; 4) *negative question:* bin ich nicht groß?, etc.

1. ich bin groß, 2. du bist klein, 3. er ist jung, 4. wir sind alt, 5. ihr seid gesund, 6. sie sind krank, 7. Sie sind fleißig.

VI. Translate:

1. Who is that? Is that the teacher (*m.*)? 2. He is the teacher, and she is the pupil. 3. The man is the father, and the woman is the mother. 4. The boy is a child, and he is also a son. 5. The girl is a daughter, and she is also a sister. 6. This man is a teacher, and that woman is also a teacher. 7. Is this boy a pupil? Is that girl a pupil? 8. The teacher asks, "What am I?" 9. The pupil answers, "You are the teacher." 10. Where are Karl and Marie? They are here. 11. Which boy and which girl are not here? 12. The brother is not here; he is ill. 13. Which man is old, and which woman is young? 14. The mother asks, "Who is it?" 15. I say, "It is I." They say, "It is we." — a. Who is it? b. It is he. c. It is I. d. It is they. e. That is the father. f. Those are the brother and the sister.

3

Was habe ich?

Wir sind in der Schule. Dies ist das Klassenzimmer. Es ist
groß und hell, es ist nicht klein und dunkel. Das Zimmer **hat** eine
Wandtafel, eine Decke, einen Fußboden, eine Tür und zwei, drei,
vier, fünf, sechs Fenster. Die Fenster sind breit, nicht schmal. Die
5 Decke ist hoch, nicht niedrig, und die Wand ist lang, nicht kurz.
Der Fußboden ist rein, nicht schmutzig. Der Lehrer **hat** einen Tisch
und einen Stuhl. Jeder Schüler **hat** ein Buch, einen Bleistift und
eine Feder. Alle Schüler **haben** Tinte und Papier. Die Tinte ist
schwarz, sie ist nicht rot oder grün. Jene Schülerin **hat** eine Blume,
10 eine Rose. Sie ist rot, sie ist nicht weiß oder blau. Dieser Schüler
hat ein Messer. Das Messer ist scharf. Sehen Sie die Lampe an der
Decke? Hier ist auch ein Bild an der Wand, und da ist eine Uhr.

Ich **habe** einen Vater, einen Bruder, einen Freund.
Du **hast** eine Mutter, eine Schwester, eine Freundin.
15 Er **hat** ein Buch, ein Messer, ein Haus.

Wir **haben** den Stuhl, den Tisch, den Bleistift.
Ihr **habt** die Blume, die Rose, die Uhr.
Sie **haben** das Papier, das Bild, das Messer.

Das ist **der** Stuhl.	Ich habe **den** Stuhl.
20 Was habe ich?	Sie haben **einen** Stuhl.
Wer hat **den** Stuhl?	Sie haben **ihn.**
Das ist **die** Blume.	Ich habe **die** Blume.
Was habe ich?	Sie haben **eine** Blume.
Wer hat **die** Blume?	Sie haben **sie.**
25 Das ist **das** Buch.	Ich habe **das** Buch.
Was habe ich?	Sie haben **ein** Buch.
Wer hat **das** Buch?	Sie haben **es.**

GRAMMAR

Present Tense of *haben;* Nominative and Accusative Cases; *sondern;* Inverted Word Order.

1. Present Tense of *haben.*

Was **habe** ich?	Was **haben** wir?
Was **hast** du?	Was **habt** ihr?
Was **hat** er?	Was **haben** sie?
Was **haben** Sie? (*formal address*)	

2. Accusative Case.

The object of a verb is in the accusative case.

3. Nominative and Accusative Cases of *der*-words.

	MASC.		FEM.		NEUT.	
NOM.	der	dieser	die	diese	das	dieses
ACC.	den	diesen	die	diese	das	dieses
NOM.	jener	welcher	jene	welche	jenes	welches
ACC.	jenen	welchen	jene	welche	jenes	welches

These words are called **der**-words because they are declined like the definite article. The accusative of the feminine and neuter is the same as the nominative.

4. Nominative and Accusative Cases of *ein*-words.

	MASC.	FEM.	NEUT.
NOM.	ein	eine	ein
ACC.	einen	eine	ein

The negative adjective **kein** is declined like **ein.**

5. Similarity of Nominative and Accusative.

All feminine and neuter nouns and most masculine nouns have the same form in the nominative and accusative.

6. Nominative and Accusative Cases of Personal Pronouns.

	MASC.	FEM.	NEUT.
NOM.	er	sie	es
ACC.	ihn	sie	es

7. *sondern.*

The conjunction **sondern** is used only after a negative. It introduces a positive statement which excludes the preceding negative statement. It has the force of *but on the contrary*. Otherwise *but* is rendered by **aber**; for example:

> Er ist nicht reich, sondern arm.
> Er ist nicht hier, aber er kommt morgen.

8. Inverted Word Order.

When a sentence is introduced by some element other than the subject, the verb is placed before the subject as: **Hier ist es.** This is called the inverted order.

EXERCISES — SERIES A

I. Supply the proper form of 1) the definite article, 2) the indefinite article, 3) **dieser**:

a) Dies ist — Fenster — Tür — Zimmer — Uhr — Auge
  — Buch — Blume — Bild — Ohr — Messer

b) Ich habe — Stuhl — Messer — Uhr — Blume — Bleistift
  — Bild — Tisch — Buch — Maus — Esel

II. Answer with the opposite and with personal pronoun. EXAMPLE: Ist der Tisch klein? Nein, **er** ist nicht **klein,** sondern **groß.**

1. Ist die Tür schmal? 2. Ist die Decke niedrig? 3. Ist der Lehrer jung? 4. Ist der Schüler fleißig? 5. Ist das Auge groß? 6. Ist das Papier schwarz? 7. Ist das Zimmer hell? 8. Ist das Fenster rein? 9. Ist das Mädchen krank? 10. Ist die Aufgabe kurz?

III. Answer in complete sentences:

1. Was ist groß? 2. Was ist klein? 3. Was ist lang? 4. Was ist breit? 5. Was ist hell? 6. Was ist rot? 7. Was ist kurz? 8. Was ist grau? 9. Was ist hoch? 10. Was ist rein? 11. Was ist schwarz? 12. Was ist scharf? 13. Was ist grün? 14. Was ist schmal? 15. Was ist schmutzig?

IV. Answer:

Was hat der Lehrer? Was haben wir? Was hat er? Was hat der Bruder? Was haben Sie? Was habe ich?

V. Replace nouns with personal pronouns:

Wer hat das Buch? die Blume? den Bleistift? die Feder? die Tinte? das Messer? das Papier? die Uhr? den Stuhl?

ALLERLEI _____

MEMORIZE:

Wer hat den Stuhl?	Hier ist **er,** ich habe **ihn.**
Wer hat die Uhr?	Hier ist **sie,** ich habe **sie.**
Wer hat das Messer?	Hier ist **es,** ich habe **es.**
Wo ist der Bleistift?	Hier ist **er,** wir haben **ihn.**
Wo ist die Feder?	Hier ist **sie,** wir haben **sie.**
Wo ist das Buch?	Hier ist **es,** wir haben **es.**

Eins, zwei, drei

Eins, zwei, drei,
Alt ist nicht neu,
Neu ist nicht alt,

Warm ist nicht kalt,
Kalt ist nicht warm,
Reich ist nicht arm.

Eins, zwei, drei,
Alt ist nicht neu,
Arm ist nicht reich,

Hart ist nicht weich,
Klug ist nicht dumm,
Grad ist nicht krumm.

Weißt du das?

Was nicht jung ist, das ist alt,
Und was warm ist, ist nicht kalt.

Was nicht grob ist, das ist fein;
Was nicht groß ist, das ist klein.

Was nicht hart ist, das ist weich,
Und wer arm ist, ist nicht reich.

Was nicht leicht ist, das ist schwer,
Und was voll ist, ist nicht leer.

Wenn es kalt ist, ist's nicht heiß;
Das, was schwarz ist, ist nicht weiß.

Wer nicht klug ist, der (*he*) ist dumm,
Und was grad ist, ist nicht krumm.

Was nicht schmal ist, das ist breit;
Was nicht eng ist, das ist weit.

Was nicht fern ist, das ist nah,
Und wer nein sagt, sagt nicht ja.

Was nicht trocken ist, ist naß —
Ist's nicht dies, so ist es das.

Weißt du das?

VOCABULARY

dritte Aufgabe third lesson
weißt du das? do you know that?
das, was that which
the days of the week: der Sonntag, der Montag, der Dienstag, der Mittwoch, der Donnerstag, der Freitag, der Samstag (*or*) Sonnabend

der Bleistift pencil
der Fußboden floor
der Stuhl chair
der Tisch table

die Blume flower
die Decke ceiling
die Feder pen
die Freundin friend (*fem.*)
die Lampe lamp
die Tinte ink

arm poor
breit broad, wide
dumm stupid
dunkel dark
eng narrow
fein fine
fern distant, far
gerade (grad) straight
hoch high
leer empty
leicht easy, light
naß wet
rein clean

die Tür door
die Uhr clock, watch
die Wand wall
die Wandtafel blackboard

das Fenster (*pl.* die Fenster) window
das Klassenzimmer classroom
das Messer knife
das Zimmer room

sehen see
wissen (ich, er weiß) know

reich rich
schmal narrow
klug clever
hell bright
weit wide
grob coarse
nah near
krumm crooked
niedrig low
voll full
schwer difficult, heavy
trocken dry
schmutzig dirty

wer who, he who, whoever

CONVERSATION

Wir lernen ein Gespräch auswendig.	We memorize a conversation.

Sprechen Sie Deutsch?   Do you speak German?

1. Guten Abend!	1. Good evening.
2. Sind Sie nicht Amerikaner?	2. Aren't you an American?
3. Jawohl, ich heiße Melton.	3. Yes indeed, my name is Melton.
4. Sprechen Sie Deutsch?	4. Do you speak German?
5. Ich bin Amerikaner, ich spreche Englisch.	5. I am an American; I speak English.
6. Ich bin auch Amerikaner, aber ich spreche auch Deutsch.	6. I am an American too, but I also speak German.
7. O, ich spreche auch Deutsch, aber nur ein wenig.	7. Oh, I speak German too, but only a little.
8. In Amerika sprechen wir Englisch, nicht wahr?	8. In America we speak English, don't we?
9. Ja, aber in Deutschland sprechen wir Deutsch.	9. Yes, but in Germany we speak German.
10. Gut, sprechen wir Deutsch!	10. Good; let us speak German.

NEAR COGNATES

The following words are near cognates:

beißen	to bite	helfen	to help	sagen	to say
brechen	to break	hoffen	to hope	scheinen	to shine
danken	to thank	kochen	to cook	schwimmen	to swim
denken	to think	kommen	to come	sehen	to see
essen	to eat	kosten	to cost	setzen	to set
fischen	to fish	leben	to live	sitzen	to sit
fliegen	to fly	legen	to lay	stehlen	to steal
fliehen	to flee	lernen	to learn	tanzen	to dance
geben	to give	liegen	to lie	trinken	to drink
haben	to have	machen	to make	vergessen	to forget
halten	to hold	reiten	to ride	waschen	to wash

LESESTÜCKE

Was hat der Schüler?

Karl ist ein Schüler. Paul ist sein Bruder. Er ist auch ein Schüler. Karl und Paul haben eine Schwester. Sie heißt Marie.

sein his

Sie ist eine Schülerin. Marie hat keine
Schwester, aber sie hat zwei Brüder. Karl   die Brüder *brothers*
hat nur einen Bruder, aber er hat auch eine
Schwester.

5   Karl, Paul und Marie sind Schüler. Sie
gehen jeden Tag in die Schule. Sie gehen am   jeden Tag *every day* am
Montag, Dienstag, Mittwoch, Donnerstag   Montag *on Monday*
und Freitag in die Schule. Am Sonnabend
und am Sonntag haben sie keine Schule.
10 Dann bleiben sie zu Hause und spielen.   bleiben *stay, remain* zu Hause *at home* spielen *play*
Marie hat eine Freundin. Sie heißt
Klara. Sie ist keine Schülerin, sie geht nicht
in die Schule. Sie sagt: ,,Ich habe keine
Schule. Ich bin keine Schülerin. Ich bin zu
15 jung, zu klein. Ich bin nicht so alt wie
Marie. Wenn ich groß bin, dann gehe ich
auch jeden Tag in die Schule.''
Jeder Schüler hat ein Buch, einen
Bleistift, eine Feder, Tinte und Papier,
20 nicht wahr? Nein, dieses Mädchen hat kein
Buch und jener Junge hat keinen Bleistift
und keine Feder. Dieser Junge sagt: ,,Ich
habe mein Buch nicht hier. Es ist zu Hause.
Es ist so schwer, ich kann es nicht lesen.''   ich kann es nicht lesen *I cannot read it*

*   *   *

25   Wer hat den Bleistift? Haben Sie ihn?
Nein, ich habe ihn nicht. Ich habe keinen
Bleistift, sondern eine Feder.
Wer hat die Uhr? Ich habe sie nicht,
der Lehrer hat sie. Wer hat sie? Ich nicht,
30 sondern der Lehrer. Er hat sie in der Tasche.   in der Tasche *in his pocket*
Wer hat das Buch? Wir haben es
nicht, und Sie haben es auch nicht. Es ist   Sie haben es auch nicht *you don't have it either*
nicht hier, sondern die Mutter hat es zu
Hause.

Zwei Fische

35   ,,Was machst du da?''   machst du da? *are you doing there?*
,,Ich fische.''   fischen *fish*

„Wie viele Fische hast du schon?"	wie viele Fische *how many fish*
	schon *already*
„Wenn ich diesen habe und noch einen,	wenn *when* noch einen *one more*
dann habe ich zwei."	dann *then*

Die Ferien

Der kleine Fritz sitzt vor dem Hause	vor *in front of*
5 und weint. Ein Herr fragt: „Warum weinst	warum *why* weinen *cry, weep*
du, mein Kind?" Fritz antwortet: „Mein	
Bruder hat Ferien, und ich nicht."	die Ferien (*pl.*) *vacation*
„Warum hast du keine Ferien?"	
„Ich gehe ja noch gar nicht in die	Ich gehe ja . . . Schule *Why, I*
10 Schule."	*don't go to school at all as yet*

Ich bin ein Schüler

Ich gehe jeden Tag in die Schule.	
Ich lerne Deutsch.	lernen *learn, study*
Ich habe ein Buch.	
Ich lerne fleißig.	
15 Ich höre, was der Lehrer sagt.	hören *hear*
Ich verstehe es auch.	verstehen *understand*
Ich spreche nicht.	
Ich sage nichts.	nichts *nothing*
Ich lese und schreibe.	schreiben *write*
20 Am Samstag habe ich keine Schule.	am Samstag *on Saturday*
Dann bleibe ich zu Hause.	

EXERCISES — SERIES B

I. Questions:

1. Was hat Paul? 2. Hat Marie eine Schwester? 3. Hat sie eine Freundin? 4. Hat Karl einen Bruder? 5. Hat er auch eine Schwester? 6. Haben Sie eine Schwester? 7. Was hat jeder Sohn? 8. Haben wir einen Freund? 9. Was hat jeder Schüler? 10. Hat jedes Mädchen einen Bruder?

II. Supply personal pronouns for subject and object. EXAMPLE: Hat der Schüler den Bleistift? Ja, **er** hat **ihn**. — Habe ich das Buch? Ja, **Sie** haben **es**.

1. Hat der Lehrer das Buch? 2. Hat der Sohn das Papier? 3. Hat die Tochter den Ring? 4. Hat der Vater einen Sohn? 5. Habe ich die

Uhr? 6. Hat das Mädchen eine Freundin? 7. Haben Sie die Tinte? 8. Hat das Kind den Fisch? 9. Haben wir den Ball? 10. Hat die Freundin die Feder?

III. Supply suitable adjectives with their opposites. EXAMPLE: Das Buch ist nicht **groß**, sondern **klein**.

1. Der Winter —— 2. Der Lehrer —— 3. Der Tag —— 4. Die Hand —— 5. Der Arm —— 6. Das Haus —— 7. Das Auge —— 8. Die Maus —— 9. Das Ohr —— 10. Die Schülerin ——.

IV. Give the English cognates of:

das Nest, der Hunger, das Buch, der Fisch, das Haus, das Papier, bringen, finden, neu.

V. Read each subject with each object: 1) *positive:* ich habe einen Vater, du hast einen Vater, etc., 2) *negative:* ich habe keinen Vater, etc., 3) *question:* habe ich einen Vater?, etc., 4) *negative question:* habe ich keinen Vater?, etc.

ich	habe	einen Vater	wir	haben	eine	Schwester
du	hast	eine Mutter	ihr	habt	einen	Freund
er	hat	einen Bruder	sie	haben	eine	Freundin
	Sie	haben	einen Onkel			

VI. Translate:

1. What have you, and what has she? 2. We have a book, but we have no paper. 3. Karl, where are you (**du**)? Have you a knife? 4. Karl and Marie, have you a pencil? 5. Which pupil (*f.*) has a pen, but no pencil? 6. Every girl has a book, but no girl has a knife. 7. Every pupil has ink and paper. 8. This boy has no teacher (*m.*) but a teacher (*f.*) 9. This room has a table and a clock, but it has no blackboard. 10. That classroom is not dark; it has a window. 11. The ceiling is not high but low; the floor is clean, not dirty. 12. Who has the picture? Here it is; we have it. 13. Do you see the clock and the picture on the wall? 14. Which clock and which picture do you see? 15. Every son has a father, but not every father has a son. — a. I have a brother? b. Have you a sister? c. Who has the book? I have it. d. Has she the chair? We have it. e. Have they the flower? He has it. f. Who has the pencil? Here it is.

4

VIERTE AUFGABE ⎯⎯⎯⎯⎯⎯⎯⎯⎯⎯⎯⎯⎯⎯⎯⎯⎯⎯

Was tue ich?

Guten Morgen! Guten Tag!

Wir sind in der Schule. Wir **lernen** fleißig. Wir **lernen** Deutsch.
Sprechen Sie Deutsch? Ich **spreche** Deutsch. **Verstehen Sie**
mich? Dieser Schüler **versteht,** was der Lehrer **sagt,** nicht wahr?
5 Wir **verstehen** Deutsch, und wir **sprechen, lesen** und **schreiben** es.
Wir **lernen** fleißig.

Wir **nehmen** das Buch, wir **machen** das Buch **auf** und **lesen** die
Aufgabe. Dann **machen** wir das Buch **zu.** Wir **stehen auf** und **ge-**
hen an die Tafel. Der Lehrer **fragt,** und die Schüler **schreiben** die
10 Antwort an die Tafel. Dann **setzen** sie **sich.**

Bitte, Fräulein, **hören** Sie, was ich **sage?** Sehen Sie, was ich
schreibe? **Machen** Sie das Buch **auf,** und **lesen** Sie die vierte Aufgabe! Nun **machen** Sie das Buch **zu, stehen** Sie **auf, kommen** Sie
an die Tafel und **schreiben** Sie!

15 Was **tut** das Fräulein? Es **geht** an die Tafel und **schreibt** die
Aufgabe. Karl und Marie **gehen** auch an die Tafel und **schreiben**
die Aufgabe. Nicht wahr?

Das Gegenteil

Was nicht dunkel ist, ist hell,
Was nicht langsam, das ist schnell.

20 Das Gegenteil von hell ist dunkel.

Die Nacht ist dunkel, der Tag ist hell;
Der Schüler geht langsam, das Auto fährt schnell.

[**30**]

GRAMMAR _____

Present Tense of Verbs; Dative Case; Personal and Reflexive Pronouns; Vowel Changes.

1. Present Tense of *lernen* and *antworten*.

ich lerne	ich antworte
du lernst	du antwortest
er lernt	er antwortet
wir lernen	wir antworten
ihr lernt	ihr antwortet
sie lernen	sie antworten
Sie lernen	Sie antworten

(formal address)

The stem of a verb is found by dropping the infinitive ending **–en.** To this stem the personal endings are added.

Verbs whose stems end in **s, ß, tz, z** usually drop the **s** of the personal ending **–st:** du ißt, du sitzt.

Verbs whose stem ends in **–d** or **–t** (or in **–m** or **–n** preceded by a consonant other than **l, r, m,** and **n**) have an **–e** inserted before the endings **–st** and **–t:** du arbeitest, er findet, ihr öffnet, but: er lernt, er kommt.

2. Dative Case.

The dative is the case of the indirect object:

Er bringt **mir (Ihnen, ihr** usw.*) ein Buch. *He brings me (you, her, etc.) a book.*

3. Personal Pronouns.

SINGULAR

Nom.	ich	du	Sie	er	sie	es
Dat.	mir	dir	Ihnen	ihm	ihr	ihm
Acc.	mich	dich	Sie	ihn	sie	es

* **usw. (und so weiter)** *etc. (and so forth).*

PLURAL

				All genders
Nom.	wir	ihr	Sie	sie
Dat.	uns	euch	Ihnen	ihnen
Acc.	uns	euch	Sie	sie

4. Reflexive Pronouns.

The reflexive pronouns refer back to the subject. (See also Table of Reflexive Verbs p. 344.) They have the same form as the personal pronouns except in the third person, which uses **sich** for the dative and accusative singular and plural:

	SINGULAR			PLURAL		
Dat.	mir	dir	sich	uns	euch	sich
Acc.	mich	dich	sich	uns	euch	sich

The reflexive of **Sie** is **sich**; it is not capitalized.

Ich bringe **ihm** einen Stuhl. Er nimmt **sich** einen Stuhl und setzt **sich**.
Ich bringe **Ihnen** den Stuhl. Sie nehmen **sich** einen Stuhl und setzen **sich**.

(English reflexive pronouns end in *–self* or *–selves;* for example: him*self*, them*selves*.)

5. Vowel Changes in Verbs.

Observe the vowel change in:

ich esse	er ißt
ich lese	er liest
ich nehme	er nimmt
ich sehe	er sieht
ich spreche	er spricht

EXERCISES — SERIES A _____

I. Supply the proper endings:

1. Ich seh— das Buch. 2. Er mach— das Buch auf. 3. Bitte, mach— Sie das Buch zu! 4. Geh— er an die Tafel? 5. Sprech— Sie Deutsch? 6. Versteh— der Schüler? 7. Der Lehrer frag—. 8. Die Schülerin antwort—. 9. Karl und Marie antwort—. 10. Nun steh— wir auf. 11. Ich sprech— Deutsch. 12. Geh— wir an die Tafel? 13. Sprech— ich laut? 14. Les— Sie das Buch?

II. Substitute personal pronouns for the nouns:

Ich sehe das Haus, den Freund, das Buch, die Blume, den Tisch, die Uhr, den Stuhl, das Bild, den Ball, die Milch, den Tee, die Butter.

III. Complete the sentences. EXAMPLE: Hat er das Buch? Nein, ich **habe das Buch.**

1. Sitzt er hier? Nein, ich ... 2. Steht er auf? Nein, wir ... 3. Spricht er Deutsch? Nein, sie ... 4. Mache ich das Buch auf? Nein, er ... 5. Gehe ich an die Tafel? Nein, sie ... 6. Spreche ich laut? Nein, er ... 7. Lesen Sie das Buch? Nein, wir ... 8. Fragt er den Lehrer? Nein, ich ... 9. Schreibt sie die Aufgabe? Nein, ich ... 10. Liest sie das Buch? Nein, er ...

IV. Form sentences according to the following example: **groß**: Was nicht **groß** ist, das ist **klein.**

1. jung, 2. hart, 3. warm, 4. dick, 5. arm, 6. schwer, 7. schmal, 8. krank, 9. lang, 10. trocken.

V. Answer in the first and third persons, singular and plural:

1. Wer ist hier? 2. Wer hat das Buch? 3. Wer spricht Deutsch? 4. Wer schreibt die Aufgabe? 5. Wer versteht Deutsch? 6. Wer macht das Buch auf? 7. Wer geht an die Tafel? 8. Wer lernt Deutsch? 9. Wer hört, was der Lehrer sagt? 10. Wer setzt sich?

VI. Questions:

1. Was ist weiß? 2. Was ist blau? 3. Was ist schwarz? 4. Was ist grün? 5. Was ist rot? 6. Was ist grau?

ALLERLEI

MEMORIZE:

Ich mache die Tür auf

Ich sitze hier.	Wir sitzen hier.
Ich stehe auf.	Wir stehen auf.
Ich gehe an die Tür.	Wir gehen an die Tür.
Ich mache die Tür auf.	Wir machen die Tür auf.
Ich mache die Tür zu.	Wir machen die Tür zu.
Ich gehe an den Tisch.	Wir gehen an den Tisch.
Ich setze mich.	Wir setzen uns.

Ich gehe in die Schule

Ich stehe auf.	Er steht auf.
Ich esse mein Frühstück.	Er **ißt** sein Frühstück.
Ich nehme das Buch.	Er **nimmt** das Buch.
Ich gehe in die Schule.	Er geht in die Schule.
Ich lerne Deutsch.	Er lernt Deutsch.
Ich schreibe die Aufgabe.	Er schreibt die Aufgabe.
Ich spiele Tennis.	Er spielt Tennis.
Ich komme nach Hause.	Er kommt nach Hause.
Ich esse zu Abend.	Er **ißt** zu Abend.
Ich lese die Zeitung.	Er **liest** die Zeitung.
Ich gehe zu Bett.	Er geht zu Bett.

Die Frage und die Antwort

Ein Fräulein kommt zu einem Rechtsanwalt (*lawyer*) und sagt: „Eine Frage kostet nichts, nicht wahr, Herr Rechtsanwalt?" „Nein, mein Fräulein," antwortet der Rechtsanwalt, „die Frage kostet nichts, aber die Antwort."

VOCABULARY

ich esse zu Abend I eat supper
bitte, helfen Sie mir please help me
ich danke Ihnen I thank you
es ist neun Uhr it is nine o'clock

der Tee tea

die Tafel blackboard
die Zeitung newspaper

das Auto automobile, auto
das Frühstück breakfast
das Gegenteil opposite
das Tennis tennis

arbeiten work
auf-machen open **wir machen das Buch auf** we open the book
auf-stehen rise, get up **wir stehen auf** we get up

öffnen (er öffnet) open
sehen (er sieht) see
sich setzen sit down **sie setzen sich** they sit down
sprechen (er spricht) speak
wieder-kommen come again, return **ich komme wieder** I come again
zu-machen close, shut **wir machen das Buch zu** we close the book

an on, to
in in, into
langsam slow(ly)
nun now

kosten cost
lesen (er liest) read
nehmen (er nimmt) take

schnell fast
zur = zu der

CONVERSATION

Wir lernen jeden Tag ein Gespräch auswendig.

We memorize a conversation every day.

Verstehen Sie?

Do you understand?

1. Sprechen Sie nicht Deutsch?
2. Ich spreche Deutsch, aber nicht sehr gut.
3. Verstehen Sie mich? Verstehen Sie mich nicht?
4. Verstehen Sie, was ich sage?

5. Nein, ich kann Sie nicht verstehen.
6. Spreche ich zu schnell?
7. Ja, sprechen Sie bitte langsamer.
8. Gut, verstehen Sie mich jetzt?

9. Bitte, sagen Sie das noch einmal.
10. Ich kann Deutsch sprechen. Ich kann Deutsch lesen. Verstehen Sie?

1. Don't you speak German?
2. I speak German, but not very well.
3. Do you understand me? Don't you understand me?
4. Do you understand what I say?
5. No, I cannot understand you.

6. Do I speak too fast?
7. Yes, please speak more slowly.

8. Good; do you understand me now?

9. Please say that once more.

10. I can speak German. I can read German. Do you understand?

LESESTÜCKE

Die Schule

Die Schule ist groß und hat viele Zimmer. Hier sind wir in der Schule. Dieses Zimmer ist ein Klassenzimmer. Es ist groß und hell.

5   Es ist jetzt neun Uhr. Die Schüler sind alle hier. Der Lehrer kommt an die Tür.

Er macht die Tür auf und kommt in das Zimmer. Er sagt: ,,Guten Morgen!" und die Schüler sagen auch: ,,Guten Morgen!" Der Lehrer geht an den Tisch und setzt 5 sich. Er macht das Buch auf und fragt: ,,Welche Aufgabe haben wir heute?" Karl antwortet: ,,Wir haben heute die vierte Aufgabe."

Der Lehrer lehrt, und die Schüler ler- 10 nen. Sie lernen Deutsch lesen und schrei- ben. Alle Schüler lesen und schreiben gern Deutsch, nicht wahr? Aber Paul ist nicht aufmerksam. Er ist faul und unaufmer- sam. Der Lehrer spricht, aber Paul hört 15 ihn nicht. Er weiß nicht, was der Lehrer sagt. Er lernt auch nichts. Der Lehrer fragt, aber Paul kann nicht antworten.

Der Lehrer sagt: ,,Paul, kommen Sie an die Tafel und schreiben Sie den Satz: 20 ,Der Lehrer sagt, Paul ist dumm!' Paul ist nicht so dumm, wie er aussieht. Er geht an die Tafel und schreibt: Der Lehrer, sagt Paul, ist dumm.

Die Schüler gehen gern in die Schule. 25 Sie gehen im Sommer, wenn es warm ist. Dann ist es schön. Dann ist das Gras grün, die Blumen blühen, und die Vögel singen. Sie gehen auch im Winter in die Schule. Dann ist es kalt. Es schneit und friert, und 30 wir haben viel Eis und Schnee. Dann ist es nicht so angenehm wie im Sommer. Dann ist der Weg zur Schule noch einmal so weit. Aber es ist doch schön, nicht wahr?

heute *today*

lehren *teach*

sie lernen ... schreiben *they learn to read and write German* lesen und schreiben gern *like to read and write*

aufmerksam *attentive* unauf- merksam *inattentive*

der Satz *sentence*

wie er aussieht *as he looks*

Blumen blühen *flowers bloom* die Vögel (*pl.*) *birds*

schneien *snow* frieren *freeze*

angenehm *pleasant*

Weg zur Schule *way to school* noch einmal so weit *twice as far*

Der Weg zur Schule

Im Winter, wenn es friert, 35 Im Winter, wenn es schneit, Dann ist der Weg zur Schule, Ach, noch einmal so weit!

ach *ah, oh*

Doch wenn die Vögel kommen,

Dann ist der Frühling da,

Dann ist der Weg zur Schule,

Ach, noch einmal so nah!

5 Wer aber gerne lernt,

Dem ist kein Weg zu weit,

Geht immer gern zur Schule

zu jeder Jahreszeit.

doch *yet, still*

der Frühling *spring*   da *there, here*

aber *but, however*   gerne lernt *likes to learn or study*
dem *for him*

zu jeder Jahreszeit *at (in) any season*

Das Dienstmädchen und der Professor

Ein Professor kommt einmal spät in
10 der Nacht nach Hause. Er hat keinen
Schlüssel in der Tasche. Er klingelt, und
das Dienstmädchen macht ein Fenster auf.
Es ist sehr dunkel. Sie sieht den Mann an
der Tür stehen, aber sie weiß nicht, wer es
15 ist. Sie ruft: „Der Herr Professor ist nicht
zu Hause." „Das tut mir leid," sagt der
Professor, „aber es macht nichts, ich
komme morgen wieder," und geht fort.

der Professor *professor*   kommt einmal... nach Hause *once comes home late*

in der Tasche *in his pocket*   klingeln *ring the bell*
das Dienstmädchen *maid*

stehen *standing*

das tut mir leid *I'm sorry about that*
es macht nichts *it makes no difference, it's nothing*   wieder *again, back*   fortgehen *go away*

EXERCISES — SERIES B

I. Questions:

1. Wie ist die Schule? 2. Wer ist hier? 3. Welches Zimmer ist ein
Klassenzimmer? 4. Wer kommt an die Tür? 5. Was sagt der Lehrer?
6. Was antworten die Schüler? 7. Was fragt der Lehrer? 8. Lernt der
Schüler Deutsch? 9. Wer schreibt Deutsch? 10. Was lernt Paul?

II. Substitute personal pronouns for the nouns:

1. Die Schule ist groß. 2. Der Lehrer sagt: „Guten Morgen!"
3. Er fragt den Schüler. 4. Sie hört das Mädchen nicht. 5. Das Kind
lernt auch nichts. 6. Ich höre den Vogel. 7. Wir sehen die Schülerin.
8. Schreiben Sie den Satz? 9. Ihr ruft den Lehrer. 10. Er macht das
Buch auf.

III. True and false. Read and answer. EXAMPLE: (*True*) Die Schule ist
groß. Ja, sie ist groß. (*False*) Die Schule ist klein. Nein, sie ist groß.

1. Der Schüler ist hier. 2. Der Lehrer kommt nicht. 3. Er sagt nicht: „Guten Morgen!" 4. Ich lese gern Deutsch. 5. Paul ist sehr fleißig. 6. Der Lehrer fragt mich. 7. Der Schüler lernt Deutsch. 8. Wir haben heute die vierte Aufgabe. 9. Paul weiß, was der Lehrer sagt. 10. Paul ist so dumm, wie er aussieht.

IV. Give English cognates of:

singen, kommen, lernen, neun, Guten Morgen!

V. Read each subject with each indirect object. EXAMPLE:

Der Vater kauft mir den Hut, — die Uhr, — das Messer, etc.
  "   "   " dir "   "   "   "   "   "   "
Die Mutter bringt mir den Hut, etc.

1. Der Vater kauft (**kaufen** *to buy*) mir den Hut (*hat*); ich bringe ihn nach Hause. 2. Die Mutter bringt dir die Uhr; du hast sie in der Tasche. 3. Die Schwester schenkt (**schenken** *to give as a gift*) ihm das Messer; er hat es in der Hand. 4. Der Bruder holt (**holen** *to go and get*) ihr das Buch; sie trägt es in die Schule. 5. Das Kind zeigt (**zeigen** *to show*) uns das Bild; wir sehen es an der Wand. 6. Der Sohn schickt (**schicken** *to send*) euch die Blume; ihr zeigt sie mir.

VI. Translate:

1. What am I doing? I am studying German. 2. Do you understand me? I understand you. 3. Don't you understand what I say? 4. Do you speak German? 5. The pupils sit down. 6. They read the lesson and write it. 7. We do not speak German, but we read it. 8. This pupil hears what the teacher says and writes it. 9. Please read the lesson. 10. Please write what I ask and the answer. 11. Do you hear what I am saying? 12. They read what we are writing. 13. They are going home, and we are going to school. 14. The boy calls, "Please come and help me." 15. I help him, and he says, "I thank you." — a. Don't you speak German? b. Does he understand me? c. We are learning German. d. He speaks German, doesn't he? e. They go to school, don't they? f. He is reading the newspaper, isn't he?

5

FÜNFTE AUFGABE

Wo ist das?

Guten Morgen! Wie befinden Sie sich heute morgen? Wer wohnt in diesem Hause?

Hier wohnen wir, dies ist unser Haus. Es ist nicht groß, aber es ist schön. Sehen Sie, vorn **am Hause** sind eine Tür und viele
5 Fenster. Dort **neben der Tür** ist die Klingel. Hier klopft man nicht, sondern man klingelt. Hinten hat das Haus auch eine Tür, aber nicht so viele Fenster wie vorn. **In dem Hause** sind nicht viele Zimmer, aber sie sind hell und freundlich.

Vorn ist das Wohnzimmer. **Neben dem Wohnzimmer** ist das
10 Eßzimmer. **In dem Eßzimmer** steht ein Tisch, **an dem Tische** steht ein Stuhl, und **auf dem Stuhle** sitzt mein Bruder und ißt sein Frühstück. **Hinter dem Eßzimmer** ist die Küche. Das Eßzimmer ist **kleiner als** das Wohnzimmer, und die Küche ist nicht **so groß wie** das Eßzimmer. **In der Küche** steht ein Ofen, **in dem Ofen** ist das Feuer,
15 und **auf dem Ofen** steht der Kaffee. Oben **im Hause** sind die Schlafzimmer und das Badezimmer. Die Schlafzimmer sind **größer als** das Badezimmer, aber nicht **so groß wie** das Wohnzimmer.

Auf dem Hause ist das Dach, und **auf dem Dach** ist der Schornstein. **Unter dem Hause** ist der Keller. **Hinter dem Hause**
20 ist der Garten. **Vor dem Hause** ist die Straße. **Zwischen dem Hause und der Straße** steht ein Baum. **Auf der Bank unter dem Baum** sitzt der Großvater. **In dem Baum** ist ein Nest, und **auf dem Neste** sitzt ein Vogel. Ist das nicht schön?

GRAMMAR

Prepositions governing Dative or Accusative; Comparative of Adjectives; Present Tense of *werden*.

1. Prepositions governing Dative or Accusative.

The following prepositions govern either the dative or the accusative:

an on, at	**in** in	**unter** under
auf on, upon	**neben** beside	**vor** before
hinter behind	**über** over, above	**zwischen** between

They govern the dative when the verb indicates position or motion in a place, or time when, and they answer the question **wo?** *where?* or **wann?** *when?*

Er sitzt an dem Tische.   Die Sonne scheint am Tag (in
           the day time).

Wir sind in dem Zimmer. Im Sommer ist es warm.

Er steht vor der Klasse.   Die Nacht kommt vor dem Tag.

2. Contractions.

Contractions of prepositions with the definite article are frequent:

     am = an dem   im = in dem

Other examples will be given in later lessons.

3. Comparative of Adjectives.

The comparative of adjectives is formed by adding **-er** to the positive:

     klein — kleiner   leicht — leichter

4. Vowel Change in Comparative of Adjectives.

In monosyllabic adjectives the stem vowels **a, o, u** are usually modified to **ä, ö, ü** in the comparative:

   lang — länger   groß — größer   kurz — kürzer

5. Irregular Comparatives.

Note the irregular forms:

     gut — **besser**; hoch — **höher**

Note that German never uses **mehr** *more* to form the comparative.

6. Present Tense of *werden* (become).

ich werde älter	wir werden älter
du wirst älter	ihr werdet älter
er wird älter	sie werden älter
Sie werden älter (*formal address*)	

EXERCISES — SERIES A

I. Supply the definite article:

1. In — Hause sind viele Zimmer. 2. An — Fenster steht ein Stuhl.
3. Auf — Tische liegt ein Buch. 4. Der Garten ist hinter — Haus.
5. Neben — Tür ist die Klingel. 6. Über — Zimmer ist die Decke.
7. An — Wand hängt ein Bild. 8. Die Klasse ist in — Schule.
9. Unter — Dach ist ein Haus. 10. Die Hand ist an — Arm.

II. Form sentences like the example: **groß — der Vater — der Schüler.**
Der Vater ist größer als er. Er ist nicht so groß wie der Vater.

1. groß — der Mann — die Frau. 2. alt — der Sohn — die Tochter. 3. klein — der Knabe — das Mädchen. 4. lang — der Bleistift — die Feder. 5. kurz — dieser Finger — jener. 6. hell — dieses Licht — jenes. 7. jung — der Schüler — der Lehrer. 8. fleißig — die Schwester — der Bruder. 9. gut — dieses Buch — jenes. 10. hoch — der Baum — das Haus.

III. Conjugate in the present tense:

1. Ich wohne in dem Hause. 2. Ich stehe an dem Fenster. 3. Ich sitze auf einem Stuhl. 4. Ich bin in dem Zimmer. 5. Ich habe es in der Hand. 6. Ich werde älter. 7. Ich finde das Buch. 8. Ich befinde mich wohl. 9. Ich lerne die Aufgabe. 10. Ich arbeite in dem Garten.

IV. Form sentences with personal pronouns. EXAMPLE: Wie ist der Esel?
Er ist grau.

1. Himmel, 2. Schnee, 3. Milch, 4. Haar, 5. Gras, 6. Kaffee, 7. Wolf, 8. Auge, 9. Rose, 10. Maus.

V. Answer:

1. Wer wohnt hier? 2. Wie ist das Haus? 3. Wo ist die Tür?
4. Ist das Wohnzimmer dunkel? 5. Wie groß ist das Eßzimmer? 6. Wie groß sind die Schlafzimmer? 7. Wo ist die Küche? 8. Hat das Haus viele Zimmer? 9. Wie viele Zimmer sind unten? 10. Wo sind die Schlafzimmer?

ALLERLEI _____

MEMORIZE:

>**An** dem Fenster steht ein Tisch.
>**Auf** dem Tisch steht ein Glas.
>
>**Hinter** dem Tisch ist die Wand.
>**In** dem Glas ist Wasser.
>
>**Neben** dem Glas liegt ein Buch.
>**Über** dem Tisch hängt ein Bild.
>
>**Unter** dem Bild steht ein Name.
>**Vor** dem Tisch sitzt der Junge.
>
>**Zwischen** dem Tisch und dem Fenster stehe ich.

Am Morgen

>Es ist Morgen.
>Ich stehe auf.
>Ich wasche mich. (Er wäscht sich.)
>Ich ziehe mich an.
>Ich gehe die Treppe hinunter.
>Ich komme ins Eßzimmer.
>Ich setze mich.
>Ich esse mein Frühstück.

an *und* auf

Man sagt: Der Ring ist **an** dem Finger, der Finger ist **an** der Hand, die Hand ist **an** dem Arm, der Fuß ist **an** dem Bein, und der Schuh ist **an** dem Fuß, aber —

der Hut ist **auf** dem Kopfe, das Dach ist **auf** dem Haus, und der Vogel sitzt **auf** dem Dach.

>Der Ring ist **an** dem Finger,
> Der Finger ist **an** der Hand,
>Die Hand ist **an** dem Arm,
> Das Bild hängt **an** der Wand.

VOCABULARY

wie befinden Sie sich? how are you?
heute morgen this morning
vorn am Hause on the front of the house
kleiner als smaller than
so groß wie as large as

der Baum tree
der Großvater grandfather
der Kaffee coffee
der Keller cellar
der Kopf head
der Ofen stove
der Schornstein chimney

die Bank bench
die Klasse class
die Klingel doorbell
die Küche kitchen
die Straße street
die Treppe stairway, stairs

das Badezimmer bathroom
das Bein leg
das Dach roof
das Eßzimmer dining room
das Feuer fire
das Schlafzimmer (*pl.* die Schlafzimmer) bedroom
das Wohnzimmer living room

sich an-ziehen dress (oneself)   ich
ziehe mich an I dress myself
denken think
hinun'ter-gehen go down   ich gehe
die Treppe hinunter I go down the
stairs
klopfen knock
waschen (er wäscht) wash
wohnen live, dwell

freundlich friendly, pleasant
hinten behind, in the rear
man one, people, they
oben above, upstairs
unten downstairs
vorn in front
wann when

CONVERSATION

Wo wohnen Sie?

1. Wo wohnen Sie, in Amerika oder in England?
2. Jetzt wohnen wir in Deutschland.
3. Wohnen Sie in einem Hotel oder in einer Pension'?
4. Ich wohne bei Kellers in der Schellingstraße.

Where do you live?

1. Where do you live; in America or in England?
2. Now we are living in Germany.
3. Do you live in a hotel or in a boarding house?
4. I am living with the Kellers on Schelling Street.

5. Verzeihen Sie, bitte, wo ist hier ein Restaurant'?

6. Da drüben neben dem Hotel.

7. Wo ist das Rathaus?

8. Das Rathaus steht am Marktplatz.

9. Waren Sie schon auf dem Markt?

10. In dem Rathaus ist auch ein Restaurant; es heißt der Ratskeller.

5. Pardon me, please, where is there a restaurant around here?

6. Over there next to the hotel.

7. Where is the city hall?

8. The city hall stands on the market place.

9. Have you been to the market yet?

10. There is also a restaurant in the city hall; it is called the Ratskeller.

LESESTÜCKE

Der Vogel

Mein Onkel wohnt in einem kleinen Hause neben einem Walde. Hinter seinem Hause hat er einen Garten. In dem Garten wohnen viele Vögel. Hans ist auch ein Vo-
5 gel, aber er wohnt nicht in dem Garten, sondern in dem Zimmer des Onkels. Dieser Vogel ist nicht sehr schön, aber er ist klug. Er kann sprechen. Ja, er kann Deutsch sprechen.

10 Der Onkel hat den Vogel gern. Er ruft: „Hans, wo bist du?" und Hans antwortet: „Hier bin ich."

Der Onkel hat einen Nachbar, und der Nachbar hat einen Sohn. Der Sohn heißt
15 Karl. Karl hat den Vogel auch gern. Er ist oft in dem Hause des Onkels und spielt mit dem Vogel. Er kommt in das Zimmer und ruft: „Hans, wo bist du?" und der Vogel antwortet immer: „Hier bin ich."

20 Eines Tages ist der Onkel nicht zu Hause. Er ist in der Stadt. Da kommt Karl in das Zimmer. Er sieht den Vogel und denkt: „Der Onkel ist nicht hier. Ich will den Vogel nehmen." Er nimmt den Vogel
25 und steckt ihn in die (*his*) Tasche.

der Wald *woods, forest*

hat den Vogel gern *likes the bird*

der Nachbar *neighbor*

eines Tages *one day*

wollen (ich will) *want to*

stecken *put*

Jetzt hat er den Vogel in der (*his*)
Tasche. Er steht an der Tür. Da kommt
der Onkel nach Hause. Er sieht den Vogel
nicht in dem Zimmer. Er sitzt nicht auf
5 dem Stuhl, nicht auf der Uhr. Er ist auch
nicht unter dem Tisch oder hinter der Tür.
Der Onkel sucht hinter dem Sofa, zwischen
dem Sofa and dem Fenster. Er findet ihn
nicht. Endlich ruft er: ,,Hans, wo bist du?"
10 Aus Karls Tasche kommt die Antwort:
,,Hier bin ich."

endlich *finally*

Guten Tag!

Guten Tag, Herr!
Guten Tag!
Wie geht es Ihnen?
15 Es geht mir schlecht. Ich werde alt.
Warum sagen Sie das?
Ach, ich vergesse immer etwas.
Warum kaufen Sie sich nicht ein Notiz-
buch?
20 Ich habe ein Notizbuch, aber ich ver-
gesse immer, wo es ist.

der Herr *gentleman, Sir*

schlecht *bad(ly)*

etwas *something*
das Notiz'buch *notebook*

vergessen (er vergißt) *forget*

Ehre die Alten!

Ehre jetzt die Alten,
Du bleibst nicht immer Kind;
Sie waren, was du bist,
25 Und du wirst, was sie sind.

die Alten *the old people*

waren *were*

Es regnet

Es regnet, es regnet,
Die Erde wird naß;   die Erde *earth*
Es blühen die Blumen,
Und grün wird das Gras.

5   Es regnet, es regnet,
Es regnet seinen Lauf,   es regnet seinen Lauf *it rains*
Und wenn's genug geregnet hat   *until it's ready to stop*
                                                     genug *enough*
Dann hört's auch wieder auf.

Deutschland

10   Deutschland liegt in der Mitte Euro-   die Mitte Europas *middle of*
pas. Unser Land liegt in Amerika. Es hat   *Europe*
achtundvierzig Staaten. Jeder Staat hat   achtundvierzig *forty-eight*
eine Hauptstadt. Wie heißt die Hauptstadt   die Hauptstadt *capital*
von Kansas? von Wisconsin? von Florida?
15   Deutschland hat über siebzig Millio-   siebzig Millionen *70 million*
nen Einwohner; das heißt, über siebzig   die Einwohner *inhabitants* das
Millionen Menschen wohnen in Deutsch-   heißt *that is, that means*
land.   Menschen *people*
     Berlin ist eine Stadt in Deutschland.
20 Es ist sehr groß und hat fast vier Millionen   fast *almost*
Einwohner. Hamburg ist nicht so groß
wie Berlin, aber es hat fast zwei Millionen
Einwohner. Nicht viele Städte in Europa
haben mehr als eine Million Einwohner.
25 Wie viele Einwohner haben London und
Paris? Sie haben mehr als eine Million   mehr als *more than*
Einwohner, nicht wahr?

EXERCISES — SERIES B

I. Questions:

1. Wo wohnt der Onkel? 2. Wo ist der Garten? 3. Wo wohnt
Hans? 4. Was kann Hans? 5. Wer hat den Vogel gern? 6. Wie heißt
der Sohn des Nachbars? 7. Wo spielt Karl mit dem Vogel? 8. Wer
ist eines Tages nicht zu Hause? 9. Wo ist der Vogel dann? 10. Wo
sieht der Onkel den Vogel nicht?

II. Complete the following sentences:

1. Das Haus steht neben ein- ——. 2. Hans wohnt nicht in ein–

——. 3. Karl ist oft in d– ——. 4. Karl steht an d– ——. 5. Der Vogel sitzt nicht auf ein– ——. 6. Er ist nicht unter d– ——. 7. Er ist nicht hinter d– ——. 8. Ich sitze auf ein– ——. 9. Die Uhr hängt über ein– ——. 10. Der Lehrer steht an d– ——.

III. Form sentences with the following expressions:

1. —— an dem Fenster. 2. —— auf dem Tische. 3. —— hinter dem Hause. 4. —— in der Hand. 5. —— neben dem Freunde. 6. —— über der Erde. 7. —— unter dem Stuhle. 8. —— vor der Klasse. 9. —— zwischen dem Stuhl und dem Tische.

IV. Give English cognates of:

die Erde, der Garten, der Nachbar, die Tür, denken, sitzen, unter.

V. True and false:

1. Der Onkel wohnt neben einem Walde. 2. Hinter dem Hause ist kein Garten. 3. Hans wohnt in dem Garten. 4. Hans kann Deutsch sprechen. 5. Karl hat den Vogel nicht gern. 6. Er ist oft in dem Hause des Onkels. 7. Karl nimmt den Vogel nicht. 8. Er hat den Vogel nicht in der Tasche. 9. Der Vogel sitzt nicht auf der Uhr. 10. Der Vogel ist unter dem Tische.

VI. Translate:

1. Wo lives in that house? Do you live here? Is this the house? 2. Yes, this is our house. Isn't it large and beautiful? 3. We live in this house. 4. It has a living room, a dining room, a kitchen, three bedrooms, and a bathroom. 5. The dining room is behind the living room, beside the kitchen. 6. My brother is sitting at the table in the dining room. 7. Here we are in the living room, are we not? 8. We stand at the window, and what do we see? 9. We see a tree in the garden and a bench under the tree. 10. Between the house and the street [there] is also a tree. 11. In the tree is a nest, and on the nest sits a bird. 12. This tree is higher than the house, but it is not so high as the school. 13. This room is larger than the dining room, but it is not so large as the classroom. 14. That man is older than the teacher, but not so old as my grandfather. 15. The wolf grows older but not better. — a. The ring is on the finger. b. The shoe is on the foot. c. The book lies on the table. d. Over the table is the picture. e. Under the picture is my name. f. I am standing at the window.

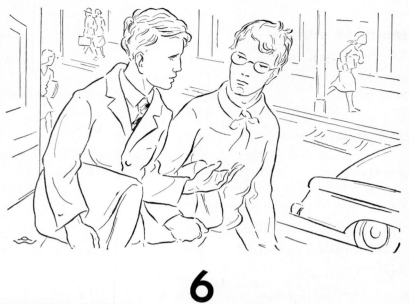

6

SECHSTE AUFGABE

Wohin gehen Sie?

Es ist Morgen. Es ist sieben Uhr. Ich stehe auf und ziehe mich an. Ich gehe **in das Badezimmer** und wasche mich. Dann gehe ich **in das Eßzimmer.** Ich gehe **an den Tisch,** ich setze mich und esse mein Frühstück. Dann nehme ich meine Bücher und gehe **auf die** 5 Straße. Auf dem Weg in die Schule treffe ich einen Freund. Er fragt mich: „Wohin gehen Sie?" Ich antworte: „In die Schule." „Gut," sagt er, „gehen wir zusammen!" Dann eilen wir **in die Schule** und treten **in das Klassenzimmer.** Ich gehe **an meinen Platz,** lege meinen Hut **unter den Stuhl** und die Bücher **auf den** 10 Tisch. Ich nehme meine Feder und schreibe **auf das Papier.** Bald kommt der Lehrer **an die Tür.** Er tritt **in das Zimmer** und hängt den Hut **an die Wand.** Er stellt seinen Stuhl **hinter den Tisch.** Dann tritt er **vor die Klasse.**

Bitte, treten Sie **in das Zimmer!** Hängen Sie den Hut **hinter** 15 die Tür! Hängen Sie den Mantel nicht **unter den Hut,** legen Sie ihn **über den Stuhl!** Legen Sie die Bücher **auf den Tisch!** Nun kommen Sie **vor die Klasse!** Stellen Sie den Stuhl **zwischen den Tisch und das Fenster!** Dann setzen Sie sich, bitte, und erzählen Sie eine Geschichte!

[50]

GRAMMAR

Prepositions governing Accusative; Possessive Adjectives; Imperative.

1. Prepositions governing Accusative.

The prepositions **an, auf, hinter, in, neben, über, unter, vor, zwischen** govern the accusative when the verb indicates motion toward a place, and they answer the question **wohin?** *where to? to what place?*

> Er geht **an das** Fenster.
> Ich **lege** das Buch **auf den** Tisch.
> Sie **kommt in das** Zimmer.

2. Possessive Adjectives.

The possessive adjectives **mein** *my* and **sein** *his* (and others to be studied later) are declined like **ein.** They are therefore called **ein-words:**

> Ich habe **meinen** Hut, er hat **seinen** Hut.

The definite article regularly takes the place of a possessive adjective with parts of the body and articles of clothing when the subject is the possessor:

> Er steckt die Hand in die Tasche.
> *He puts his hand into his pocket.*

3. Contractions.

Observe the contractions:

> an das = **ans**   auf das = **aufs**   in das = **ins**

4. Imperative.

The imperative is formed by adding **–e, –(e)t, –en** to the stem of the verb. The formal imperative has the same form as the infinitive and always adds the pronoun **Sie** after the verb. The exclamation point is generally used after imperative sentences.

The ending **–e** of the familiar singular is frequently dropped:

> *sing.* geh(e)!   *plural* geht!   (*formal*) gehen Sie!
> arbeite!   arbeitet!   arbeiten Sie!

EXERCISES — SERIES A _____

I. Supply 1) the definite article, 2) the indefinite article:

1. Er geht in — Zimmer. 2. Er tritt an — Fenster. 3. Sie kommt in — Schule. 4. Sie legt das Papier auf — Tisch. 5. Er hängt das Bild über — Uhr. 6. Er eilt in — Schule. 7. Sie schreiben auf — Papier. 8. Ich stelle den Stuhl hinter — Tisch. 9. Er legt das Buch unter — Stuhl. 10. Der Lehrer tritt vor — Klasse.

II. Supply prepositions:

1. Bitte, kommen Sie — den Tisch! 2. Setzen Sie sich — den Stuhl! 3. Legen Sie das Buch — den Stuhl! 4. Gehen Sie — die Schule! 5. Setzen Sie den Hut — den Kopf! 6. Treten Sie — die Klasse! 7. Treten Sie — das Zimmer! 8. Nehmen Sie das Buch — die Hand! 9. Eilen Sie — die Stadt! 10. Klopfen Sie — die Tür!

III. Supply the definite article and the proper endings:

1. Der Lehrer steh— an — Fenster. 2. Wir geh— an — Fenster. 3. Das Bild häng— über — Tisch. 4. Die Uhr häng— neben — Bild. 5. Das Buch lieg— hinter — Stuhl. 6. Wir leg— das Buch unter — Stuhl. 7. Der Lehrer steh— vor — Klasse. 8. Sitz— Sie vor — Tisch? 9. Er häng— den Hut hinter — Tür. 10. Er sitz— zwischen Fritz und — Freund.

IV. Substitute personal pronouns for the nouns:

1. Er fragt den Freund, die Mutter, das Kind, die Schwester, den Bruder, die Freundin, den Vater, die Frau, das Mädchen, den Sohn. 2. Er antwortet dem Vater, der Mutter, dem Mädchen, dem Kinde, der Frau, dem Lehrer, dem Freunde, der Schwester, dem Sohn, der Tochter.

V. Answer in complete sentences:

1. Wohin gehe ich? 2. Wen treffe ich auf dem Weg? 3. Was fragt mich der Freund? 4. Was antworte ich? 5. Wohin eilen wir zusammen? 6. Wohin lege ich den Hut? 7. Was tue ich dann? 8. Wer kommt in das Zimmer? 9. Was tut der Lehrer? 10. Wo sind wir jetzt?

ALLERLEI

Am Abend

Es ist Abend. Karl sitzt am Tisch in seinem Zimmer. Er hat ein Buch in der Hand. Vor ihm auf dem Tisch liegen zwei Bücher. An der Wand über dem Tisch ist die Uhr. Neben der Uhr hängt ein Bild, und unter dem Bild ist ein Kalender. Es klingelt, und Karl ruft: „Herein!" Niemand kommt. Er ruft noch einmal: „Herein!" Die Tür geht auf, und da steht sein Freund an der Tür. Sie sitzen am Tische und sprechen bis zehn Uhr. Dann geht der Freund nach Hause.

Karl kommt in das Zimmer. Er geht hinter die Tür und hängt seinen Hut an die Wand. Er geht an den Tisch. Er stellt den Stuhl vor den Tisch und setzt sich auf den Stuhl. Er nimmt sein Buch in die Hand und legt es unter das Licht. Er hält seine Feder über das Tintenfaß. Er steckt die Feder in die Tinte. Dann schreibt er seine Aufgabe in das Heft. Er legt das Heft unter das Buch neben das Licht. Dann geht er zu Bett.

Wohin?

Er stellt den Tisch **an** das Fenster.   Er wirft den Stein **über** das Haus.

Er legt das Buch **auf** den Tisch.   Er schreibt den Namen **unter** das Bild.

Er hängt den Hut **hinter** die Tür.   Er hält die Hand **vor** das Gesicht.

Er steckt die Hand **in** die Tasche.   Er nimmt das Papier **zwischen**

Er setzt sich **neben** den Freund.   die Finger.

Cardinal Numbers

1	eins	11	elf	21	einundzwanzig
2	zwei	12	zwölf	30	**dreißig**
3	drei	13	dreizehn	31	einunddreißig
4	vier	14	vierzehn	40	vierzig
5	fünf	15	fünfzehn	50	fünfzig
6	sechs	16	**sechzehn**	60	**sechzig**
7	sieben	17	**siebzehn**	70	**siebzig**
8	acht	18	achtzehn	80	achtzig
9	neun	19	neunzehn	90	neunzig
10	zehn	20	zwanzig	100	hundert

VOCABULARY ─────────────────────────────

am **Morgen** in the morning
ich **gehe auf die Straße** I go out on the street
wohin gehen Sie? where are you going?
gehen wir! let's go
auf die Frage in answer to the question
es **klingelt** (it) the doorbell rings
herein! come in!
es ist **sieben Uhr** it is seven o'clock

der **Finger** (*pl.* die **Finger**) finger
der **Kalen'der** calendar
der **Mantel** overcoat
der **Platz** place, seat
der **Stein** stone

die **Geschichte** story

das **Buch** (*pl.* die **Bücher**) book
das **Gesicht** face
das **Heft** notebook
das **Loch** hole

auf-gehen open   die **Tür geht auf**
  the door opens
eilen hurry
erzählen tell, relate
fangen (er fängt) catch
fressen (es frißt) eat (*of animals*)

halten (er hält) hold
kennen know, be acquainted with
mit-kommen come along   **kommen**
  Sie mit come along
nennen call
schauen look, see
stecken (*trans.*) stick, put; (*intrans.*)
  be
stellen put, place
treffen (er trifft) meet
treten (er tritt) step

aus out of
bald soon
bis until   **bis zu** to, as far as
hungrig hungry
niemand nobody, no one
zusammen together

CONVERSATION ─────────────────────────────

Wohin gehen Sie?

1. Wohin gehen Sie heute morgen?

2. Ich gehe in die Stadt (zum Bahnhof; zum Postamt). Bitte, kommen Sie mit.

3. Nein, ich kann nicht. Ich muß zur Arbeit.

4. Wo ist das Postamt? Wie komme ich dahin?

Where are you going?

1. Where are you going this morning?

2. I am going downtown (to the station; to the post office). Please come along.

3. No, I can't. I have to go to work.

4. Where is the post office? How do I get there?

5. Kann man zu Fuß dahin (gehen)?

5. Can one go there on foot?

6. Jawohl, aber es ist ziemlich weit.

6. Yes indeed, but it is rather far.

7. Bitte, sagen Sie mir, wie ich zum Park komme.

7. Please tell me how I can get to the park.

8. Gehen Sie geradeaus bis zum Rathaus, dann nach rechts bis zur nächsten Straße.

8. Go straight ahead to the city hall; then one block to the right.

9. Wo finde ich hier ein Taxi?

9. Where can I find a taxi here?

10. Gleich links um die Ecke.

10. Right around the corner to the left.

LESESTÜCK

Die Landkarte

Hier sind wir in einem Klassenzimmer. Der Lehrer kommt in das Zimmer, hängt den Hut hinter die Tür und legt seine Bücher auf den Tisch. Dann hängt er eine
5 Landkarte an die Wand, die Landkarte von Europa. Mitten auf der Karte sehen Sie Deutschland. Deutschland liegt also ungefähr in der Mitte Europas.

die Landkarte *map*

mitten auf der Karte *in the center of the map*
also *therefore* ungefähr *about, approximately*

Schauen Sie, bitte, auf die Karte. Da
10 sehen Sie im Norden die Nordsee, Dänemark und die Ostsee; Polen und die Tschechoslowakei im Osten; die Schweiz im Süden; und im Westen liegen Holland, Belgien und Frankreich.

im Norden *in the north* die Nordsee *North Sea* Dänemark *Denmark* die Ostsee *Baltic Sea* Polen *Poland* die Tschechoslowakei *Czechoslovakia* im Osten *in the east* die Schweiz *Switzerland* im Süden *in the south* im Westen *in the west* Belgien *Belgium* nun schneiden wir *let us cut*

15 Nun schneiden wir die Landkarte von Deutschland in drei Teile. Der erste Teil liegt im Norden. Das ist Norddeutschland. Der zweite Teil liegt in der Mitte, das ist Mitteldeutschland. Der dritte Teil liegt im
20 Süden und heißt Süddeutschland. Kennen Sie die Stadt Frankfurt am Main? Die Stadt ist bekannt als die Heimat des Dichters Goethe. Der Main fließt von Osten nach Westen und mündet in den Rhein.

drei Teile *three parts*

Norddeutschland *north Germany*

Mitteldeutschland *central Germany*
Süddeutschland *south Germany*

bekannt als die Heimat *famous as the home*
fließt *flows*

mündet in den Rhein *flows into the Rhine*

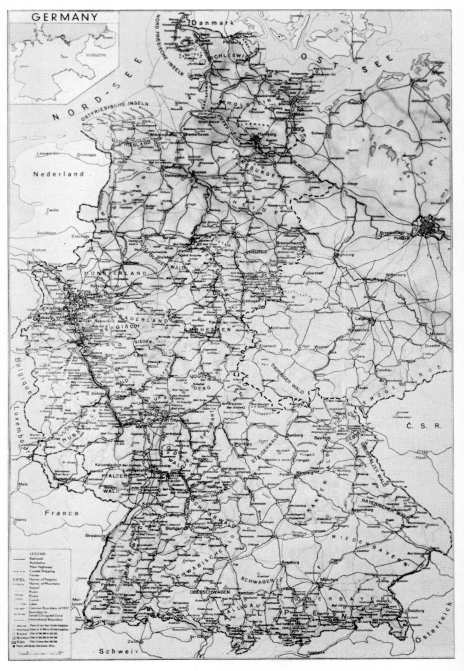

GERMANY

Deutsche Zentrale für Fremdenverkehr

Norddeutschland liegt an der Nordsee und an der Ostsee. Es ist Tiefland, es ist niedrig und flach und hat kein Gebirge. Der Rhein, die Weser und die Elbe fließen 5 durch Norddeutschland in die Nordsee. Die Oder fließt auch nach Norden, aber in die Ostsee. Nur ein Fluß in Deutschland fließt von Westen nach Osten, das ist die Donau.

10 Mitteldeutschland hat Gebirge, aber sie sind nicht sehr hoch. Süddeutschland hat Hochland. Da sehen Sie Gebirge, das sind die Alpen. Der höchste Berg in Deutschland ist die Zugspitze. Er ist fast 15 dreitausend Meter hoch. Hier liegt der Schnee das ganze Jahr auf dem Gebirge, und man kann in dieser Gegend manchmal auch im Sommer Wintersport treiben: Skilaufen, Schlittschuhlaufen und Schlitten- 20 fahren.

Jeder Fluß hat eine Quelle und eine Mündung, nicht wahr? Ein Fluß, die We- ser, hat Quelle und Mündung in Deutsch- land. Der Rhein hat seine Quelle in der 25 Schweiz und seine Mündung in Holland. Die Elbe und die Oder kommen beide aus der Tschechoslowakei, und die Donau hat ihre Mündung in Rumänien. Wien, die Hauptstadt von Österreich, liegt an der 30 Donau.

Berlin, Hamburg und Bremen liegen in Norddeutschland; Köln, Leipzig und Dres- den in Mitteldeutschland; und Frankfurt, München und Nürnberg in Süddeutsch- 35 land. Hamburg liegt an der Elbe, nicht weit von der Nordsee. Es hat einen Hafen, ist also eine Hafenstadt. Wie Hamburg ist auch Bremen eine Hafenstadt. Es liegt auch nicht weit von der Nordsee an der

---

das Tiefland *lowland*

flach *flat, low*   das Gebirge *mountains*

der Fluß *river*

die Donau *Danube*

das Hochland *highland*

die Alpen *Alps*   der höchste Berg *the highest mountain* fast *almost*

dreitausend *three thousand*

die Gegend *area, region* manch- mal *sometimes* Wintersport treiben *carry on winter sports* das Skilaufen *skiing*   das Schlittschuh- laufen *skating*   das Schlit- tenfahren *tobogganing*

die Quelle *source*

die Mündung *mouth*

(das) Rumänien *Roumania* Wien *Vienna* (das) Österreich *Austria*

Köln *Cologne*

München *Munich*   Nürnberg *Nuremberg*

der Hafen *harbor*

die Hafenstadt *port*   wie *like*

Dresden: Zwinger

Dr. Wolff & Tritschler

Weser. Für den Handel Deutschlands sind
Hamburg und Bremen sehr wichtig.

    Am Rhein sieht man viele schöne
Städte, z.B. Mainz, Koblenz, Bonn und
5 Köln. Sie kennen doch den Kölner Dom,
nicht wahr? Er ist sehr alt, sehr schön und
sehr berühmt.

der Handel *commerce, trade*

z.B. (zum Beispiel) *for example*

der Kölner Dom *Cologne cathedral*

berühmt *famous*

Köln bei Nacht

Dr. Wolff & Tritschler

EXERCISES — SERIES B _____

I. Questions:

1. Wo sind wir jetzt? 2. Wohin hängt der Lehrer seinen Hut?
3. Wohin legt er seine Bücher? 4. Wohin hängt er die Landkarte?
5. Wohin schauen die Schüler? 6. Wo liegt Deutschland? 7. Wohin
fließt der Rhein? 8. Wo liegt Hamburg? 9. Wie heißt die Hauptstadt
von Österreich? 10. An welchem Fluß liegt Bonn?

II. Complete the following sentences:

1. Der Lehrer kommt an d— T—. 2. Er kommt in d— Z—.
3. Er hängt den Hut hinter d— T—. 4. Er legt seine Bücher auf d—
T—. 5. Was hängt er an d— W—? 6. Wir schauen auf d— K—.
7. Deutschland liegt in d— M— Europas. 8. Der Rhein fließt in d—
Nordsee. 9. Der Main mündet in d— Rhein. 10. Bitte, kommen Sie
an d— Tisch.

III. Find antonyms of the following words and use them in sentences:

1. groß, 2. kurz, 3. arm, 4. alt, 5. kalt, 6. weiß, 7. reich, 8. jung,
9. lang, 10. schwarz, 11. klein, 12. warm.

IV. Give English cognates of:

die Flasche, der Norden, der Fuß, das Glas, das Wasser, der
Westen; kommen, fallen, trinken.

V. Observe dative and accusative prepositions:

Der Körper (_body_)

Wo?

an	Der Ring ist **an** dem Finger.
auf	Der Hut ist **auf** dem Kopf.
hinter	Der Bleistift steckt **hinter** dem Ohr.
in	Die Zunge (_tongue_) ist **in** dem Mund.
neben	Der Daumen (_thumb_) ist **neben** dem Zeigefinger (_index finger_).
über	Die Nase ist **über** dem Mund.
unter	Der Mund (_mouth_) ist **unter** der Nase.
vor	Die Brille (_eye glasses_) ist **vor** den Augen.
zwischen	Die Nase ist **zwischen** den Backen (_cheeks_).

WOHIN?

an	Ich stecke den Ring **an** den Finger.
auf	Ich setze den Hut **auf** den Kopf.
hinter	Ich stecke den Bleistift **hinter** das Ohr.
in	Ich stecke die Hand **in** die Tasche.
neben	Ich stelle den Schuh **neben** den Fuß.
über	Ich halte die Hand **über** das Auge.
unter	Ich halte die Blume **unter** die Nase.
vor	Ich lege die Hand **vor** den Mund.
zwischen	Ich nehme die Feder **zwischen** die Finger.

VI. Translate:

1. What do I do in the morning? 2. I get up, dress, and wash (myself). 3. Then I go into the dining room and eat my breakfast. 4. I take my book and go [out] on the street. 5. On the street I meet a friend. 6. He asks me, "Where are you going? Are you going to school?" 7. We hurry to school together. 8. We come into the classroom. 9. I go to my seat, lay my books on a chair, and sit down. 10. Soon the teacher comes to the door and comes into the room. 11. He goes to the table, lays his book on the table, and comes before the class. 12. Each pupil takes his book in his hand and studies the lesson. 13. Then they go behind the table and write on the blackboard. 14. A picture lies on the floor, and the teacher says, "Please hang it on the wall." 15. Karl takes the picture and hangs it beside the clock. — a. He comes into the house. b. He goes to the table. c. He lays his book on the table. d. He hangs his hat behind the door. e. He puts the chair behind the table. f. He sits down upon the chair.

7

Die Familie

Der Vater, die Mutter und die Kinder bilden eine Familie. Der Vater und die Mutter sind die Eltern der Kinder. Ich habe zwei Eltern, einen Vater und eine Mutter; jedes Kind hat zwei Eltern. Der Sohn und die Tochter sind die Kinder **des Vaters** und **der**
5 **Mutter.** Der Sohn ist der Bruder **des Mädchens, der Schwester,** und die Tochter ist die Schwester **des Jungen, des Sohnes.** Der Bruder **des Vaters** oder **der Mutter** ist ein Onkel, und die Schwester **des Vaters** oder **der Mutter** ist eine Tante. Der Sohn **meines Onkels** und **meiner Tante** ist der Neffe **meines Vaters** und **meiner**
10 **Mutter,** und die Tochter ist **ihre** Nichte. Der Sohn **Ihres Onkels** ist **Ihr** Vetter, und **seine** Tochter ist **Ihre** Kusine. Der Vater **seines Vaters** ist **sein** Großvater, und die Mutter **seiner Mutter** ist **seine** Großmutter. Großvater und Großmutter sind die Großeltern.

Die Mutter sitzt in ihrem Zimmer. Ihr Sohn und ihre Tochter
15 sind **bei ihr.** Der Junge spielt **mit seinem Hund,** und das Mädchen spielt **mit seiner Puppe.** Jetzt kommen sie **aus dem Zimmer** und gehen **aus dem Hause.** Der Vater kommt **von der Stadt.** Die Kinder laufen **zu ihm** und rufen: „Guten Abend, Vater." Dann gehen sie **mit ihm** und **mit der Mutter** in das Haus.

Zwei Schwestern   *Foto Edler*

GRAMMAR _____

Declension of Nouns, Singular; Possessive Adjectives; Prepositions governing Dative.

1. Declension of Nouns in Singular.

NOM.	der Vater	die Mutter	das Kind		
GEN.	des Vaters	der Mutter	des Kindes		
DAT.	dem Vater	der Mutter	dem Kind(e)		
ACC.	den Vater	die Mutter	das Kind		

NOM.	ein Sohn	eine Tochter	ein Mädchen		
GEN.	eines Sohnes	einer Tochter	eines Mädchens		
DAT.	einem Sohne	einer Tochter	einem Mädchen		
ACC.	einen Sohn	eine Tochter	ein Mädchen		

2. Genitive Declension.

Most masculine and all neuter nouns form their genitive singular by adding **–s** (monosyllabic nouns usually add **–es**) to the nominative singular. A few masculine nouns form the genitive singular in **–(e)n**: der Junge, des Jung**en**; der Mensch, des Mensch**en**.

3. Declension of Feminine Nouns.

Feminine nouns remain unchanged throughout the singular.

4. Possessive Adjectives.

The possessive adjectives **mein** *my*, **dein** *your*, **sein** *his, its*, **ihr** *her*, **unser** *our*, **euer** *your*, **ihr** *their*, **Ihr** *your* *(formal)*, and **kein** are declined like **ein**. They are referred to as **ein**-words.

The endings of the possessive adjective agree with the noun it modifies in gender, number, and case:

ich habe **mein** Buch	wir haben **unser** Buch
du hast **dein** Buch	ihr habt **euer** Buch
er hat **sein** Buch	sie haben **ihr** Buch
sie hat **ihr** Buch	Sie haben **Ihr** Buch
es hat **sein** Buch	

Ich habe **meine** Uhr und **mein** Messer.
Die Mutter liebt **ihren** Sohn.
Ich schneide mit **meinem** Messer.

In **unser** and **euer** the **e** of the stem is usually dropped when an inflectional ending is added: **unsrer, eurer.**

5. Prepositions governing Dative.

The following prepositions always govern the dative case:

aus	out of, from	nach	to, after
bei	with, by, at the home of	seit	since, for
		von	of, from
mit	with	zu	to

EXERCISES — SERIES A

I. Conjugate in the present tense:

1. Ich bin in meinem Zimmer. 2. Ich gehe in mein Zimmer. 3. Ich schreibe mit meiner Feder. 4. Ich komme mit meinem Freund. 5. Ich suche meinen Hut.

II. Supply the corresponding possessive adjectives:

1. Er kommt mit — Schwester. 2. Ich finde — Buch nicht. 3. Wir besuchen — Freund. 4. Suchen Sie — Hut? 5. Sie hat — Bleistift. 6. Wir gehen in — Zimmer. 7. Das Kind sucht — Mutter. 8. Die Schüler schreiben — Aufgabe. 9. Sind Sie in — Zimmer? 10. Kommt sie mit — Bruder?

III. Supply 1) the definite article, 2) dieser:

1. Er kommt aus — Hause. 2. Er geht in — Haus. 3. Die Mutter sitzt in — Zimmer. 4. Sie kommen von — Schule. 5. Der Brief ist von — Vater. 6. Kommen Sie mit — Freund! 7. Das Kind geht zu — Mutter. 8. Sie geht in — Stadt. 9. Der Baum steht neben — Hause. 10. Die Kinder spielen in — Garten.

IV. Supply the endings:

1. Das ist das Buch des Kind—. 2. Der Hut des Lehrer— ist schwarz. 3. Dies ist das Haus des Mann—. 4. Ich suche mein— Bleistift. 5. Ist das das Buch des Freund—? 6. Ist das Ihr— Freundin? 7. Arbeitet er in sein— Garten? 8. Er schreibt in sein— Zimmer. 9. Er kommt mit sein— Mutter. 10. Mein— Schwester ist hier.

V. Answer in complete sentences:

1. Wer sind die Eltern des Kindes? 2. Wer ist der Onkel? 3. Wer ist die Tante? 4. Wer ist ein Neffe? 5. Wer ist eine Nichte? 6. Was ist der Vater des Vaters? 7. Wer sind die Großeltern? 8. Wo sitzt die Mutter? 9. Woher kommt der Vater? 10. Was rufen die Kinder?

ALLERLEI _____

Declension

MASCULINE SINGULAR

NOM.   **Der Vater** ist alt.
GEN.   Der Sohn **des Vaters** ist jung.
DAT.   Der Sohn gibt **dem Vater** ein Buch.
ACC.   Der Sohn liebt **den Vater.**

FEMININE SINGULAR

NOM.   **Die Mutter** ist hier.
GEN.   Sie ist das Kind **der Mutter.**
DAT.   Sie bringt **der Mutter** eine Blume.
ACC.   Sie liebt **die Mutter.**

NEUTER SINGULAR

NOM.   **Das Kind** ist klein.
GEN.   Der Vater **des Kindes** ist hier.
DAT.   Geben Sie **dem Kinde** ein Buch!
ACC.   Sehen Sie **das Kind?**

MEMORIZE: Um acht Uhr kommt er **aus** dem Hause.
Eine halbe Stunde bleibt er **bei** seinem Freunde.
Er spricht **mit** dem Freunde.
Dann gehen sie zusammen **nach** der Stadt.
Seit dem Morgen sind sie in der Stadt.
Sie gehen **von** einem Laden zum anderen.
Zuletzt gehen sie **zu** der Bibliothek.
Er geht an die Tür.
Er macht die Tür auf.
Er geht hinaus.
Er geht die Treppe hinunter.
Er kommt auf die Straße.
Er wartet auf die Straßenbahn.
Er steigt ein und fährt in die Stadt.
Er steigt aus.
Er kommt zum Hause des Freundes.
Er klingelt.
Der Freund kommt an die Tür.
Hans sagt: „Guten Tag." Er geht hinein.

VOCABULARY

seit dem Morgen sind sie in der Stadt they have been in town since morning
er wartet auf die Straßenbahn he is waiting for the streetcar

der Brief −es letter
der Laden −s store
der Neffe −n nephew
der Vetter −s cousin (*male*)

die Bibliothek' library
die Großmutter grandmother
die Kusi'ne cousin (*fem.*)
die Nichte niece
die Puppe doll
die Straßenbahn streetcar
die Stunde hour
die Tante aunt

das Kind (*pl.* **die Kinder**) child

die Eltern (*pl.*) parents
die Großeltern (*pl.*) grandparents

aus-steigen get out *or* off   **er steigt**
aus he gets out *or* off
besuchen visit
bilden form
ein-steigen get in *or* on   **er steigt**
ein he gets in *or* on
fahren (**er fährt**) ride, drive
hinaus-gehen go out   **er geht hin-**
aus he goes out
laufen (**er läuft**) run

halb half
lange long, a long time
zuletzt' finally, (at) last

CONVERSATION

Wie geht's?

1. Guten Morgen, wie geht's? Wie geht's dem Vater? der Mutter?
2. Der Mutter geht's gut, aber der Vater ist nicht wohl.
3. So? Was fehlt dem Vater?

4. Er hat eine Erkältung, aber es geht ihm heute besser.
5. Wie viele sind in Ihrer Familie?
6. Es sind fünf in unsrer Familie. Ich habe einen Bruder und eine Schwester.
7. Ist der Bruder älter oder jünger als Sie?
8. Er ist jünger als ich, aber meine Schwester ist älter.

How are you?

1. Good morning. How are you? How is your father? your mother?
2. Mother is well, but father is not well.
3. Is that so? What's the matter with your father?
4. He has a cold, but he is feeling better today.
5. How many are there in your family?
6. There are five in our family. I have a brother and a sister.
7. Is your brother older or younger than you?
8. He is younger than I, but my sister is older.

9. Ich kenne Ihre Schwester nicht, aber ich kenne ihre Freundin Ilse.

9. I don't know your sister, but I know her friend Ilse.

10. Ja, Ilse ist blond und sehr hübsch, nicht wahr?

10. Yes, Ilse is blond and very pretty, isn't she?

LESESTÜCK

Aus dem Café

Seit einer Stunde sitzt ein Herr im Café mit der Zeitung in der Hand und liest. Nach einer Weile legt er die Zeitung aus der Hand und sagt zu seinem Nachbar: „Aus 5 der Zeitung erfährt man aber gar nichts. Man liest nur von Diebstahl, Einbruch, Mord. Zustände sind das jetzt bei uns! Und wer hat schuld? Die Polizei. Den ganzen Tag stehen sie auf der Straße herum 10 und winken mit der Hand hin und her.“

„Aber unsere Polizei ist doch recht gut und ehrlich.“

„Gehen Sie mit Ihrer Polizei! Ich wette mit Ihnen um zwanzig Mark. Sehen 15 Sie das Kleidergeschäft da drüben mit den Schuhen im Fenster? Ich gehe jetzt in den Laden und nehme ein Paar Schuhe aus dem Fenster, und niemand wird mich anhalten, auch der Schupo nicht, der direkt vor dem 20 Laden steht.“

„Gut, ich setze zwanzig Mark, aber ich warne Sie.“

Der Herr geht über die Straße, nimmt das Paar Schuhe aus dem Fenster, kommt 25 lachend zurück und sagt: „Na, sehen Sie? Geben Sie mir die zwanzig Mark.“

„O nein,“ antwortet der andre. „Diesmal habe ich Sie gefangen. Ich bin der Polizeidirektor und verhafte Sie wegen 30 Diebstahls.“

---

eine Weile *a while*   aus der Hand *aside*

erfährt man *one learns*   gar nichts *nothing at all* der Diebstahl *theft*   der Einbruch *burglary* der Mord *murder*   die Zustände *conditions* wer hat schuld? *whose fault is it?*   die Polizei' *the police* herum *around*

winken *wave*   hin und her *back and forth* doch *surely*

ehrlich *honest*

ich wette mit Ihnen um zwanzig Mark *I'll bet you 20 marks*

das Kleidergeschäft *clothing store*

ein Paar Schuhe *a pair of shoes*

niemand wird mich anhalten *no one will stop me* auch der Schupo nicht *not even the cop*   direkt *directly*

ich setze *I'll wager*

warnen *warn*

lachend *laughing*   zurück *back*

der andre *the other fellow*   diesmal *this time* gefangen *caught*

Polizei'direktor *chief of police* verhaften *arrest*   wegen *on account of*

„Aber nein, Herr Direktor," spricht der Herr. „Diesmal sind Sie hereingefallen, denn ich bin der Besitzer des Kleidergeschäfts."

hereingefallen *taken in*

denn *for, because*   der Besitzer *proprietor*

EXERCISES — SERIES B

I. Questions:

1. Wie lange sitzt der Herr schon im Café? 2. Was hat er in der Hand? 3. Was erfährt man aus der Zeitung? 4. Was liest man in der Zeitung? 5. Wo steht die Polizei den ganzen Tag? 6. Was tut die Polizei mit der Hand? 7. Was sagt der Nachbar von der Polizei? 8. Wohin geht der Herr? 9. Wo steht der Schupo? 10. Was nimmt der Herr aus dem Fenster?

II. Complete the sentences:

1. Seit — Stunde sitzt der Herr im C—. 2. Er legt d— Z— aus d— H—. 3. Er spricht mit s— N—. 4. D— g— Tag stehen sie auf d— S—. 5. Sie winken mit d— H— hin und her. 6. Ich nehme ein P— Schuhe aus d— F—. 7. Der Schupo steht vor d— L—. 8. Er geht über d— S—. 9. Er geht in d— L—. 10. Ich bin der Besitzer d— L—.

III. True and false:

1. Der Herr hat die Zeitung in der Hand. 2. Er legt die Zeitung aus der Hand. 3. Aus der Zeitung erfährt man alles. 4. Der Herr sagt, die Polizei hat nicht schuld. 5. In dem Fenster des Ladens stehen keine Schuhe. 6. Er wettet mit dem Nachbar. 7. In einem Kleidergeschäft kauft man keine Schuhe. 8. Er geht in den Laden und nimmt ein Paar Schuhe. 9. Der Schupo steht nicht vor dem Laden. 10. Der Herr war der Besitzer des Kleidergeschäfts.

IV. Give English cognates of:

der Freund, das Paar, die Polizei, der Schuh, der Tag; geben, hören, sehen.

V. Translate:

1. Whose house is this? Is this your house? 2. No, this is the house of my uncle. 3. He lives in this house with his family. 4. My uncle is the brother of my father, not of my mother. 5. The daughter of my uncle and (of my) aunt is my cousin. 6. She is the niece of my father and (of my) mother. 7. I am the nephew of my aunt and (of my) uncle. 8. The father of my father or (my) mother is my grandfather. 9. The mother of your mother or (your) father is your grandmother. 10. We live in that house with our father and our mother. 11. My

sister studies in her room, and my brother and I study in ours. 12. She writes with her pen and I write with my pencil. 13. I help my brother, and he helps me. 14. Where do you go after (the) school, and where do you study your lesson? 15. Are you going to the city with the friend of your brother? — a. Are you the friend of this man? b. He is working in his garden. c. She comes out of her room. d. We go into our garden. e. They are speaking with my friend. f. The child goes to its mother.

Wintersport auf der Zugspitze   *Dr. Wolff & Tritschler*

8

ACHTE AUFGABE

Wann kommen Sie?

Die Woche hat sieben Tage. Sonntag ist der erste Tag. Dann gehen wir nicht in die Schule, sondern wir gehen in die Kirche. Der zweite Tag heißt Montag, der dritte Dienstag, der vierte Mittwoch, und die letzten drei heißen Donnerstag, Freitag und Samstag (oder
5 Sonnabend).

Heute ist Dienstag, gestern **war** Montag und morgen ist Mittwoch. Vorgestern **war** Sonntag und übermorgen ist Donnerstag. Der nächste Tag heißt Freitag und der letzte Sonnabend. Vorgestern hat**ten** wir keine Schule, denn es **war** Sonntag. Gestern
10 hat**ten** wir eine deutsche Stunde. Der Lehrer lehr**te,** und wir arbeit**eten** fleißig. Die Aufgabe **war** nicht sehr leicht, aber sie **war** nicht so schwer wie diese Aufgabe.

Der Lehrer frag**te** uns, wann wir in die Schule gehen. Wir sag**ten:** ,,Um neun Uhr gehen wir in die Schule.'' Er frag**te** Fritz:
15 ,,Wo **warst** du gestern?'' Fritz antworte**te:** ,,Ich **war** nicht in der Schule, sondern ich **war** zu Hause, denn ich **war** krank.'' Der Lehrer frag**te** Marie: ,,Wo **warst** du am Sonnabend?'' Und Marie sag**te:** ,,Am Morgen **war** ich zu Hause. Am Vormittag spiel**te** ich. Am Nachmittag **war** ich mit meiner Mutter in der Stadt. Sie kauf**te**
20 Schuhe für meinen Bruder und ein Kleid für meine Schwester. Am Abend mach**te** ich meine Aufgabe und lern**te** fleißig.''

Der Lehrer kommt **durch** die Tür. Die Schüler stehen alle **um** ihn. Er ist immer freundlich **gegen** seine Schüler. Sie arbeiten fleißig **für** ihn und tun nichts **gegen** seinen Willen. Er tut auch viel
25 **für** die Schüler, denn **ohne** seine Hilfe lernen sie wenig.

[**72**]

GRAMMAR

Past Tense of *sein* and *haben* and of Weak Verbs; Attributive Adjectives; Co-ordinating Conjunctions; Ordinals; Prepositions governing Accusative.

1. Past Tense of *sein* and *haben*.

ich	**war**	hier		ich	hatte	keine Schule
du	**warst**	hier		du	**hattest**	keine Schule
er	**war**	hier		er	hatte	keine Schule
wir	**waren**	hier		wir	hatten	keine Schule
ihr	**wart**	hier		ihr	**hattet**	keine Schule
sie	**waren**	hier		sie	hatten	keine Schule
Sie	**waren**	hier		Sie	hatten	keine Schule

2. Past Tense of Weak Verbs.

Weak verbs, like the English regular verbs, form their past tense by adding an ending. As English adds *–ed:* learn — learn**ed**, so German adds –te: lernen — lern**te**.

ich	lern**te** Deutsch	wir	lern**ten** Deutsch
du	lern**test** Deutsch	ihr	lern**tet** Deutsch
er	lern**te** Deutsch	sie	lern**ten** Deutsch
	Sie lern**ten** Deutsch		

Weak verbs whose stems end in –**d** or –**t** (or in **m** or **n** preceded by some consonant other than **l, r, m, n**) insert –**e** before the endings of the past:

ich red**ete**   er arbeit**ete**   wir öffn**eten**

3. Attributive Adjectives.

An attributive adjective preceded by the definite article adds the ending –**e** in the nominative singular:

der gut**e** Mann   die gut**e** Frau
der erst**e** Tag   die lang**e** Nacht
das gut**e** Kind

4. Co-ordinating Conjunctions.

The co-ordinating conjunctions are followed by the normal word order:

denn	for	aber	but, however
oder	or	allein	but, yet
und	and	sondern	but (on the contrary)

5. Ordinals.

The ordinals from two to nineteen are formed by adding –**te** to the cardinal, and from twenty on by adding –**ste**; **der erste, der dritte,** and **der achte** are irregular.

6. Prepositions governing Accusative.

The following prepositions always govern the accusative case:

durch	through	ohne	without
für	for	um	around, about
gegen	against, toward	wider	against

EXERCISES — SERIES B

I. Supply the endings of the past tense:

1. Er hat— kein Messer. 2. Wir hat— heute Schule. 3. Der Lehrer frag— mich. 4. Kauf— Sie einen Hut? 5. Er sag— mir nichts. 6. Was antwort— Sie? 7. Wo spiel— das Kind? 8. Lern— sie fleißig? 9. Mach— er die Aufgabe? 10. Wir erzähl— eine Geschichte.

II. Conjugate in the past:

1. Ich bin heute hier. 2. Ich habe einen Freund. 3. Ich frage den Lehrer. 4. Ich kaufe ein Haus. 5. Ich arbeite am Morgen. 6. Ich lerne am Abend.

III. Answer in complete sentences:

Wie heißt der erste Tag? der nächste? der letzte? der zweite? der dritte? usw.

IV. Change to the past tense:

1. Er sagt mir wenig. 2. Das Buch ist für Sie. 3. Ich arbeite eine Stunde. 4. Wir haben heute keine Schule. 5. Wir lernen am Abend. 6. Sie erzählen uns viel. 7. Er sagt kein Wort. 8. Sie kauft sich ein Kleid. 9. Er öffnet die Tür. 10. In der Schule lernt er.

V. Read the following paragraph and answer the questions:

Die Zeit zwischen dem Morgen und dem Abend nennt man den Tag. Die Zeit zwischen dem Abend und dem Morgen nennt man die

Nacht. Um zwölf Uhr am Tage ist es Mittag, und um zwölf Uhr in der
Nacht ist es Mitternacht. Die Zeit zwischen dem Morgen und dem
Mittag ist der Vormittag, und der Nachmittag ist die Zeit zwischen
dem Mittag und dem Abend. Am Tage scheint die Sonne; dann ist es
hell. Aber in der Nacht scheint sie nicht; dann ist es dunkel. Am
Morgen geht die Sonne auf; dann wird es hell. Am Abend geht die
Sonne unter, und es wird dunkel. Der Mond scheint. In der Nacht
sehen wir die Sonne nicht, aber wir sehen den Mond und die Sterne
am Himmel.

    1. Welcher Tag kommt vor dem Montag? 2. Welcher Tag kommt
nach dem Dienstag? 3. Welcher Tag ist heute? 4. Welchen Tag haben wir morgen? 5. Wann kommt der Mittwoch? 6. Welcher Tag war
gestern? 7. Was war vorgestern? 8. Welcher Tag ist morgen? 9. Ist
heute Freitag? 10. War gestern Montag? 11. Ist morgen Sonntag?
12. Wann scheint die Sonne? 13. Wann scheint der Mond? 14. Wann
geht die Sonne auf? 15. Wann geht die Sonne unter? 16. Was sehen
wir in der Nacht? 17. Wann kommt der Morgen? 18. Wann kommt
die Nacht? 19. Wann ist der Nachmittag? 20. Wo sind die Sterne?

ALLERLEI

Durch, für, gegen, ohne, um, wider

Er geht **durch** den Park.
Ich kaufe Blumen **für** die Mutter.
Der Fisch schwimmt **gegen** den Strom.
Er macht die Arbeit **ohne** mich.
Wir sitzen alle **um** den Tisch.
Wer nicht für mich ist, ist **wider** mich.

Guten Morgen!

Am Morgen sagt man: Guten Morgen!
Am Tage sagt man: Guten Tag!
Am Abend sagt man: Guten Abend!
Wir gehen spät nach Hause, and wir sagen: Gute Nacht!

Das Jahr

Das Jahr hat zwölf Monate. Sie heißen:

Januar	Mai	September
Februar	Juni	Oktober
März	Juli	November
April	August	Dezember

VOCABULARY

in die **Kirche** to church
um neun **Uhr** at nine o'clock
am **Abend** in the evening
in der **Nacht** at night
am **Himmel** in the sky

der **Mittag** −s noon
der **Monat** −s month
der **Nachmittag** −s afternoon
der **Strom** −s stream, river
der **Vormittag** −s forenoon
der **Wille** −ns (*acc.* **Willen**) will

die **Hilfe** help, assistance
die **Kirche** church
die **Mitternacht** midnight
die **Stunde** hour, lesson
die **Woche** week
die **Zeit** time

das **Kleid** dress

auf-gehen rise   die **Sonne geht auf**
the sun rises
reden talk, speak
unter-gehen set   die **Sonne geht
unter** the sun is setting

gestern yesterday
letzt (*pl.* **die letzten**) last
nächst next
übermorgen day after tomorrow

CONVERSATION

Wie ist das Wetter?	How is the weather?
1. Guten Morgen, wie geht's heute morgen?	1. Good morning. How are you this morning?
2. Sehr gut, danke. Schönes Wetter, nicht wahr?	2. Very well, thanks. Beautiful weather, isn't it?
3. Nein, ich finde es schlecht. Es ist zu kalt, und es schneit.	3. No, I think it is bad. It is too cold and it is snowing.
4. Ja, im Winter gibt es Schnee und Eis.	4. Yes, in winter there is snow and ice.

5. Wie ist das Wetter in Florida?

6. In Florida sieht man keinen Schnee, da ist es immer warm.

7. Bei uns im Norden schneit es schon im Herbst.

8. Jawohl, bei uns ist der Winter ziemlich lang.

9. In welchem Monat kommt der Frühling?

10. Im Monat Mai, dann ist das Wetter angenehm.

5. How is the weather in Florida?

6. In Florida you don't see any snow; it is always warm there.

7. At home here in the north it snows already in the fall.

8. Yes, indeed, here at home the winter is rather long.

9. In which month does spring come?

10. In the month of May; then the weather is pleasant.

LESESTÜCKE

Die Jahreszeiten

Das Jahr hat vier Jahreszeiten. Sie heißen der Frühling, der Sommer, der Herbst und der Winter.

Der Frühling ist sehr schön. Dann
5 wird das Wetter warm, das Gras wird grün, die Tage werden länger, und die Blumen blühen. Die Vögel kommen vom Süden, bauen ihr Nest und singen den ganzen Tag. Der Gärtner pflanzt im Garten das Ge-
10 müse, und der Bauer sät das Getreide auf dem Feld.

Im Sommer ist das Wetter warm. Die Kinder haben den Sommer gern, denn sie haben keine Schule, und sie spielen den
15 ganzen Tag. Manchmal wird es sehr heiß. Dann gehen wir an den See. Da ist es am Tag vielleicht auch heiß, aber in der Nacht ist es immer kühl. Jeden Tag kann man dann im Kahn auf dem Wasser fahren und
20 Fische fangen. Das macht Spaß, nicht wahr?

Dann kommt der schöne Herbst. Das ist die goldene Zeit der Ernte. Der Gärtner

der Herbst *fall, autumn*

bauen *build*

der Gärtner pflanzt *the gardener
plants* das Gemü'se *vegetables*
der Bauer *farmer, peasant* das
Getrei'de *grain*
das Feld *field*

an den See *to the lake*

vielleicht *perhaps*

kühl *cool*

der Kahn *boat*

der Spaß *fun*

die Ernte *harvest*

geht durch den Garten und sammelt das
Gemüse. Der Bauer schneidet das Getreide
und bringt es zur Mühle. Das Obst wird
reif, und wir essen jeden Tag einen Apfel,
5 dann brauchen wir keinen Doktor. Und
herrlich sind die Farben im Herbst! Die
Bäume sind nun nicht mehr grün, denn
jetzt sind die Blätter rot und gelb, braun
und golden.

10 Der Winter ist die kalte Jahreszeit.
Dann fällt der Schnee, und die ganze Welt
wird weiß. Dann spielen die Kinder mit
dem Schlitten und laufen Schlittschuh.
Dann fliegen die Vögel wieder nach Süden.
15 Wenn wir genug Geld haben, gehen wir
auch im Winter nach Florida, Texas oder
Arizona. Da ist das Wetter auch im Winter warm und angenehm, und man kann
jeden Tag im Freien sein.

20 Aber der schönste Tag des Jahres
kommt doch im Winter. Das ist Weihnachten, und ohne Schnee und Eis ist Weihnachten nicht so schön.

Ich wohne in Minnesota. Da ist es im
25 Sommer oft zu heiß, und im Winter ist es
bestimmt zu kalt. Aber im Herbst ist das
Wetter fast immer angenehm. Da spiele
ich zwei- oder dreimal die Woche Golf oder
Tennis, und jeden Samstag gehen wir zum
30 Fußballspiel. Ja, das ist die schönste Jahreszeit. Ich stimme für den Herbst.

Glossary (right margin):

sammeln *gather*

die Mühle *mill*   das Obst *fruit*
reif *ripe*

brauchen *need*   der Doktor *physician, doctor*
herrlich *magnificent*

die Bäume (pl.) *trees*

die Blätter (pl.) *leaves*

fällt (fallen) *falls*   die Welt *world*

der Schlitten *sled*   . . . laufen
Schlittschuh *skate*
fliegen *fly*

das Geld *money*

im Freien *out in the open air*

schönste *most beautiful*

doch *after all*   Weihnachten
(a plural form that requires
a singular verb) *Christmas*

bestimmt *definitely*

dreimal *three times*   (das)
Golf *golf*

das Fußballspiel *football* or
soccer game

Die Monate

Dreißig Tage hat November,
April, Juni und September.
Februar hat vier mal sieben.
35 Einunddreißig haben dann
Alle, die noch übrigblieben.

vier mal *four times*

Note the plurals that have been used thus far:

der Apfel	die Äpfel	die Blume	die Blumen
der Baum	die Bäume	die Farbe	die Farben
der Bruder	die Brüder	die Jahreszeit	die Jahreszeiten
der Finger	die Finger	die Million'	die Millio'nen
der Fisch	die Fische		
der Mensch	die Menschen	das Blatt	die Blätter
der Schüler	die Schüler	das Buch	die Bücher
der Staat	die Staaten	das Fenster	die Fenster
der Tag	die Tage	das Kind	die Kinder
der Teil	die Teile	das Schlafzimmer	die Schlafzimmer
der Zustand	die Zustände	das Zimmer	die Zimmer

Also the following which have no singular:

die Eltern   die Großeltern   die Leute

EXERCISES — SERIES B _____

I. Questions:

1. Wann kommt der Frühling? 2. Wann wird das Gras grün?
3. Wo pflanzt der Gärtner das Gemüse? 4. Warum haben die Kinder
den Sommer gern? 5. Wann sind die Bäume nicht mehr grün? 6. Wohin fliegen die Vögel im Winter? 7. Was macht die ganze Welt weiß
im Winter? 8. Wann laufen die Kinder Schlittschuh? 9. Wie ist das
Wetter in Florida im Winter? 10. Wie heißt der schönste Tag des
Jahres?

II. Supply the missing words and endings:

1. Im F— wird d— W— warm. 2. Die Vögel singen d— g— Tag.
3. Die Kinder haben d— Sommer g—. 4. In d— Nacht ist es kühl.
5. Man kann im Kahn auf d— W— fahren. 6. D— Herbst ist d—
golden— Zeit. 7. Wir essen jed— Tag ein— A—. 8. Der Schnee macht
d— g— Welt weiß. 9. Der schönst— Tag d— J— ist im Dezember.
10. Das ist d— schönst— Zeit.

III. Give English cognates of:

der Apfel, das Feld, das Jahr, das Wetter, das Wort, der Gärtner;
länger, mehr, pflanzen.

IV. Find the antonyms of the following words and use them in sentences:

1. dünn, 2. hart, 3. krank, 4. fleißig, 5. alt, 6. klug, 7. leicht,

8. voll, 9. schmal, 10. fern, 11. gesund, 12. schwer, 13. breit, 14. dumm, 15. dick, 16. leer, 17. nah, 18. weich, 19. faul, 20. jung.

V. Translate:

1. When do you go to school? At eight o'clock or at nine? 2. Yesterday my brother was not in school. He was ill. 3. In the afternoon he was well, and he played in the garden. 4. My mother was in the city with my father. 5. They bought a book for my sister and a knife for me. 6. Were you in school on Monday, Tuesday, and Wednesday? 7. What did the teacher say? Did he say, "Good morning"? 8. He asked, "What day is today? What day was yesterday?" 9. What day comes before Saturday? Is tomorrow Thursday? 10. Which day is the first of the week, and which day is the last? 11. When does the sun shine, and when does it not shine? 12. Do we see the moon in the day(time) or at night? 13. Did you work in the morning or in the afternoon? 14. Do you all sit around the table in the evening? 15. In the morning we say, "Good morning," but in the evening we say, "Good evening." — a. Were you in the city? b. What did you buy? c. Were you working for the teacher? d. He did the work without me. e. Is there a garden around the house? f. When did he tell you the story?

9

NEUNTE AUFGABE _____

Die Uhr

Die Schule **fängt** um neun Uhr **an**. Es ist halb acht, und der kleine Karl **liegt** noch im Bett und **schläft**. Die Mutter **ruft**: „Karl, bist du wach? **Steh auf! Willst** du heute nicht in die Schule (**gehen**)? Mach schnell, denn es ist Zeit."

5 Karl: „Ach, Mutter, es ist noch so früh, und ich bin so müde und schläfrig. Ich **will** noch schlafen."

Mutter: „Nein, Karl, du **sollst aufstehen**. Du **darfst** nicht länger **schlafen**. Du **kannst** heute abend **schlafen**. Du **mußt** früher zu Bett **gehen**, dann **kannst** du länger **schlafen**."

10 Karl: „Wieviel Uhr ist es denn?"

Mutter: „Es ist beinahe acht."

Karl: „Die Uhr **geht** nicht richtig, sie **geht vor**."

Mutter: „Nein, sie **geht** nicht **vor**, sie **geht** ein wenig **nach**. Du **mußt** sofort **aufstehen**."

15 Aber Karl **steht** nicht sofort **auf**. Er **macht** die Augen **zu** und **schläft** wieder **ein**. Die Uhr **schlägt** acht, und die Mutter **ruft** wieder: „Karl, **kommst** du bald? Es ist schon acht, und du **mußt** schnell machen." Karl antwortet: „Ja, Mutter, ich **ziehe** mich schon **an**." Dann **springt** er aus dem Bett, **zieht** sich schnell **an**,

20 **ißt** sein Frühstück, **nimmt** seine Bücher und macht sich auf den Weg. Er **läuft** so schnell wie er **kann**, aber er **kommt** zu spät in die Schule.

[82]

GRAMMAR

Modal Auxiliaries; *wissen;* Present Tense of Strong Verbs; Dependent Infinitive; Separable Verbs.

1. Modal Auxiliaries.

The six modal auxiliaries **dürfen, können, mögen, müssen, sollen, wollen** are irregular in the singular of the present tense and convey meanings as follows:

PERMISSION		ABILITY		POSSIBILITY, LIKING	
be permitted to, may		*be able to, can*		*may, like, care for*	
ich darf	wir dürfen	ich kann	wir können	ich mag	wir mögen
du darfst	ihr dürft	du kannst	ihr könnt	du magst	ihr mögt
er darf	sie dürfen	er kann	sie können	er mag	sie mögen
	Sie dürfen		Sie können		Sie mögen

COMPULSION, NECESSITY		OBLIGATION		WILL, INTENTION	
must		*am to, shall*		*will, intend to*	
ich muß	wir müssen	ich soll	wir sollen	ich will	wir wollen
du mußt	ihr müßt	du sollst	ihr sollt	du willst	ihr wollt
er muß	sie müssen	er soll	sie sollen	er will	sie wollen
	Sie müssen		Sie sollen		Sie wollen

wissen *to know* is irregular in the present singular: ich weiß, du weißt, er weiß.

2. Present Tense of Strong Verbs.

Strong verbs with the stem vowel **a** (or **au**) and most strong verbs with the stem vowel **e** change in the second and third person singular **a** to **ä** (**au** to **äu**) and **e** to **i** or **ie**.

			IMP. 2ND SING.
ich schlafe	du schläfst	er schläft	
ich laufe	du läufst	er läuft	
ich lese	du liest	er liest	lies!
ich gebe	du gibst	er gibt	gib!
ich nehme	du nimmst	er nimmt	nimm!

But remember:

ich gehe	du gehst	er geht
ich stehe	du stehst	er steht

Verbs which change **e** to **i** or **ie** in the present have the same change in the familiar form of the imperative and do not add **–e**: gib! lies! nimm!

3. Dependent Infinitive.

The dependent infinitive stands at the end of the clause:

Er muß nach Hause gehen.

4. Separable Verbs.

Compound verbs are either separable or inseparable. The separable prefix is always placed at the end of a clause and always bears the stress. If the verb itself is at the end of a clause, the prefix is not separated from it.

Separable:

Er steht nicht auf. Er macht die Augen zu. Er muß jetzt aufstehen.

Inseparable:

Er versteht das nicht. Er erzählt eine Geschichte.

EXERCISES — SERIES A

I. Supply the proper form of the verb:

1. Ich (wollen) — länger schlafen. 2. Er (müssen) — jetzt aufstehen. 3. (können) — du Deutsch sprechen? 4. Er (mögen) — nicht in die Schule. 5. Karl (sollen) — schnell machen. 6. Er (dürfen) — nicht wieder schlafen. 7. Du (müssen) — früh zu Bett gehen. 8. Ich (können) — Deutsch lesen. 9. Er (wollen) — Deutsch lernen. 10. Du (müssen) — fleißig arbeiten.

II. Conjugate in the present:

1. Ich stehe am Morgen auf. 2. Ich schlafe in der Nacht. 3. Ich fange an zu lesen. 4. Ich mache schnell. 5. Ich nehme die Bücher. 6. Ich gehe früh zu Bett. 7. Ich rufe den Schüler. 8. Ich esse zu Abend. 9. Ich laufe in die Schule. 10. Ich komme spät in die Schule.

III. Form sentences like the example: Schule — **anfangen.** Die Schule **fängt** um acht Uhr **an.**

1. Tür — aufmachen. 2. Bett — einschlafen. 3. Augen — zumachen. 4. Morgen — aufstehen. 5. Uhr — vorgehen. 6. anziehen — schnell.

IV. Form sentences like the example: **am Morgen** — **Am Morgen** gehe ich in die Schule.

1. am Abend, 2. am Tage, 3. am Montag, 4. um neun Uhr, 5. vorgestern, 6. in der Nacht, 7. am Vormittag, 8. gestern, 9. um zwölf Uhr, 10. übermorgen.

V. Answer in complete sentences:

1. Wann fängt die Schule an? 2. Wieviel Uhr ist es? 3. Wer liegt noch im Bett? 4. Wie heißt der kleine Junge? 5. Will Karl in die Schule? 6. Was soll er tun? 7. Steht Karl sofort auf? 8. Darf er länger schlafen? 9. Wann steht er auf? 10. Läuft er langsam in die Schule? 11. Um wieviel Uhr stehen Sie auf? 12. Um wieviel Uhr gehen Sie nach Hause?

ALLERLEI

Wieviel Uhr ist es?

Können Sie mir sagen, wieviel Uhr es ist? Haben Sie eine Uhr in der Tasche? Ja, ich habe eine Uhr. Ich will Ihnen das Zifferblatt zeigen. Sehen Sie, es hat zwölf Ziffern, eine Ziffer für jede Stunde. Meine Uhr ist eine Taschenuhr. Sie hat drei Zeiger. Der kleine Zeiger oder der Stundenzeiger zeigt die Stunden. Der große Zeiger oder der Minutenzeiger zeigt die Minuten. Der Sekundenzeiger zeigt die Sekunden. Es sind sechzig Minuten in der Stunde und sechzig Sekunden in einer Minute. Die Uhr an der Wand ist eine Wanduhr, und die Uhr im Turm ist eine Turmuhr. Die Wanduhr schlägt die Stunden. Um zehn Uhr schlägt die Uhr zehnmal; um ein Viertel elf, um halb elf und um drei Viertel elf schlägt sie nur einmal.

Die Wanduhr geht beinahe immer richtig. Unsere geht oft falsch. Manchmal geht sie vor, dann geht sie nach, oder sie steht. In der Nacht bleibt sie stehen, und ich komme zu spät in die Schule. Um zwölf Uhr stehen beide Zeiger auf zwölf. Wieviel Uhr ist es, wenn der große Zeiger auf sechs steht und der kleine zwischen vier und fünf?

MEMORIZE:

> Um sieben Uhr steht er auf.
> Um halb acht ißt er sein Frühstück.
> Um (ein) Viertel neun geht er in die Schule.
> Um drei Viertel eins ißt er zu Mittag.
> Um zehn Minuten nach eins (1.10) geht er wieder fort.
> Um zehn Minuten vor vier (3.50) kommt er nach Hause.
> Um halb sieben ißt er zu Abend.
> Von acht bis elf lernt er.
> Um elf geht er zu Bett.
> Um zehn Minuten nach elf (11.10) schläft er.
>   Gute Nacht!

NOTE: 8.15 is expressed by (ein) **Viertel neun**, or (ein) **Viertel nach acht**. 12.45 is **drei Viertel eins**, or (ein) **Viertel vor eins**. 8.10 is **zehn Minuten nach acht**. 9.40 is **zwanzig Minuten vor zehn**.

LESEN SIE:

> 8.30, 9.10, 10.15, 11.45, 1.55.

LERNEN SIE:

heute morgen	gestern morgen	morgen früh
heute abend	gestern abend	morgen abend

>   Ich gehe **nach** Hause.   Ich spiele **zu** Hause.

VOCABULARY _____

es ist halb acht it is half past seven
willst du nicht? don't you want to?
mach (machen Sie) schnell hurry up
du darfst nicht you must not
heute abend this evening, tonight
wieviel Uhr ist es? what time is it?
die Uhr geht richtig the clock (watch) is right
die Uhr geht vor the clock (watch) is fast
die Uhr geht nach the clock (watch) is slow
die Uhr geht falsch the clock (watch) is wrong
die Uhr steht the clock (watch) is not running
die Uhr bleibt stehen the clock (watch) stops
er ißt zu Mittag he eats lunch
morgen früh tomorrow morning

der **Minu'tenzeiger** –s minute hand
der **Sekun'denzeiger** –s second hand
der **Stundenzeiger** –s hour hand
der **Turm** –s tower
der **Zeiger** –s hand (of watch or clock)

die **Armbanduhr** wrist watch
die **Kuckucksuhr** cuckoo clock
die **Sekun'de** second
die **Standuhr** grandfather clock
die **Taschenuhr** pocket watch
die **Turmuhr** tower clock
die **Viertelstunde** quarter hour
die **Wanduhr** wall clock
die **Weckuhr** alarm clock
die **Ziffer** number, figure

das **Viertel** –s quarter
das **Zifferblatt** –s dial

ein-schlafen fall asleep   **er schläft ein** he falls asleep
schlagen (er schlägt) strike
springen spring, jump

beinahe almost
falsch wrong
müde tired
schläfrig sleepy
sofort' at once
wach awake
zehn mal ten times

CONVERSATION

Wieviel Uhr ist es?

1. Bitte, können Sie mir sagen, wieviel Uhr es ist?
2. Nein, das kann ich nicht. Meine Uhr geht nicht richtig.
3. Was fehlt Ihrer Uhr?

4. Ich weiß nicht, ich ziehe sie auf, ich stelle sie, aber sie bleibt stehen.
5. Meine geht immer entweder vor oder nach.
6. Gut, daß Sie einen Wecker haben.
7. Nun, es ist spät, und ich will noch in die Stadt.
8. Und ich muß schnell nach Hause.
9. Um wieviel Uhr spielen wir Tennis?
10. Von halb fünf bis Viertel sieben, wenn es Ihnen recht ist.

What time is it?

1. Please, can you tell me what time it is?
2. No, I can't. My watch is not right.
3. What is wrong with your watch?

4. I don't know; I wind it, I set it, but it stops.

5. Mine is always either fast or slow.
6. It's a good thing that you have an alarm clock.
7. Well, it's late and I still want to go down town.
8. And I have to hurry home.

9. At what time do we play tennis?
10. From four-thirty until a quarter after six, if that's all right with you.

LESESTÜCKE

Das Radio

R-r-r-r- klingelt der Wecker. Aus tiefem Schlaf erwache ich, mache die Augen auf und schaue auf die Uhr. Was? Erst sieben Uhr? So früh kann ich doch nicht aufstehen. Ich wende mich auf die andere Seite und will wieder schlafen. Da fällt mein Blick auf den kleinen, braunen Kasten auf dem Tisch. Ja, so-o-o-o! Der Wecker hat doch recht! Da steht ja das neue Radio. Seit gestern bin ich der stolze Besitzer eines Radios. Es war wohl etwas teuer, und eine Steuer muß ich auch zahlen. Da hat man doch die Pflicht, das Programm zu hören und nichts davon zu versäumen. Also, schnell aufstehen und den Apparat einschalten.

Auf dem Programm steht „sieben Uhr fünfzehn, Morgengymnastik." Gut! Ich stelle mich im Nachthemd vor den Lautsprecher, da fängt es schon an. Der Ansager spricht: „Guten Morgen, meine Damen und Herren, haben Sie gut geschlafen? Jetzt kommt die Morgengymnastik. Achtung, wir beginnen! Arme heben und senken—links-und-rechts-und-hoch-und-ab!" Aber nach zwei Minuten finde ich, mein Zimmer ist viel zu klein, zu eng. Platz muß man haben. Also, Tische und Stühle fort! So, jetzt geht's besser. Eins-und-zwei-und-drei-und-vier-und- —— Verflucht, da schlage ich mit der Hand gegen den Tisch. Au, tut das aber weh! Ich turne weiter. Der arme Wecker fällt auf den Boden. Da, o weh! Der Schlüssel am Kleiderschrank hat mir

---

tief *deep*

der Schlaf *sleep*   erwachen *awaken*
auf die Uhr *at the clock*   erst *only*

Ich wende mich (reflexive in German) *I turn*
die Seite *side*

der Blick *glance*   der Kasten *box*

hat doch recht *is right after all*

stolz *proud*

die Steuer *tax*   zahlen *pay*

die Pflicht *duty*   das Programm' *program*
davon *of it*   versäumen *miss*

der Apparat (*radio*) *set*   einschalten *turn on*

die Morgengymnastik *morning exercises, calisthenics*
mich *myself*   das Nachthemd *night shirt*   der Lautsprecher *loud speaker*   der Ansager *announcer*
meine Damen und Herren *ladies and gentlemen*

(die) Achtung *attention*

Arme heben und senken *raise and lower your arms*
links-und ... ab *left and right and up and down*

der Platz *space, room*

verflucht *damn, curses*

au, tut das aber weh *ouch, does that hurt*
ich turne weiter *I go on exercising*
der Boden *the floor*   o weh! *alas!*
der Kleiderschrank *wardrobe*

das Hemd zerrissen. Aber die Musik geht weiter, und weiter geht das Turnen. — Eins- und-zwei- — alles im Zimmer will turnen. Das Bild meiner Braut fliegt gegen den 5 Ofen, die Lampe fällt auf den Bodèn, die Schreibmaschine legt sich ins Bett, mein Hut geht durch das Fenster, — eben fliegt ein Schuh gegen den Spiegel. — Da klopft es. Es ist die Wirtin mit dem Frühstück.

10   „Ja, aber Herr Hauser, was machen Sie denn für Sachen? Was fehlt Ihnen denn heute morgen?"

Dann ist alles still. Das Programm ist zu Ende, und das ist auch das Ende der 15 Geschichte.

Jetzt stehe ich nicht mehr um sieben Uhr auf. Erstens habe ich keinen Wecker mehr, und zweitens will ich jeden Morgen länger schlafen.

---

das Hemd *shirt*   zerrissen *torn*
die Musik' *music*   weiter-
gehen *go on*

die Braut *fiancée*

die Lampe *lamp*

die Schreibmaschine *typewriter*
legt sich *lies down*
eben *just now*

der Spiegel *mirror*   da klopft
es *then there is a knock at the
door*   die Wirtin *landlady*

was machen Sie denn für Sachen? *what on earth are you
doing?*

still *quiet, still*   ist zu Ende
is over

Das schöne Spiel

Liebe Schwester, tanz mit mir;
Meine Hände reich' ich dir.
Einmal hin, einmal her,
Rund herum, es ist nicht schwer.

5 Mit den Füßen trapp, trapp, trapp!
Mit den Händen klapp, klapp, klapp!
Einmal hin, einmal her,
Rund herum, es ist nicht schwer.

Noch einmal das schöne Spiel,
10 Weil es mir so gut gefiel!
Einmal hin, einmal her,
Rund herum, es ist nicht schwer.

    (Humperdinck: *Hänsel und Gretel*)

tanz mit mir *dance with me*
reichen *hold out, extend*

rund herum' *round about*

trapp *tap*

klapp *clap*

weil *because*   gefiel (gefallen)
    pleased

EXERCISES — SERIES B _____

I. Questions:

1. Um wieviel Uhr klingelt der Wecker? 2. Was kann Herr Hauser nicht so früh? 3. Wo steht der kleine, braune Kasten? 4. Was für ein Kasten ist es denn? 5. Wie lange hat Herr Hauser das Radio schon? 6. Was muß man zahlen, wenn man ein Radio hat? 7. Will Herr Hauser schnell aufstehen? 8. Was will turnen? 9. Warum braucht Herr Hauser jetzt nicht mehr um sieben Uhr aufzustehen? 10. Was will er jetzt jeden Morgen tun?

II. Read the following in the present tense and supply the missing words and endings:

1. So früh (können)— ich nicht auf—. 2. Sein Blick (fallen)— auf d— Kasten. 3. Da (stehen)— das neu— Radio. 4. Ich (sein)— der stolz— Besitzer ein— Radios. 5. Man (dürfen)— nichts von d— Programm versäumen. 6. Der Ansager (sprechen)— „Gut— Morgen." 7. Platz (müssen)— man haben. 8. Was (fehlen)— Ihn— heute morgen? 9. Alles im Zimmer (wollen)— t—. 10. Ich (wollen)— jed— Morgen länger schlafen.

III. True and false:

1. Der Wecker klingelt um sechs Uhr. 2. Herr Hauser will schnell aufstehen. 3. Der Wecker hat doch recht. 4. Das neue Radio steht nicht auf dem Tisch. 5. Herr Hauser muß auch Steuer zahlen. 6. Er will das ganze Programm hören. 7. Er findet sein Zimmer viel zu klein. 8. Am Kleiderschrank ist kein Schlüssel. 9. Ein Schuh fliegt gegen den Spiegel. 10. Herr Hauser steht immer um sechs Uhr auf.

IV. Give English cognates of:

der Apparat, das Bett, das Ende, die Lampe, die Minute, die Musik, das Programm, die Seite; beginnen.

V. Translate:

1. Can you tell me what time it is? 2. Have you no watch in your pocket? 3. Yes, I have a watch. It is half past eight. 4. Your watch is slow. It is almost a quarter to nine. 5. No, your watch is fast. My watch is right. It is twenty minutes to nine. 6. At nine o'clock (the) school begins. We must hurry. 7. Yes, today is Monday, and we have

to go to school. 8. But I want to play a little longer. 9. No, you must (**dürfen**) not play longer; you can play this evening. 10. Where is your friend Karl? Is he still sleeping? 11. He says, "I do not want to get up. I am still sleepy." 12. But he must get up, or he cannot go to school. 13. He opens his eyes, sees the clock, and jumps out of bed. 14. He dresses quickly and eats his breakfast. 15. Then he takes his book and runs as fast as he can. — a. I want to sleep longer. b. You must get up now. c. He must not stay in bed. d. We can sleep this evening. e. They are to hurry. f. She does not care to go to school.

10

ZEHNTE AUFGABE ────────────────────

Der Ausflug

Es war ein Tag im Sommer. Das Wetter war schön. Die Sonne **schien** hell, und die Luft war warm und angenehm. Wir **standen** früh **auf,** denn wir **wollten** einen Ausflug machen. Wir **aßen** schnell unser Frühstück, und um zehn **Minuten** vor acht machten wir uns
5 auf den Weg. Die **Häuser** und **Gärten,** die **Straßen** und **Läden** in der Stadt **konnten** wir alle **Tage** sehen. Nun aber **wollten** wir auf das Land. Wir **wollten** die **Wälder** und **Felder, Berge** und **Täler, Vögel** und **Blumen** sehen und die **Tiere** auf dem Lande, **Pferde, Kühe, Schafe, Schweine.** Wir **fuhren** mit der Straßenbahn bis ans
10 Ende der Stadt. Da **stiegen** wir **aus** und **gingen** zu Fuß **weiter.**

Bald **kamen** wir in einen Wald. Da war alles so still, nur die **Vögel sangen** viel lauter als in der Stadt. Wie kühl war es im Schatten der **Bäume!** Nur hie und da **fiel** das Licht der Sonne durch die **Blätter.** Da spielten wir unter den **Bäumen, liefen** durch den Wald,
15 suchten und **fanden** viele **Blumen.** Bald war es Mittag. Wir setzten uns in den Schatten und **aßen.** Nach dem Essen **stiegen** wir auf einen Berg. Da **sahen** wir tief unter uns die Stadt mit ihren vielen **Straßen, Häusern** und **Gärten.** Auf den **Feldern** arbeiteten die **Bauern** mit ihren **Pferden,** und auf den **Wiesen** waren viele **Kühe**
20 und **Schafe.** Es war ein herrliches Bild.

Spät am Abend **kamen** wir müde, aber glücklich nach Hause. Wir **gingen** sofort zu Bett und **schliefen** die ganze Nacht.

Tag im Sommer   *Landesbildstelle Württemberg*

GRAMMAR

Plural of Nouns; Past Tense of Strong Verbs; Past Tense of Modal Auxiliaries.

1. Noun Declensions.

The nominative and genitive singular and the nominative plural are called the *principal parts* because they indicate the declension of the noun.

The *Strong Declension* has three classes.

Class I adds no plural ending: der Vater, die Väter
Class II adds –e in the plural: der Sohn, die Söhne
Class III adds –er in the plural: das Kind, die Kinder

The genitive singular ending of strong masculine and neuter nouns is –(e)s.

The *Weak Declension* has the ending –(e)n throughout the plural. Weak masculine nouns also form the singular genitive, dative, and accusative in –(e)n. Feminine nouns with the suffix –in double the **n** in the plural:

die Freundin, die Freundinnen

The *Mixed Declension* has the genitive singular in –(e)s and the plural in –(e)n.

das Auge   des Auges   die Augen

Observe the irregular forms of:

der Name, des Namens, die Namen
das Herz, des Herzens, die Herzen

REMEMBER: 1. Feminine nouns retain the same form throughout the singular. 2. The nominative, genitive, and accusative plural of all nouns have the same form. 3. All nouns of one syllable add an ending to form the plural. 4. The dative plural of all nouns ends in –n.

Principal Parts of Nouns

STRONG

Class I		Class II		Class III	
das Zimmer	der Bruder	der Arm	der Fuß	das Kind	der Mann
des Zimmers	des Bruders	des Armes	des Fußes	des Kindes	des Mannes
die Zimmer	die Brüder	die Arme	die Füße	die Kinder	die Männer

WEAK		MIXED	
der Junge	die Frau	der Vetter	das Ohr
des Jungen	der Frau	des Vetters	des Ohres
die Jungen	die Frauen	die Vettern	die Ohren

(For noun declension see *Reference Grammar* §§ 9–16.)

2. Past Tense of Strong Verbs.

Strong verbs form the past tense by changing the stem vowel,
sehen — sah: ich sah, du sahst, er sah, wir sahen, ihr saht, sie sahen.

Principal Parts of Strong Verbs

auf-stehen	stand auf	get up, stand up, rise
aus-steigen	stieg aus	get off *or* out
beißen	biß	bite
essen	aß	eat
fahren	fuhr	ride, drive
fallen	fiel	fall
fangen	fing	catch
finden	fand	find
geben	gab	give
greifen	griff	seize, grasp
kommen	kam	come
lassen	ließ	let
laufen	lief	run
liegen	lag	lie, recline
rufen	rief	call
scheinen	schien	shine
schlafen	schlief	sleep
sehen	sah	see
singen	sang	sing
sprechen	sprach	speak
steigen	stieg	climb
sterben	starb	die
vergessen	vergaß	forget

But remember:

> gehen — ging, stehen — stand, tun — tat (See p. 348 ff.)

3. Past Tense of Modal Auxiliaries.

The past of the modal auxiliaries has the same endings as the weak verb: **dürfen, können, mögen, müssen** change the stem vowel. (See p. 346.)

ich durfte	wir durften
du durftest	ihr durftet
er durfte	sie durften

konnte — mochte — mußte — sollte — wollte

EXERCISES — SERIES A _____

I. Read the story in the present tense.

II. Read the story in the third person singular.

III. Change the following sentences to the plural. EXAMPLE: Das **Haus ist** groß. Die **Häuser sind** groß.

1. Der Garten ist schön. 2. Die Straße war lang. 3. Der Bauer arbeitete. 4. Die Blume war rot. 5. Schläft er die ganze Nacht? 6. Geht sie zu Fuß? 7. Der Vogel sang laut. 8. Ich ging sofort zu Bett. 9. Er ging in den Wald. 10. Ich fuhr auf das Land.

IV. Form sentences in the singular and plural. EXAMPLE: Das ist ein Haus. Das sind Häuser.

1. Vogel, 2. Wald, 3. Tier, 4. Baum, 5. Freundin, 6. Berg, 7. Haus, 8. Straße, 9. Blume, 10. Auge, 11. Feld, 12. Schülerin.

V. Form sentences with the genitive. EXAMPLE: Mann. Das ist **das Haus des Mannes.**

1. Bruder, 2. Mutter, 3. Lehrerin, 4. Schwester, 5. Kind, 6. Vogel, 7. Frau, 8. Mädchen, 9. Sohn, 10. Freundin.

VI. Answer in complete sentences:

1. Wie war das Wetter? 2. Wie schien die Sonne? 3. Wie war die Luft? 4. Wohin wollten wir? 5. Wann standen wir auf? 6. Wann machten wir uns auf den Weg? 7. Was wollten wir sehen? 8. Nennen Sie vier Tiere! 9. Wohin fuhren wir mit der Straßenbahn? 10. Wie war es im Wald? 11. Was hörten wir im Wald? 12. Wie sangen die Vögel? 13. War es dunkel im Wald? 14. Was fanden wir im Wald? 15. Was machten wir nach dem Essen? 16. Was lag tief unter uns?

17. Was sahen wir auf den Feldern? 18. Was war auf den Wiesen?
19. Wann kamen wir nach Hause? 20. Wohin gingen wir sofort?

ALLERLEI _____

Der Mensch

Der Mensch hat zwei Arme, zwei Hände, zwei Beine, zwei Füße,
zwei Augen, zwei Ohren, zwei Lippen, zehn Finger, zehn Zehen und
zweiunddreißig Zähne, aber nur eine Nase, einen Mund, einen Kopf
und ein Gesicht.

Mit den Ohren kann ich hören,
Mit den Augen kann ich sehen,
Mit den Fingern kann ich fühlen,
Mit den Füßen kann ich gehen,
Mit der Nase kann ich riechen,
Mit den Händen kann ich greifen,
Mit den Zähnen kann ich beißen,
Mit den Lippen kann ich pfeifen.

Wer nicht sehen kann, ist blind,
Wer nicht sprechen kann, ist stumm,
Wer nicht hören kann, ist taub,
Wer nicht lernen kann, ist dumm.

Fragen

Wieviel Sterne sind am Himmel,
Wieviel Tropfen in dem See,
Wieviel Vögel sind im Walde,
Wieviel Flocken hat der Schnee,

Wieviel Blätter auf den Bäumen,
Wieviel Bäume in den Wäldern,
Wieviel Äpfel in den Gärten,
Wieviel Blumen auf den Feldern,

Wieviel Federn hat die Gans,
Wieviel Fehler macht der Hans?
Ja, das mußt du mich nicht fragen,
Denn das kann ich dir nicht sagen.

VOCABULARY *

auf das Land to the country
auf dem Lande in the country
wir fuhren mit der Straßenbahn we went (rode) on the streetcar
bis ans Ende der Stadt to the city limits
auf den Feldern (Wiesen) in the fields (meadows)
soviel sie wollte as much as she wanted
auf einmal all at once, suddenly
ich möchte I should like to

der Ausflug ⸚e excursion, picnic
der Berg –e hill
der Fehler – mistake, error
der Käse – cheese
der Kopf ⸚e head
der Mensch –en –en human being
der Name –ns –n name
der Schatten – shade, shadow
der Tropfen – drop
der Wald ⸚er forest, woods
der Zahn ⸚e tooth

die Feder –n feather
die Flocke –n flake
die Gans ⸚e goose
die Luft ⸚e air
die Nacht ⸚e night
die Zehe –n toe

das Brot –e bread
das Essen meal
das Herz –ens –en heart

das Licht –er light
das Pferd –e horse
das Postamt ⸚er post office
das Rathaus ⸚er city hall
das Schaf –e sheep
das Schwein –e hog, pig
das Tal ⸚er valley

fressen fraß eat (*of animals*)
fühlen feel
gehen ging go, walk
kennen-lernen lernte kennen get
  acquainted with
riechen roch smell
töten kill
weiter-gehen ging weiter go on *or*
  further, continue

böse bad, wicked, evil
froh glad, happy
genau exact, precise
hie und da here and there

CONVERSATION

Ich bitte um Auskunft.	I ask for information.

1. Verzeihung, können Sie mir Auskunft geben?

1. Pardon me, can you give me some information?

2. Gerne, wohin wollen Sie?

2. Gladly; where do you want to go?

* In this and in subsequent lesson vocabularies, only the plurals of nouns will be given, except for nouns that do not have the regular –(e)s genitive ending.

3. Ich möchte zum Postamt, ich muß mir Briefmarken kaufen.

4. Wollen Sie zu Fuß gehen?

5. Jawohl, wenn es nicht zu weit ist.

6. Ich meine, Sie nehmen besser eine Straßenbahn oder einen Omnibus.

7. Sie haben recht. Ich habe auch nicht zu viel Zeit.

8. Vergessen Sie nicht, Ihren Brief per Luftpost zu schicken.

9. Per Luftpost geht er natürlich viel schneller?

10. Jawohl, in vier Tagen ist Ihr Brief in Amerika.

3. I'd like to go to the post office; I must buy (me) some stamps.

4. Are you going there on foot?

5. Yes indeed, if it isn't too far.

6. I think you had better take a streetcar or a bus.

7. You are right. I haven't too much time either.

8. Don't forget to send your letter air mail.

9. By air mail it will naturally go much faster?

10. Yes indeed, in four days your letter will be in America.

LESESTÜCKE

In der Stadt

„Guten Morgen, Herr Hauser. Wie schön, daß ich Sie hier treffe. Wie Sie wissen, komme ich vom Lande und bin hier fremd. Ich möchte mir heute die Stadt ansehen. Darf ich Sie um Auskunft bitten? Wie komme ich zum Postamt, zum Rathaus, zur Universität —?" „Aber, bitte, nicht so schnell, und nicht alles auf einmal. Wohin wollen Sie zuerst? Wenn Sie die Stadt kennenlernen wollen, nehmen Sie am besten einen Omnibus oder eine Straßenbahn. Wenn Sie mit der Untergrundbahn oder der Hochbahn fahren, sehen Sie viel weniger."

„Nun, dann nehmen wir einen Omnibus. Aber dieser Verkehr! Wie viele Autos, Straßenbahnen, Omnibusse und Lastautos fahren denn auf dieser Straße? Können Sie vielleicht mit mir kommen und mir alles

ich bin hier fremd I'm a stranger here

zuerst first of all

nehmen Sie am besten the best thing for you to do is to take

die Untergrundbahn subway

die Hochbahn elevated railway

der Verkehr traffic

das Lastauto (pl. —autos) truck

zeigen?" „Nein, das kann ich leider nicht,
denn ich muß ins Geschäft. Aber ich meine,
Sie fahren zuerst zum Marktplatz. Hier
sind wir in der Hauptstraße, hier sehen Sie
5 nur Geschäfte, Läden, Warenhäuser, Buch-
handlungen, Hotels und Restaurants. Aber
der Marktplatz wird Sie interessieren. Da
steht das alte Rathaus, der große Dom und
die schöne Marienkirche mit ihren zwei
10 hohen Türmen. Die Haltestelle ist da drüben, und da kommt auch schon Ihr Omnibus, Nummer 20. Auf Wiedersehen!"
　　Ich laufe schnell über die Straße an die
Haltestelle und steige ein. Ich kaufe einen
15 Fahrschein, er kostet zwanzig Pfennig. Ist
noch ein Platz frei? Alles besetzt? Dann
muß ich wohl hinten auf der Plattform
stehen. Ich fahre zum Marktplatz und
steige aus. Ist das ein Leben, so viele Men-
20 schen! Mitten auf dem Marktplatz steht
der berühmte Brunnen, rechts steht das
alte Rathaus und links der Dom. Rings um
den Platz sind Buden, wo die Marktfrauen
ihre Waren verkaufen. Da gibt es Gemüse:
25 Kartoffeln, Kohl, Blumenkohl, Bohnen,
Erbsen usw. Es gibt auch Obst: Äpfel, Birnen, Kirschen, Pflaumen und Erdbeeren.
Auch Fleisch und Fische kann man hier
kaufen. Ich finde alles sehr interessant.
30 Dann besuche ich den Dom und das Rathaus. Jetzt schlägt die große Uhr auf dem
Turm, es ist zwölf Uhr, und ich habe Hunger. Ich fahre in die Stadt zurück und
suche ein Restaurant.

Genaue Auskunft

35 　　Ein Fremder stand an einer Ecke in
München. Er wollte zu einem Freunde,
wußte aber nicht, wo die Straße war und

---

leider *unfortunately*

ins Geschäft *to the office* or *store*
　ich meine *I think*
der Marktplatz *market place*

die Hauptstraße *main street*

das Geschäft *shop*　der Laden
　store　das Warenhaus *de-*
　partment store　die Buch-
　handlung *book store*
interessie'ren *interest*

die Mari'enkirche *St. Mary's*
　Church
die Haltestelle (*bus*) *stop*

die Nummer *number*

über *across*

der Fahrschein *ticket*　der
　Pfennig: 1 Pfennig = ¼ *cent*,
　100 Pfennigs = *1 Mark*　be-
　setzt *occupied, filled up*
die Plattform *platform*

ist das ein Leben! *what a life!*

der Brunnen *fountain*

rings um *all around*

die Bude *booth*　die Markt-
　frau *market woman*
die Waren *goods, wares*　ver-
　kaufen *sell*
die Kartof'fel *potato*　der Kohl
　cabbage　der Blumenkohl
　cauliflower　die Bohne *bean*
　die Erbse *pea* die Birne *pear*
　die Kirsche *cherry*　die
　Pflaume *plum*　die Erdbeere
　strawberry　das Fleisch *meat*
interessant' *interesting*

zurück'-fahren *ride back*

ein Fremder *a stranger*

mußte sich erkundigen. Er fragte einen
Mann, der gerade vorbeikam: „Verzeihung,
können Sie mir sagen, wie ich in die Schellingstraße komme?" „Schellingstraße? Ja-
5 wohl, das kann ich Ihnen sagen. Gehen Sie
hier geradeaus bis an die dritte Straße. Da
sehen Sie links die Universität. Dann folgen Sie der Universitätsstraße rechts bis
zum ersten Verkehrslicht. Dann müssen
10 Sie wieder rechts gehen bis zur dritten
Straße. Dann wieder rechts sechs Straßen
weit, dann kommen Sie dahin, wo wir jetzt
sind. Dann sind Sie endlich in der Schellingstraße."

sich erkundigen *inquire*

der *who* gerade *just at that moment* vorbei-kommen *pass* (or *come*) *by* wie ich in ... komme? *how I'll get to*

folgen (w. dat.) *follow*

die Universitäts'straße *University Street*
das Verkehrs'licht *traffic light*

In der Straßenbahn

15 Mein Freund, Herr Professor Hammer,
steigt in die Straßenbahn. Im Wagen ist
kein Platz mehr frei, und er muß hinten auf
der Plattform stehen. Als der Wagen plötzlich anhält, tritt ein junger Mann dem
20 Herrn Professor auf den Fuß, und — bleibt
darauf stehen. Unangenehm ist das, aber
der Herr Professor wird nicht zornig. Er
klopft dem jungen Mann auf die Schulter
und sagt: „Bitte, mein junger Freund, darf
25 ich fragen, wie alt Sie sind?" Der junge
Mann sieht sich erstaunt um, antwortet
aber sogleich: „Achtzehn Jahre." Da
lächelt der Herr Professor und sagt nicht
unfreundlich: „Dann sind Sie doch alt
30 genug, auf eigenen Füßen zu stehen."

frei *vacant, available*

plötzlich *suddenly*

anhalten *stop* tritt ein ... Fuß *a young man steps on the professor's foot* bleibt darauf stehen *remains standing on it* unangenehm *unpleasant*
zornig *angry*

die Schulter *shoulder*

erstaunt *astonished* sieht sich um *looks around*
sogleich *at once*

lächelt *smiles*

auf eigenen *on your own*

EXERCISES — SERIES B _____

I. Questions:

1. Weiß Herr Hauser, wo ich wohne? 2. Um welche Auskunft bitte ich? 3. Was soll man tun, wenn man die Stadt kennenlernen will? 4. Warum soll man nicht mit der Untergrundbahn fahren? 5. Warum konnte Herr Hauser nicht mitkommen? 6. Was sieht man in der Hauptstraße? 7. Warum mußte ich auf der Plattform stehen? 8. Was stand mitten auf dem Marktplatz? 9. Was für Gemüse gibt es auf dem Markt? 10. Was für Obst konnte ich kaufen?

II. Read in the past tense and supply the missing words and endings:

1. Herr Hauser (wissen)— nicht, was ich sehen (wollen)—. 2. Ich (müssen)— ihn um Auskunft bitten. 3. Wir (wollen)— die Stadt kennenlernen. 4. Er (können)— nicht mit mir kommen, er (müssen)— ins Geschäft. 5. An der Hauptstraße (sehen)— ich nur Geschäfte. 6. In der Straßenbahn (sein)— alles besetzt; er (müssen)— stehen. 7. Auf d— Marktplatz (geben)— es Erbs—, Bohn—, Birn— und Erdbeer——. 8. Ich (stehen)— auf d— Straße und (wollen)— zu ein— Freund. 9. Ich (wissen)— nicht, wo er (wohnen)—. 10. Ich (müssen)— mich erkundigen und (fragen)— ein— Mann, der (vorbeikommen)—.

III. Give the antonyms of the following words:

1. hell, 2. schnell, 3. aufmachen, 4. aufstehen, 5. die Frage, 6. kommen, 7. krumm, 8. naß, 9. der Tag, 10. der Morgen, 11. die Antwort, 12. trocken, 13. gerade, 14. die Nacht, 15. gehen, 16. zumachen, 17. dunkel, 18. der Abend, 19. sich setzen, 20. langsam.

IV. Translate:

1. Yesterday my friends and I went to the country. 2. At eight o'clock in the morning we started out. 3. We wanted to see the woods and the fields, the birds and the flowers. 4. We rode on (**mit**) the streetcar through the city, and then we went on foot. 5. In the city we saw many men, women, and children. 6. In the country we saw many horses, cows, pigs, and sheep. 7. In the woods we heard the birds and found many flowers. 8. At twelve o'clock we sat down in the shade of the trees and ate. 9. In the afternoon we ran through the woods and played under the trees. 10. Then we climbed (**auf**) a hill and saw the streets, houses, and gardens of the city. 11. In (**auf**) the

fields we saw many peasants with their horses. 12. In (**auf**) the meadows [there] were also many cows and sheep. 13. We were tired, and we sat on the hill two hours. 14. Soon it became dark, and we could not stay longer. 15. Very late in the evening we came home, tired but happy. — a. I have two hands and two feet. b. I hear with my ears and see with my eyes. c. Two boys have two heads and four arms. d. The birds were singing in the trees. e. The men were working in (**auf**) the fields. f. The children were sleeping.

11

ELFTE AUFGABE ────────────────────────────

Ein Besuch auf dem Lande

Letzte Woche **hat** uns der Onkel **eingeladen,** ihn auf dem Lande zu besuchen. Am Montag **hat** der Onkel die Einladung **geschrieben.** Am Dienstag **haben** wir seinen Brief **erhalten,** und am Mittwoch **haben** wir ihn **besucht.**

5 Um sieben Uhr **hat** uns die Mutter **geweckt.** Wir **sind** schnell **aufgestanden** und **haben** unser Frühstück **gegessen.** Dann **haben** wir uns auf den Weg **gemacht.** Mit der Straßenbahn **sind** wir bis ans Ende der Stadt **gefahren.** Da **sind** wir **ausgestiegen** und **sind** zu Fuß **weitergegangen.** Bald **sind** wir bei dem Onkel **angekommen.**

10 Bis zum Mittag **haben** wir im Garten **gespielt.** Wir **haben** einen Apfelbaum **gefunden.** Wir **haben** ihn **geschüttelt,** und viele Äpfel **sind** auf die Erde **gefallen.** Wir **haben** viele Äpfel **gegessen,** und dann **haben** wir die Taschen voll **gesteckt.**

Um zwölf Uhr **hat** die Tante **gerufen.** Wir **haben** es **gehört** und 15 **sind** schnell ins Haus **gelaufen.** Was **hat** die gute Tante uns nicht alles zu essen **gegeben!** Sie kennen meinen Onkel, nicht wahr? Am Tische **hat** er lustige Geschichten **erzählt,** und wir **haben gelacht,** bis wir nicht mehr lachen konnten.

Am Nachmittag **haben** wir einen Spaziergang im Wald **ge-**20 **macht.** Wir **haben** auch Blumen **gesucht** und viele **gefunden.** Bis spät am Abend **sind** wir **dageblieben.** Dann **sind** wir nach Hause **gegangen.** Wir waren müde und **sind** sogleich zu Bett **gegangen** und **haben** die ganze Nacht fest **geschlafen.**

Straßenbahn in München   *Deutsche Zentrale für Fremdenverkehr*

GRAMMAR

Principal Parts of Verbs; Perfect Participle; Perfect Tense.

1. Principal Parts of Verbs.

The *Infinitive*, the *Past*, and the *Perfect Participle* are called the principal parts of a verb. They are the key forms from which all others are derived.

2. Perfect Participle.

The *Perfect Participle* of verbs has the prefix **ge–**; in weak verbs it has the ending **–(e)t,** in strong verbs the ending **–(e)n: ge-sag-t; ge-fall-en.**

	INFINITIVE		PAST	PERF. PART.	PRES.
AUXILIARIES	sein	*be*	war	ist gewesen	er ist
	haben	*have*	hatte	gehabt	er hat
	werden	*become*	wurde	ist geworden	er wird
WEAK VERBS	machen	*make*	machte	gemacht	er macht
	öffnen	*open*	öffnete	geöffnet	er öffnet
	sagen	*say*	sagte	gesagt	er sagt
STRONG VERBS	bleiben	*remain*	blieb	ist geblieben	er bleibt
	erhalten	*receive*	erhielt	erhalten	er erhält
	fallen	*fall*	fiel	ist gefallen	er fällt
	kommen	*come*	kam	ist gekommen	er kommt
	schreiben	*write*	schrieb	geschrieben	er schreibt
	sitzen	*sit*	saß	gesessen	er sitzt
	verlieren	*lose*	verlor	verloren	er verliert
	wachsen	*grow*	wuchs	ist gewachsen	er wächst

Observe the irregular forms:

essen	*eat*	aß	gegessen	er ißt
gehen	*go*	ging	ist gegangen	er geht
nehmen	*take*	nahm	genommen	er nimmt
sitzen	*sit*	saß	gesessen	er sitzt
stehen	*stand*	stand	gestanden	er steht
tun	*do*	tat	getan	er tut

3. Perfect Tense of Verbs.

The *Perfect Tense* is formed by adding the perfect participle to the present tense of the auxiliary **haben** or **sein.** The past perfect tense adds the perfect participle to the past tense of the auxiliary.

Haben is the auxiliary used with all transitive, all reflexive and most intransitive verbs.

Sein is used with intransitives that indicate motion to or from a place (**gehen, kommen**), or change of condition (**werden, sterben**), and with **sein** and **bleiben**.

Er hat gesagt.	Er hatte gesagt.
Er ist gekommen.	Er war gekommen.
Er ist gewachsen.	Er war gewachsen.

4. Position of Perfect Participle.

The perfect participle stands at the end of the clause:

Er ist heute in die Stadt **gegangen**.

5. Perfect Participle of Inseparable Verbs.

The prefix **ge–** is omitted in the perfect participle of verbs with the inseparable prefixes **be–, ent–, er–, ge–, ver–, zer–** and of verbs in **–ieren**:

besuchen — **besucht,** erzählen — **erzählt,** studie'ren — **studiert'**

6. Perfect Participle of Separable Verbs.

In the perfect participle of separable verbs the **ge–** is placed between the prefix and the stem:

auf**ge**macht, auf**ge**gangen

7. Use of Perfect Tense in German.

The perfect tense is used more frequently in German than in English. It is used to express a completed event or condition in past time:

(1) as in English:

Wir haben den Onkel oft besucht.
We have often visited our uncle.

(2) where English uses the past tense:

(a) for a single fact or event in the past:

Ich bin gestern in der Stadt gewesen.
I was in the city yesterday.

Wann ist er nach Hause gekommen?
When did he come home?

(b) colloquially in narration through the sustained use of sentences like those in the preceding reading selection.

EXERCISES — SERIES A

I. Read the story on page 106 in the first person singular.

II. Read the story in the present tense: Öfters **ladet** uns der Onkel ein usw.

III. Give the following sentences in the third person singular, perfect tense. EXAMPLE: Ich stehe früh auf. **Er ist früh aufgestanden.**

1. Ich besuche den Freund. 2. Ich wecke den Schüler. 3. Ich erhalte einen Brief. 4. Ich esse schnell zu Abend. 5. Ich gehe zu Fuß weiter. 6. Ich mache mich auf den Weg. 7. Ich finde eine Blume. 8. Ich fahre mit der Straßenbahn. 9. Ich bleibe nicht zu Hause. 10. Ich gebe ihr etwas zu essen.

IV. Give the following sentences in the plural. EXAMPLE: Der Schüler schreibt eine Aufgabe. **Die Schüler schreiben Aufgaben.**

1. Ich besuche den Freund. 2. Der Freund besucht mich. 3. Der Bruder schreibt einen Brief. 4. Sie findet die Blume. 5. Der Schüler ißt den Apfel. 6. Der Mann erzählt die Geschichte. 7. Er hat das Buch gelesen. 8. Ich habe die Uhr verloren. 9. Er schüttelte den Baum. 10. Sie besucht die Schülerin.

V. Give the following sentences in the singular:

1. Morgen besuchen uns Freunde. 2. Die Kinder gehen aufs Land. 3. Die Schüler schreiben Briefe. 4. Haben sie keine Äpfel gegessen? 5. Die Vögel singen in den Bäumen. 6. Welche Bücher liegen auf den Stühlen? 7. Wir haben die Pferde gesehen. 8. Hören Sie die Hunde? 9. Wir suchen Blumen auf den Feldern. 10. Die Straßen in den Städten sind breit.

VI. Answer in complete sentences:

1. Wen hat der Onkel eingeladen? 2. Wann hat der Onkel den Brief geschrieben? 3. Wann haben wir ihn erhalten? 4. Wann haben wir den Onkel besucht? 5. Wo wohnt der Onkel? 6. Wie weit sind wir gefahren? 7. Wo haben wir gespielt? 8. Was haben wir im Garten gefunden? 9. Was haben wir mit dem Baum getan? 10. Haben die Kinder keine Äpfel gegessen? 11. Wann hat die Tante gerufen? 12. Wer hat Geschichten erzählt? 13. Wohin sind wir am Nachmittag

gegangen? 14. Was haben wir gesucht? 15. Wie lange sind wir geblieben? 16. Wohin sind wir dann gegangen?

VII. For drill read these sentences in the first, second, and third persons, singular and plural.

a. Am Morgen bin ich aufgestanden.
   Ich habe mich angezogen.
   Ich habe mein Frühstück gegessen.
   Ich habe die Bücher genommen.
   Ich bin an die Straßenbahn gelaufen.
   Ich habe auf die Straßenbahn gewartet.
   Ich bin eingestiegen.
   Ich bin zur Schule gefahren.
   Ich bin ausgestiegen.
   Ich bin in die Schule gegangen.
   Ich habe fleißig gearbeitet.
   Ich habe auch viel gelernt.

b. Er ist aus der Schule gekommen.
   Er hat eine Stunde gespielt.
   Er ist ins Haus gegangen.
   Er hat sich gewaschen und das Haar gekämmt.
   Er hat zu Abend gegessen.
   Er hat die Zeitung gelesen.
   Er hat seine Aufgabe studiert.
   Er hat nicht viel gelernt.
   Er ist schläfrig geworden.
   Er ist zu Bett gegangen.
   Er ist sogleich eingeschlafen.
   Er hat geträumt.
   Er hat die ganze Nacht geschlafen.

c. Ich **warte auf** die Straßenbahn.
   Bitte, **warten** Sie **auf** mich!
   Der Bauer wohnt **auf dem Lande.**
   Im Sommer gehen wir **auf das Land.**
   Ich esse mein Frühstück.
   Ich esse zu Mittag.
   Ich esse zu Abend.

VOCABULARY

bei dem Onkel at the home of our uncle
einen Spazier'gang machen take a walk
viel Gutes many good things
schon einmal' ever

der **Apfelbaum** ⁻e apple tree
der **Besuch** –e visit
der **Brief** –e letter
der **Freund** –e friend
der **Garten** ⁻ garden
der **Hund** –e dog
der **Spazier'gang** ⁻e walk
der **Stuhl** ⁻e chair

die **Einladung** –en invitation
die **Geschichte** –n story
die **Stadt** ⁻e city, town
die **Tasche** –n pocket
die **Uhr** –en clock, watch

das **Haar** –e hair

sich an-ziehen zog sich an sich angezogen er zieht sich an dress (oneself)
auf-stehen stand auf ist aufgestanden er steht auf get up, rise
aus-steigen stieg aus ist ausgestiegen er steigt aus get out *or* off
da-bleiben blieb da ist dageblieben er bleibt da remain there
ein-laden lud ein eingeladen er ladet ein invite
ein-schlafen schlief ein ist eingeschlafen er schläft ein go to sleep
ein-steigen stieg ein ist eingestiegen er steigt ein get in *or* on
fahren fuhr ist gefahren er fährt ride, drive
finden fand gefunden er findet find
geben gab gegeben er gibt give
gefallen gefiel gefallen es gefällt (*w. dat.*) please
kämmen comb
kennen kannte gekannt know, be acquainted with
laufen lief ist gelaufen er läuft run
rufen rief gerufen call
schütteln shake
studie'ren studier'te studiert' study
träumen dream
sich waschen wusch sich sich gewaschen er wäscht sich wash (oneself)
wecken awake, waken
weiter-gehen ging weiter ist weitergegangen er geht weiter go on *or*
  farther, continue

fest soundly
lustig jolly, amusing, cheerful

CONVERSATION _____

Haben Sie gut geschlafen?	**Did you sleep well?**

1. Guten Morgen, haben Sie gut geschlafen?

2. Danke, ich schlafe immer gut.

3. Wie lange haben Sie geschlafen?

4. Ich habe wie gewöhnlich acht Stunden geschlafen.

5. Finden Sie das lange? Ich schlafe gern länger.

6. Ich schlafe bis der Wecker klingelt, dann stehe ich schnell auf.

7. Haben Sie schon Ihr Frühstück gegessen?

8. Gewiß, schon vor einer Stunde.

9. Was essen Sie gewöhnlich zum Frühstück?

10. Zum Frühstück gibt es immer Kaffee mit Sahne und Brötchen mit Butter.

1. Good morning, did you sleep well?

2. Thank you, I always sleep well.

3. How long did you sleep?

4. I slept eight hours as usual.

5. Do you think that's long? I like to sleep longer.

6. I sleep until the alarm clock rings. Then I get up quickly.

7. Have you eaten breakfast already?

8. Certainly, an hour ago.

9. What do you usually eat for breakfast?

10. For breakfast we always have coffee with cream and rolls with butter.

LESESTÜCKE _____

Im Restaurant

Karl steht am Telephon; er nimmt den Hörer ab und will seinen Freund aus Amerika anrufen.

Telephonfräulein: Hier Amt.

5   Karl: Humboldt 5663, bitte.

Die Leitung ist besetzt. Karl legt den Hörer auf und wartet einige Minuten. Dann versucht er es noch einmal.

,,Hier Karl Schilling. Wer dort? Max,
10 Sind Sie es? Gut, ich wollte Sie einladen, mit mir in die Stadt zu fahren und bei Stauffers zu essen. Nach dem Essen kön-

am Telephon' *at the telephone*
  ab-nehmen *take off, remove*
der Hörer *receiver*

anrufen *telephone, call up*

das Telephonfräulein *operator*
  hier Amt *number, please*

die Leitung ist besetzt *the line is
  busy*   legt den Hörer auf
  hangs up the receiver   einige
  several, a few
versuchen *try*

Hier K. S. *this is K. S.*   Wer
  dort? *Who is it, please?*

In einem alten Restaurant   *Deutsche Zentrale für Fremdenverkehr*

nen wir dann ins Kino gehen und den amerikanischen Film sehen. Das Programm wird Ihnen gefallen, sogar die Wochenschau."

5   Um sechs Uhr hat Karl das Auto aus der Garage geholt und ist zur Pension ge-

das Kino *the movies*

der Film *the movie, film*

sogar die Wochenschau *even the newsreel*

fahren, wo Max schon auf dem Bürgersteig
gewartet hat. Zuerst sind sie auf den Markt
gefahren, wo Karl einen Weihnachtsbaum
und Blumen für die Mutter bestellt hat,
5 denn es ist bald Weihnachten.

    Im Restaurant haben sie einen freien
Tisch gefunden. Sie haben sich gesetzt, und
der Kellner hat ihnen die Speisekarte gebracht.

10   Karl: ,,Hier ist es im Sommer sehr
schön. Da kann man im Garten im Freien
sitzen. Jetzt ist es zu kühl dazu. Nun,
Max, ehe wir bestellen, möchte ich vor-
schlagen, daß wir beim Essen immer
15 Deutsch sprechen." Dieser Vorschlag gefiel
Max, denn er wollte so bald wie möglich
Deutsch lernen.

    Karl: ,,Nun wollen wir uns die Speise-
karte anschauen. Ich bin sehr hungrig,
20 denn ich habe seit dem Frühstück wenig
gegessen."

    Max: ,,Das ist aber famos. Ich sehe, es
gibt Sauerkraut, und ich habe lange kein
Sauerkraut gegessen. Wenn ich zu Hause
25 in den Ferien meine Eltern besuche, kocht
die Mutter immer Sauerkraut, denn sie
weiß, ich esse es so gern."

    Der Kellner kommt und Max bestellt:
,,Bringen Sie mir, bitte, Bohnensuppe,
30 eine Portion Schweinefleisch mit Sauerkraut und zum Nachtisch Käsekuchen und
eine Tasse Kaffee mit Sahne. Aber zuerst
ein Glas Bier, dunkles, bitte."

    Dann bestellt Karl auch ein Dunkles,
35 Nudelsuppe, Wiener Schnitzel und zum
Nachtisch Schokoladenpudding und Kaffee.

    Während sie essen, spielt das Orche-
ster, und sie hören Musik aus Wagners
40 *Tannhäuser, Lohengrin* und dem *Ring der
Nibelungen.*

Marginal glosses:

der Bürgersteig *sidewalk*

der Weihnachtsbaum *Christmas tree*
bestellt *ordered*

der Kellner *waiter*   die Speisekarte *menu*   gebracht
(bringen) *brought*

dazu' *for that*

ehe *before*   vor-schlagen
propose, suggest

der Vorschlag *proposal, suggestion*
so bald wie möglich *as soon as
possible*

an-schauen *look at*

famos' *grand, wonderful*

das Sauerkraut *sauerkraut*

eine Portion' *one order*   das
Schweinefleisch *pork*
zum Nachtisch *for dessert*

die Tasse *cup*

dunkles *dark*

das Wiener Schnitzel *breaded
veal cutlet*

während *while*   das Orche'-
ster *orchestra*

Das Essen war sehr gut. Die Suppe
war heiß, das Bier kalt und das Sauerkraut
ausgezeichnet. Es hat alles sehr gut geschmeckt.

5   Karl hat die Rechnung bezahlt und
dem Kellner ein Trinkgeld gegeben. Dann
sind sie ins Kino gegangen.

die Suppe *soup*

ausgezeichnet *excellent* schmek-
ken *taste*

die Rechnung *check* bezahlen *pay*
das Trinkgeld *tip*

Speisekarte

Fleischbrühe	*consommé*	Rinderbraten	*roast beef*
Nudelsuppe	*noodle soup*	Schweinebraten	*roast pork*
Erbsensuppe	*pea soup*	Kalbsbraten	*roast veal*
Bohnensuppe	*bean soup*	Sauerbraten	*sauerbraten*
Kartoffelsuppe	*potato soup*	Rehrücken	*saddle of venison*

****

Salzkartoffeln	*boiled potatoes*
Kartoffelbrei	*mashed potatoes*
Bohnen	*beans*
Erbsen	*peas*
Blumenkohl	*cauliflower*
Rüben	*beets*

****

Fruchteis	*sherbet*
Zitronenpudding	*lemon custard*
Schokoladenpudding	*chocolate custard*
Windbeutel	*cream puff*
Käsekuchen	*cheesecake*

EXERCISES — SERIES B _____

I. Questions:

1. Wen hat Karl angerufen? 2. Warum hat er einige Minuten gewartet? 3. Wohin hat Karl seinen Freund eingeladen? 4. Um wieviel
Uhr sind sie auf den Markt gefahren? 5. Wer hat ihnen die Speisekarte gebracht? 6. Welchen Vorschlag hat Karl seinem Freunde gemacht? 7. Was hat die Mutter oft für Max gekocht? 8. Haben Sie
schon einmal Wiener Schnitzel gegessen? 9. Was für Musik haben die
Freunde gehört? 10. Was hat Karl dem Kellner zuletzt gegeben?

II. Read the following in the perfect tense:

1. Karl steht am Telephon. 2. Er nimmt den Hörer ab. 3. Die Leitung ist besetzt. 4. Er wartet einige Minuten. 5. Sie fahren in die Stadt. 6. Der Kellner bringt die Speisekarte. 7. Er schlägt vor, daß sie Deutsch sprechen. 8. Ich bin sehr hungrig. 9. Er weiß es nicht. 10. Ich gebe dem Kellner ein Trinkgeld.

III. True and false:

1. Karl wollte seinen Freund nicht anrufen. 2. Die Leitung ist immer besetzt. 3. Karl mußte einige Minuten warten. 4. Karl hat seinen Freund eingeladen, mit ihm zu fahren. 5. Karl ist ohne seinen Freund in die Stadt gefahren. 6. Auf dem Markt haben sie einen Weihnachtsbaum bestellt. 7. Im Restaurant haben sie Deutsch gesprochen. 8. Das Essen hat ihnen nicht geschmeckt. 9. Sie haben die Rechnung nicht bezahlt. 10. Nach dem Essen sind sie ins Kino gegangen.

IV. Translate (use the perfect tense):

1. Last week we made a visit in the country. 2. My uncle invited us on Sunday, and on Tuesday we visited him. 3. We got up early in the morning and ate our breakfast. 4. We rode on (**mit**) the streetcar to the end of the city. 5. Then we got out and went on foot to the house of my uncle. 6. My uncle sent (**schicken**) us into the garden behind the house. 7. There we found two apple trees with many apples. 8. We shook each tree, and many apples fell to the ground. 9. Each of us ate three apples, and I put two into my pockets. 10. Then we sat down in the shade (*acc.*) of the trees. 11. My aunt called, and we ran quickly into the house. 12. We were very hungry, and we ate very much. 13. My uncle told stories, and we laughed and were happy. 14. In the afternoon we took a walk and found many flowers. 15. We stayed until late in the evening, and then we went home. — a. He has been in the city. b. Now he has come home. c. He has written us a letter. d. We have received no letter. e. We have opened his letter. f. Now they have gone to the country.

M.S. BERLIN   *Swedish American Line Agency, Inc.*

ZWÖLFTE AUFGABE **12**

Eine Reise nach Deutschland

Glückliche Reise!

Nächsten Sommer **werden** wir eine Reise nach Deutschland **machen.** Ein Freund **wird** mich **begleiten.** Am ersten Juni **werden** wir von unseren Eltern und Freunden Abschied **nehmen.** Mit dem Zuge **werden** wir von hier nach New York **fahren.** Am vierten Juni
5 **werden** wir da **ankommen,** und am Abend desselben Tages **werden** wir auf das Schiff **gehen.**

Auf dem Schiffe **werden** wir viel Spaß **haben,** denn wir **werden** viele Studenten **kennenlernen.** Hoffentlich **wird** das Wetter schön **sein.** Vielleicht **werden** wir dann nicht seekrank **werden.** Jeden
10 Tag **werden** wir eine Stunde Deutsch **lernen.** Wir **werden** miteinander Deutsch **sprechen,** denn Übung macht den Meister.

Wir **werden** unseren Freunden zu Hause Briefe **schreiben.** Wir **werden** das Leben auf dem Schiffe **beschreiben** und ihnen **erzählen,** wie wir die Zeit zubringen.
15 Wenn alles gut geht, **wird** das Schiff am zehnten Juni in Southampton **ankommen.** Wenn möglich, **werden** wir einen Tag in

London **verbringen**. Dann **werden** wir **weiterfahren,** und am nächsten Morgen **werden** wir in Bremen das Schiff **verlassen**. An demselben Tag **werden** wir mit dem Zuge nach Berlin **fahren**. Hier **werden** wir zwei Semester auf der Universität **studieren**. Ohne Zweifel **werden** wir Heimweh **haben**. Hoffentlich **werden** uns die Freunde nicht **vergessen** und **werden** oft an uns **schreiben**. 5

Berlin: Olympia-Stadion   *Dr. Wolff & Tritschler*

GRAMMAR _____
Future Tense; Definite Time; Inverted Word Order.

1. Future Tense.

The future tense is formed by adding the infinitive of the verb to the present tense of the auxiliary **werden**:

ich werde Deutsch lernen	wir werden Deutsch lernen
du wirst Deutsch lernen	ihr werdet Deutsch lernen
er wird Deutsch lernen	sie werden Deutsch lernen
Sie werden Deutsch lernen	

The infinitive stands at the end of the clause:

Ich werde dem Freunde einen Brief **schreiben.**
Heute wird er in die Stadt **fahren.**

2. Use of Present Tense to express Future Time.

The present tense is frequently used in German to express future time:

Er **geht** morgen nach Hause.   *He is going home tomorrow.*
Er **kommt** heute abend.   *He is coming this evening.*

3. Definite Time.

Definite time is expressed in the accusative:

Nächsten Sommer mache ich eine Reise.
Letzten Monat war er hier.
Er kommt **jeden Tag.**
Er bleibt **einen Tag** hier.
Ich arbeite **den ganzen Tag.**

Days of the month are expressed in the dative with **am,** or in the accusative without a preposition:

Er kommt **am ersten Juni.**
Er kommt **den ersten Juni.**

4. Use of Inverted Word Order.

Observe the frequent use of the inverted order in the reading lesson. Remember, the inverted order is used in the independent clause when any element other than the subject introduces the sentence; likewise if a dependent clause precedes.

EXERCISES — SERIES A _____

I. Read the story in the third person singular.

II. Read the story in the present tense.

III. Write the principal parts of:

bleiben, gehen, hören, kommen, lesen, nehmen, schreiben, sehen, sprechen, stehen, tragen.

IV. Write a synopsis (present, past, perfect, pluperfect, future) in the third person singular of:

geben, haben, sein

V. Read the following sentences in the third person singular:

1. Wir werden eine Reise machen. 2. Ich werde Abschied nehmen. 3. Ich werde mit dem Zug fahren. 4. Sie werden am Abend ankommen. 5. Wir werden viel Spaß haben. 6. Ich werde Briefe schreiben. 7. Sie werden den Tag hier verbringen. 8. Wir werden seekrank werden. 9. Ich werde ihn kennenlernen. 10. Ich werde Heimweh haben.

VI. Write the following sentences in the perfect tense:

1. Ich gehe zu Fuß. 2. Er kommt nach Hause. 3. Er hat viel Spaß. 4. Ich spreche mit dem Freunde. 5. Er schreibt den Brief. 6. Wir sprechen immer Deutsch. 7. Er kommt in London an. 8. Hoffentlich kommt er nicht. 9. Das Wetter ist schön. 10. Das Schiff fährt nach Bremen.

VII. Form sentences in the plural. EXAMPLE: Apfel — fallen — Baum: **Die Äpfel fallen von den Bäumen.**

1. Blume — wachsen — Garten. 2. Vater — größer — Bruder. 3. Tag — länger — Nacht. 4. Uhr — zeigen — Stunde. 5. Mädchen — lesen — Buch. 6. Baum — stehen — Haus. 7. Kind — spielen — Wald. 8. Bruder — älter — Schwester. 9. Schülerin — schreiben — Brief. 10. Freund — erzählen — Geschichte.

VIII. Answer in complete sentences:

1. Wann machen wir die Reise? 2. Wohin machen wir eine Reise? 3. Wann nehmen wir Abschied? 4. Wohin fahren wir mit dem Zug? 5. Was studieren wir auf dem Schiffe? 6. Wem schreiben wir Briefe? 7. Was beschreiben wir? 8. Wann kommt das Schiff in England an? 9. Wo verlassen wir das Schiff? 10. Wie lange bleiben wir in Berlin?

ALLERLEI _____

Die Jahreszeiten

Das Jahr hat vier Jahreszeiten. Sie heißen Frühling, Sommer, Herbst und Winter.

Der Frühling beginnt im Monat März und endet im Monat Juni. Im Frühling wird es warm, das Gras wird grün, die Blumen blühen, und die Bäume bekommen Blätter. Dann pflanzt man das Gemüse im Garten und das Getreide auf dem Feld.

Im Sommer wird es wärmer. An manchen Tagen ist es sehr heiß. Die Tage sind länger als die Nächte. Manchmal regnet es, dann wird es kühler. Im Sommer haben wir keine Schule, wir haben Ferien. Dann gehen wir auf das Land oder an den See. Der Sommer dauert vom Juni bis zum September.

Der Herbst beginnt im Monat September. Die Tage werden kürzer und kühler. Die Bäume verlieren ihre Blätter. Die Vögel fliegen fort und suchen wärmere Länder. Das Obst wird reif, und wir pflücken Äpfel, Birnen, Pflaumen und Kirschen. Auch das Gemüse im Garten, die Kartoffeln, die Erbsen, die Bohnen, die Tomaten können wir dann essen.

Im Dezember, im letzten Monat des Jahres, beginnt die letzte Jahreszeit, der Winter. Dann wird es kalt. Das Wasser friert und wird zu Eis. Es schneit oft, und die Erde bekommt eine weiße Decke. Am fünfundzwanzigsten Dezember ist Weihnachten, der schönste Tag des Jahres. Dann singen wir das Lied:

> O Tannenbaum, o Tannenbaum,
>   wie treu sind deine Blätter!
> Du grünst nicht nur zur Sommerzeit,
> Nein, auch im Winter, wenn es schneit.
> O Tannenbaum, o Tannenbaum,
>   wie treu sind deine Blätter!

VOCABULARY _____

glückliche Reise! pleasant journey, *bon voyage*
Abschied nehmen take leave
mit dem Zug fahren go by rail (train)

Übung macht den Meister practice makes perfect
auf der Universität' at the university
Heimweh haben be homesick
wird zu Eis becomes (changes to) ice

der **Abschied** –e leave, parting
der **Meister** – master
der **Spaß, Spässe** fun
der **Tannenbaum** ⁀e fir tree
der **Zug** ⁀e train
der **Zweifel** – doubt

die **Decke** –n cover, blanket
die **Reise** –n trip, journey
die **Schwester** –n sister
die **Sommerzeit** summer time

die **Stunde** –n hour
die **Tomate** –n tomato
die **Tür** –en door
die **Übung** –en practice

das **Heimweh** homesickness
das **Land** ⁀er country
das **Lied** –er song
das **Schiff** –e ship
das **Semester** – semester

begleiten accompany
bekommen bekam bekommen get, receive
beschreiben beschrieb beschrieben describe
dauern last
frieren fror ist gefroren freeze
grünen be *or* become green
pflücken pluck, pick
verbringen verbrachte verbracht spend (*time*)
verlassen verließ verlassen er verläßt leave
weiter-fahren fuhr weiter ist weitergefahren er fährt weiter go on *or*
　travel farther

derselbe, dieselbe, dasselbe; dieselben the same
hoffentlich I hope, let us hope
mancher, manche, manches; manche many (a)
miteinan'der with each other, together
seekrank seasick
treu true, faithful, loyal

CONVERSATION

Auf dem Bahnhof	At the station
1. Wann geht der nächste Zug nach Frankfurt?	1. When does the next train leave for Frankfurt?
2. Um achtzehn Uhr zwanzig. Sie müssen aber schnell machen, wenn Sie den erreichen wollen.	2. At 6:20 p.m. But you will have to hurry if you want to catch it.

3. Gepäckträger! Geben Sie bitte mein Gepäck auf nach Frankfurt.

4. (Am Schalter) Ich möchte eine Fahrkarte nach Frankfurt lösen.

5. Schnellzug oder Personenzug? Einfach oder hin und zurück?

6. Eine Rückfahrkarte, D-Zug, dritter Klasse.

7. Auf welchem Bahnsteig steht der Zug?

8. Bahnsteig fünf, hier durch die Sperre, gleich rechts.

9. Schaffner, wo finde ich ein Raucherabteil?

10. Die Raucher sind weiter vorn. Hier hinten sind nur Nichtraucher.

3. Porter, please check my baggage to Frankfurt.

4. (At the ticket window) I'd like to buy a ticket to Frankfurt.

5. Express or local train? One-way or round-trip?

6. A return ticket, express, third class.

7. On which track (platform) is the train?

8. Track 5. Through the gate here, immediately to the right.

9. Conductor, where do I find a smoking compartment?

10. The smoking compartments are farther forward; back here there are only compartments for non-smokers.

LESESTÜCKE

Weihnachten bei Schillings

Es ist sechs Uhr abends. Die ganze Stadt, die Häuser, die Gärten, die Straßen, die Bäume — alles ist mit Schnee bedeckt. Der weiche Schnee fällt langsam nieder und
5 wird tiefer und tiefer.

Hans Schilling und seine Schwester Marie haben im Garten hinter dem Hause einen Schneemann gemacht. Nun laufen sie schnell ins Haus, denn es ist schon spät,
10 und heute ist Weihnachtsabend. Der Vater ist noch im Geschäft. Bald ist er auf dem Weg nach Hause. In den Armen trägt er Schachteln und Pakete, Geschenke für die Mutter und die Kinder. Auch der Onkel,
15 die Tante und die Großmutter sind eben angekommen. Die Mutter hat den ganzen Vormittag gekocht und gebacken. Um ein

abends *in the evening*

bedeckt *covered*

nieder *down*

der Schneemann *snow man*

der Weihnachtsabend *Christmas Eve*

die Schachtel *box, carton*   das Paket' *package*   das Geschenk *gift, present*

backen *bake*

Uhr hat sie die Tür des Wohnzimmers geschlossen, und den ganzen Nachmittag
durfte niemand hinein.

Jetzt klingelt es. Die Mutter macht
5 die Türen auf, und da steht in einer Ecke
des Wohnzimmers der Tannenbaum, der
herrliche Weihnachtsbaum. Seine Lichter
brennen hell, an den Zweigen hängen Kugeln und Nüsse in allerlei Farben und süße
10 Sachen aus Schokolade und Marzipan, und
oben an der Spitze des Baumes der große
goldene Stern. Die ganze Familie steht um
den Baum, und die Kinder rufen: „Ach, wie
schön, wie schön!" Die Tante setzt sich
15 ans Klavier, und nun singen sie alle zusammen die Lieder „Stille Nacht" und „O
Tannenbaum, o Tannenbaum."

Dann bekommen die Kinder ihre Geschenke: Schlittschuhe, einen Schlitten,
20 Bücher, Äpfel, Nüsse und Süßigkeiten.
Für die Mutter hat die Marie ein Paar
Handschuhe gestrickt und für den Vater
ein Paar Socken.

Dann wünschen alle einander „Fröh-
25 liche Weihnachten!" In acht Tagen beginnt das neue Jahr. Dann wünscht man
allen Leuten ein „Glückliches Neujahr!"

geschlossen (schließen) *closed*

durfte niemand hinein *no one was permitted to enter*

brennen *burn* an den Zweigen *on the branches* die Kugel *ball* die Nuß *nut* allerlei' *all kinds of* süße Sachen *sweet things* die Schokolade *chocolate* der (*or* das) Marzipan *marchpane* die Spitze *tip*

das Klavier' *piano*

die Lieder *songs* Stille Nacht *Silent Night* (*holy Night*)

die Schlittschuhe *skates*

die Süßigkeiten (pl.) *sweets, candy*

der Handschuh *glove* stricken *knit* die Socken (pl.) *socks*

wünschen *wish* einan'der *each other* Fröhliche Weihnachten *Merry Christmas* in acht Tagen *a week from today* Glückliches Neujahr *Happy New Year*

Das Reisen

Wenn man eine Reise nach Deutschland machen will, muß man sich vorbereiten. Vor allen Dingen muß man Deutsch lernen, denn was man vor Jahren auf der
5 Schule gelernt hat, das hat man natürlich alles vergessen. Also lerne ich seit drei Monaten jeden Tag zwei Stunden Deutsch, damit ich in Deutschland mit den Deutschen auch Deutsch sprechen kann. Für die Reise
10 braucht man nicht nur eine Fahrkarte, entweder einfach oder hin und zurück, sondern auch einen Paß und ein Visum für manche Länder. Dieses muß man sich auf dem Konsulat holen. Da fragt man: ,,Haben Sie
15 Ihre Photographie, einen Impfschein und Gesundheitszeugnis?'' Ich nehme meine Papiere aus der Tasche, ,,Jawohl, hier habe ich alles. Ein Geburtsschein ist wohl nicht nötig, aber ich habe ihn doch bei
20 mir.''

Heute macht man die Fahrt über den Ozean in einem Dampfschiff, das gewöhnlich in acht bis zehn Tagen von New York nach Bremen oder Hamburg fährt. Als
25 meine Großeltern im Jahre 1854 von Deutschland nach Amerika kamen, mußten sie mit einem Segelschiff fahren. Vier bis fünf Wochen waren sie auf dem Wasser; sie hatten kaum genug zu essen, wenig Wasser
30 zu trinken, und alle Leute auf dem Schiffe waren seekrank. Heute kann man mit dem Schnelldampfer die Reise in fünf Tagen machen. Noch viel schneller geht es mit dem Flugzeug. Da steigt man um acht Uhr
35 eines Morgens in New York ein, und in sechzehn Stunden ist man in Frankfurt, Deutschland.

---

das Reisen *traveling*

sich vorbereiten *make preparations*
vor allen Dingen *above all*

vor Jahren *years ago*   auf der Schule *in school*

seit drei Monaten *for the last three months*
damit' *so that*

das Visum *visa*

das Konsulat' *consulate*

die Photographie' *photograph*
der Impfschein *vaccination certificate*   das Gesundheitszeugnis *health certificate*
die Papie're (pl.) *papers*

der Geburtsschein *birth certificate*

die Fahrt *trip*

der Ozean *ocean*   das Dampfschiff *steamer*   in acht bis zehn Tagen *in eight to ten days*

das Segelschiff *sailing vessel*

kaum *hardly*

trinken *drink*

der Schnelldampfer *fast steamer*

das Flugzeug *airplane*

Ausgegangen

Ein Herr wollte eines Tages einen
Freund besuchen. Er ging zum Hause des
Freundes. Er klingelte, und das Dienstmädchen öffnete die Tür. „Ich möchte den
5 Herrn des Hauses sprechen," sagte der
Herr. „Der Herr ist eben ausgegangen,"
sagte das Mädchen. „Dann werde ich die
Frau des Hauses sprechen." „Leider ist sie
auch ausgegangen," war die Antwort.
10 „Nun, so werde ich mich ans Feuer setzen
und werde auf sie warten." „Es tut mir
leid," sagte das Mädchen, „aber das Feuer
ist auch ausgegangen."

ich möchte . . . sprechen I would like to speak to the head of the household

ausgegangen (aus-gehen) gone out

Der Nachtwächter

„Herr Nachwächter," fragt ein Stu-
15 dent den Diener des Gesetzes, „darf ich den
Nachtwächter einen Esel nennen?" „Gehen Sie nach Hause, oder ich werde Sie
einstecken," ruft der Nachtwächter zornig.
— Der Student geht fort, kommt aber bald
20 wieder zurück und fragt: „Herr Nachtwächter, darf ich einen Esel auch nicht
Nachtwächter nennen?" „Das dürfen Sie
tun, wenn Sie wollen," war die Antwort.
„Nun, dann gute Nacht, Herr Nachtwäch-
25 ter!" ruft der Student.

der Nachtwächter night watchman or policeman das Gesetz law

einstecken arrest

Die Suppe

„Die Suppe schmeckt mir nicht, sie ist
zu dünn, ich mag sie nicht," sagt Hans und
legt den Löffel auf den Tisch.
„Ich habe jetzt keine Zeit, eine an-
30 dere zu kochen," sagt die Mutter, „heute
abend wird dir die Suppe gewiß besser
schmecken."

die Suppe schmeckt mir nicht I don't like the soup ich mag sie nicht I don't like it

der Löffel spoon

Dann geht die Mutter mit Hans in den
Garten, und Hans muß den ganzen Nach-
mittag der Mutter bei der Arbeit helfen.　　bei der Arbeit *with her work*
Am Abend ist Hans sehr müde und hung-
10 rig. Die Mutter stellt die Suppe auf den
Tisch, und Hans fängt an zu essen.

„Diese Suppe schmeckt viel besser,"
sagt Hans und ißt den ganzen Teller leer.　　der Teller *plate*
Die Mutter aber lächelt und sagt: „Das ist
15 dieselbe Suppe, die heute mittag nicht
schmeckte. Jetzt schmeckt sie besser, weil
du hungrig bist."

EXERCISES — SERIES B

I. Questions:

1. Was sieht man auf den Straßen und Häusern? 2. Was haben
die Kinder hinter dem Hause gemacht? 3. Ist der Vater schon zu
Hause? 4. Was trägt er in den Armen? 5. Was hat die Mutter den
ganzen Vormittag getan? 6. Was für ein Baum steht in der Ecke?
7. Wer steht um den Baum? 8. Welche Lieder singen alle zusammen?
9. Was wünschen alle einander? 10. An welchem Tage kommt Weihnachten?

II. Read in the future tense; supply the missing words and endings:

1. Der Schnee fällt auf — Erde, und alles ist weiß. 2. Der Schnee
bleibt d— ganz— Winter. 3. Die Kinder laufen schnell in d— Haus.
4. Der Vater trägt Geschenke für d— Kind—. 5. Die Mutter macht
d— Türen auf. 6. Die L— auf dem Baum brennen hell. 7. Die ganze
Familie steht um d— Baum. 8. D— ganz— Abend bleiben sie hier.
9. Dann singen sie zwei Weihnachts—. 10. Am ersten Januar wünsche
ich Ihnen ein glückliches —.

III. Find the antonyms of the following words and use them in sentences:

1. der Sommer, 2. früh, 3. herein, 4. naß, 5. hoch, 6. zuerst,
7. hart, 8. klug, 9. finden, 10. richtig, 11. trocken, 12. weich, 13. verlieren, 14. der Winter, 15. dumm, 16. falsch, 17. spät, 18. hinaus,
19. niedrig, 20. zuletzt.

V. Translate:

1. When will he make the trip to Germany? 2. Will he travel (**reisen**) alone, or will his parents accompany him? 3. Will they go to New York by train? 4. When will they arrive in the city? 5. Perhaps they will find many friends on the boat. 6. Every day they will speak German with their friends. 7. I hope they will not become seasick. 8. They will write me many letters from (**aus**) Germany. 9. They will describe the streets and houses in Berlin. 10. He is going to study two semesters at the university. 11. He will not forget his friends, will he? 12. He will write his friends often, will he not? 13. Without doubt he will be homesick, but he will be happy. 14. In winter he will study, but in summer he will travel. 15. I hope he will speak German every day, for practice makes perfect. — a. He was here last summer. b. He will visit us next winter. c. On the first of January he will be here. d. He will stay here one month. e. On the tenth of January he will go home. f. I shall work all day and sleep all night.

DREIZEHNTE AUFGABE — 13

Ein Brief

Berlin, den 5. September 1954

Lieber Vater und liebe Mutter!

Nach glücklicher Fahrt sind wir gestern abend
hier angekommen. Nun sind wir schon eine Woche in
Deutschland. Mit großer Freude habe ich Eure
Briefe gelesen. Mit schwerem Herzen denkt die
Mutter wohl an mich armes Kind, so ganz allein
unter fremden Leuten, und meint, ich habe großes
Heimweh. -- Aber das ist ja alles nicht wahr!
Als wir auf dem Ozean waren, hatte ich wohl
schreckliches Heimweh, aber hier gibt es so viel
zu sehen, so viel Neues und Interessantes, daß man
kein Heimweh haben kann.

Nur einen Tag haben wir im Hotel gewohnt,
dann haben wir Zimmer gefunden. Jeden Tag lernen
wir die Stadt besser kennen. Manchmal fahren wir
mit der Straßenbahn oder mit dem Omnibus, gewöhnlich aber gehen wir zu Fuß. So kann man viel
mehr sehen und lernen.

Ich möchte Euch gern schreiben, was wir in
diesen Tagen getan haben, wieviel Neues wir gesehen haben, und wie und wo wir jetzt wohnen.
Aber das kann ich jetzt nicht, weil ich keine Zeit
habe. Da wir heute so herrliches Wetter haben,
wollen Karl und ich einen Spaziergang durch den
Tiergarten machen. Wenn wir heute abend nicht zu
müde sind, wollen wir ins Theater gehen.

Ich sehe, daß Karl, der schon eine halbe Stunde hier sitzt, ungeduldig wird, weil er so lange auf mich warten muß.

Diesen Brief schicke ich per Luftpost. So geht er natürlich viel schneller.

Mit herzlichem Gruß
Euer Sohn
Paul

Berlin: Im Tiergarten   *Landesbildstelle Berlin*

GRAMMAR

Strong Declension of Adjectives; Dependent Word Order; Use of Present Tense.

1. Strong Declension of Adjectives.

When an adjective stands alone before a noun it must indicate its gender, number, and case by taking the strong endings, which are the endings of the definite article:

guter Mann   gute Frau   gutes Kind

With strong nouns in the genitive singular masculine and neuter the ending –**en** is used instead of –**es.**

guten Mannes   guten Kindes

(See Table, page 309.)

2. Adjectives used as Nouns.

An adjective used as a noun after **etwas, nichts, viel, wenig** is capitalized and takes the strong neuter ending:

etwas Gutes *something good*   nichts Neues *nothing new*

3. Dependent Word Order.

In all dependent clauses the transposed word order is used; that is, the inflected part of the verb stands at the end of the clause. These clauses are introduced by a relative pronoun: — **der, die, das** — **welcher, –e, –es,** or by a subordinating conjunction, such as:

als *when, as*	seitdem *since* (time)
bis *until*	weil *because*
da *since* (cause)	wenn *if, when, whenever*
daß *that, so that*	

Das ist der Mann, **der** (*or* **welcher**) krank war.
Das ist der Mann, **den** (*or* **welchen**) ich sah.

Er muß zu Hause bleiben, **weil** er krank ist.
Er kam, **als** ich ihn rief.

In a dependent clause, in which the verb must stand at the end of the clause, a separable prefix is never separated from the verb (remember that in independent clauses the separable verbs are separated in the simple tenses):

Als er die Tür **aufmachte,** sah er den Freund.
Er machte die Tür auf.

Remember that the main clause is inverted when the dependent clause precedes:

> Weil er krank ist, muß er zu Hause bleiben.

4. Use of Present Tense.

To express a past action or state continuing in the present, the *present tense* is used, accompanied by **schon:**

> Wir sind **schon** eine Stunde hier.
> *We have been here an hour.*

> Er wohnt **schon** zwei Jahre da.
> *He has been living there for two years.*

EXERCISES — SERIES A

I. Add the proper endings:

1. Schön— Wetter haben wir heute. 2. Tief— Schnee liegt auf dem Berge. 3. Ich trinke gern schwarz— Kaffee. 4. Nach kurz— Zeit ging er fort. 5. Bei schön— Wetter gehen wir aus. 6. Bücher sind gut— Freunde. 7. Wir schreiben mit schwarz— Tinte. 8. Haben Sie viel Schön— gesehen? 9. Frisch— Wasser ist im Glas. 10. Groß— Fische sind im Fluß. 11. Ich esse gern weiß— Brot. 12. Diese Tische sind aus hart— Holz. 13. Alt— Freunde sind immer willkommen. 14. Man vergißt den Namen alt— Freunde nicht. 15. Wissen Sie nichts Interessant—? 16. In der Zeitung las ich etwas Neu—.

II. Substitute a) **denn,** b) **weil** for the dashes. EXAMPLE: a) Er kann nicht kommen, **denn** er ist krank. b) Er kann nicht kommen, **weil** er krank ist.

1. Ich kann nicht mehr schreiben, — ich habe keine Zeit. 2. Er ist traurig, — er ist ganz allein. 3. Er geht nicht ins Theater, — er ist zu müde. 4. Wir blieben zu Hause, — wir mußten arbeiten. 5. Karl ist ungeduldig, — er muß lange warten.

III. Combine the following sentences with the conjunctions indicated. EXAMPLE: Die Sonne scheint nicht. Es ist dunkel. (**weil**) Es ist dunkel, **weil** die Sonne nicht scheint.

1. Er sah mich nicht. Er machte die Tür auf. (**bis**) 2. Der Winter kommt. Es wird kalt. (**wenn**) 3. Er sah viel Neues. Er ging in die Stadt. (**als**) 4. Wir hatten Hunger. Wir wollten essen. (**weil**) 5. Er kann nicht gehen. Er ist auf dem Eise gefallen. (**seitdem**)

IV. Questions:

1. Wer schreibt den Brief? 2. Wo schreibt er ihn? 3. An wen schreibt er? 4. Wann hatte Paul Heimweh? 5. Was gibt es in Berlin zu sehen? 6. Was möchte Paul schreiben? 7. Warum kann er jetzt nicht schreiben? 8. Warum will er heute in den Tiergarten? 9. Wie lange ist er schon in Berlin? 10. Warum ist Karl ungeduldig?

ALLERLEI

Zwei gute Freunde

Hans und Fritz sind zwei kleine Freunde. Sie spielen im Garten, bis sie müde sind. Kleine Jungen essen gern reife Äpfel, wenn sie hungrig sind, und Hans und Fritz haben großen Hunger. Da der Apfelbaum, der mitten im Garten steht, viele gute Äpfel hat, sagen sie zu ihm: ,,Bitte, lieber Apfelbaum, gib uns sechs schöne Äpfel!" Der Apfelbaum antwortet: ,,Die Äpfel, die auf die Erde fallen, könnt ihr essen," und sechs große rote Äpfel fallen herunter. Das macht den Jungen große Freude, und mit gutem Appetit essen sie die Äpfel.

Was gibt's zu essen?

Zum Frühstück esse ich gern frisches Obst, geröstetes Brot und gekochte oder gebratene Eier und trinke gern starken Kaffee mit guter, dicker Sahne. Heute morgen hatte ich aber nur zwei kleine weiße Brötchen mit frischer Butter und schwachen Kaffee mit warmer Milch. Wißt ihr auch, daß die Deutschen gewöhnlich schwarzes Brot essen? Zum Frühstück essen sie aber immer frische weiße Brötchen.

Stille Nacht

Stille Nacht, heilige Nacht!
Alles schläft, einsam wacht
Nur das traute, hochheilige Paar.
Holder Knabe im lockigen Haar,
Schlaf in himmlischer Ruh',
Schlaf in himmlischer Ruh'.

Wenn Sie das Lied auswendig lernen, können Sie es zu Weihnachten singen!

> Es gibt viel zu sehen und zu lernen.
> Was gibt's zu Mittag?
> Ich denke an Sie.
> Ich denke daran.

VOCABULARY

unter fremden **Leuten** among strange people
ich **möchte gern** I should like to
viel **Neues** much that is new
ins **Thea'ter gehen** go to the theater
bei schönem **Wetter** in good weather

der **Appetit'** appetite
der **Gruß** ⁻e greeting

die **Ruhe** rest
die **Seite** –n side

das **Brötchen** – roll
das **Holz** ⁻er wood

daran' of it, to it
einsam alone, lonely
folgend following
gebraten fried
geröstet toasted
herzlich hearty, heartily

himmlisch heavenly
hochheilig most holy
hold lovely, charming
lockig curly
ruhig quiet
schrecklich terrible
traurig sad
traut beloved
ungeduldig impatient
wahr true
willkommen welcome
wohl indeed, to be sure

denken dachte gedacht (an *w. acc.*) think of
herunter-fallen fiel herunter ist heruntergefallen er fällt herunter fall
   down, descend
lesen las gelesen er liest read
sich setzen setzte sich sich gesetzt er setzt sich sit down, seat oneself
wachen watch, keep vigil
wissen wußte gewußt er weiß know

CONVERSATION

Im Zuge	On the train
1. Hier ist ein freies Abteil. Legen Sie bitte das Handgepäck ins Gepäcknetz.	1. Here is a vacant compartment. Please put the hand baggage into the baggage rack.

2. (Der Gepäckträger bekommt ein Trinkgeld.) Danke schön! Gute Reise!

3. Gestatten Sie, ist hier noch ein Platz frei?

4. Bitte, kommen Sie herein; ich bin ganz allein in diesem Abteil.

5. Darf ich mich vorstellen? Ich heiße Bauer.

6. Mein Name ist Schilling. Sie sind Amerikaner, nicht wahr?

7. Jawohl, ich bin erst eine Woche in Deutschland.

8. Darf ich fragen, ob Sie auch nach Frankfurt reisen?

9. Jawohl. Fährt dieser Zug direkt durch, oder müssen wir umsteigen?

10. Wir müssen einmal umsteigen, aber wir haben nur zehn Minuten Aufenthalt.

2. (The porter gets a tip.) Thank you very much. Have a good trip.

3. Permit me; is there a vacant seat here?

4. Please come in; I am all alone in this compartment.

5. May I introduce myself? My name is Bauer.

6. My name is Schilling. You are an American, aren't you?

7. Yes indeed; I have been in Germany only a week.

8. May I ask whether you are going to Frankfurt too?

9. Yes indeed. Does this train go straight through or do we have to change trains?

10. We have to change trains once, but we have only a ten-minute stop.

LESESTÜCKE

Münchhausens Abenteuer

Baron Münchhausen, der in seinem Schlosse drei Meilen hinter Weihnachten wohnt, erzählt gern von seinen Abenteuern. Es ist oft schwer, alles zu glauben, was er 5 erzählt. Aber wenn er etwas Neues erzählt, sagt er immer wieder: „Ich erzähle viel Seltsames, aber glauben Sie mir, es ist alles wahr." Darum müssen wir ihm auch alles glauben, was er uns erzählt.

10   Schon als junger Mann war er überall durch seine Abenteuer bekannt. Er war von stattlicher Figur und außerordentlich großer Kraft, hatte dunkles, fast schwarzes Haar und große, braune Augen, die immer

das Schloß *castle*   die Meile *mile*
das Abenteuer *adventure*

alles . . . was *everything that*

immer wieder *again and again*
viel Seltsames *many strange things*

darum *therefore*

glauben *believe*

überall *everywhere*

stattlich *stately*   die Figur' *figure*   außeror'dentlich *extraordinary*   die Kraft *strength*

lächelten. Er war immer froh und lustig,
und alle Leute hatten ihn gern. Wenn er
von seinen Abenteuern erzählte, hörten ihm
alle mit großem Vergnügen zu.

5   Als wir ihn letzte Woche besuchten,
erzählte er uns folgende, interessante Geschichte:

    Es war mitten im Winter. Überall lag
tiefer Schnee, und festes Eis bedeckte die
10 Flüsse. Da ergriff mich eines Tages die
Wanderlust. Ich setzte mich auf mein
Pferd und ritt in fremde Länder.

zu-hören *listen to*

es war ... Winter *it was in the middle of winter*
fest *solid, firm*

ergreifen *seize*

die Wanderlust *desire to travel*
sich setzen auf *to mount*
fremd *foreign*

Dort war es aber noch kälter als zu
Hause, und alles lag unter tiefem Schnee.
Einmal ritt ich stundenlang ohne einen
Menschen oder ein Haus zu sehen. Auf
5 allen Seiten waren hohe Berge mit dunklen
Bäumen, aber weit und breit war kein Dorf
zu sehen. Es schneite; große, weiße Flok-
ken fielen auf die Erde, und der Schnee
wurde immer tiefer. Ich war froh, daß mein
10 Pferd gute, starke Beine hatte, aber
schließlich konnte es nicht weiter.

Mit großer Mühe stieg ich dann bei
dunkler Nacht vom Pferde. Was nun?
Nichts war zu sehen, überall nur kalter,
15 weißer Schnee. Mit lauter Stimme rief ich
in die Dunkelheit, aber nur tiefes Schweigen antwortete mir. Ich war sehr müde und
hungrig. In der Tasche hatte ich nur ein
Stück hartes, schwarzes Brot; aber wenn
20 man großen Hunger hat, schmeckt hartes
Brot auch gut.

Dann band ich mein Pferd mit dem
Zügel an einen Ast, der aus dem Schnee sah.
Ich legte mich neben dem Pferde auf den
25 Schnee und schlief ein.

Als ich aus tiefem Schlaf erwachte, war
es heller Tag. Die Sonne schien, und es war
wärmer. Wie erstaunt war ich, als ich fand,
daß ich mitten in einem Dorfe vor der
30 Kirche lag!

Aber von meinem Pferde war nichts
sehen. Da hörte ich plötzlich hoch über mir
in der Luft etwas Seltsames. Und was sah
ich da? Da hing mein Pferd mit dem Zügel
35 an der Spitze des Turmes. Armes Tier!
Was sollte ich tun? Da war guter Rat
teuer.

Mit festem Griff faßte ich meine Pistole und schoß nach dem Zügel, und mein
40 Pferd fiel vor mir auf die Erde, wo es mich
mit großer Freude begrüßte.

---

ritt (reiten) *rode*   stundenlang
  for hours   ohne ... zu sehen
  without seeing

weit und breit *far and wide*
  das Dorf *village*

stark *strong*   das Bein *leg*

schließlich *finally*

die Mühe *trouble, difficulty*

war zu sehen *was to be seen*

die Stimme *voice*

die Dunkelheit *darkness*   das
  Schweigen *silence*

ein Stück . .. Brot *a piece of
  bread*

band (binden) *tied*

der Zügel *rein*   der Ast *branch*

erwachte *awakened*

der Turm *tower*

da war ... teuer *that was a real
  dilemma*

der Griff *grasp, grip*   fassen
  hold, grasp die Pisto'le *pistol*

begrüßen *greet*

Jetzt war mir alles klar. Das Dorf hatte unter tiefem Schnee gelegen. In der Nacht war es warm geworden. Der Schnee war schnell geschmolzen, und ich war lang-
5 sam mit dem Schnee tiefer und tiefer ge- sunken. Die Spitze des Turmes hatte ich für einen Ast gehalten und hatte mein Pferd daran gebunden.

sinken *sink*

für ... halten *thought it was, took for*

Zu meinem Pferde sprach ich dann:
10 „Du guter, treuer Freund, du hast wohl nicht gut geschlafen. Nun sollst du aber gute, lange Ruhe haben."

sprach (sprechen) *said*

Dann gingen wir zum Wirtshaus. Ich fragte den Wirt: „Haben Sie gutes Essen
15 und ruhige Zimmer, wo man schlafen kann?" „Jawohl," sagte der Wirt, „in die- sem Hause hat jedes Zimmer reine Luft, gutes Licht und warme Betten." „Gut," sagte ich, „geben Sie meinem Pferde
20 frisches, kaltes Wasser und soviel gutes Futter, wie es fressen will! Und mir brin- gen Sie, bitte, zwei gekochte Eier, weißes Brot und starken, heißen Kaffee!"

das Wirtshaus *inn, tavern*

der Wirt *innkeeper*

frisch *fresh*

gekochte Eier *boiled eggs*

Nach dem Essen legte ich mich ins Bett und schlief bald ein. Als ich nach lan-
25 gem Schlafe erwachte, fühlte ich mich wie- der frisch. Mit leichtem Herzen und frohem Mut setzte ich mich aufs Pferd und ritt weiter.

sich fühlen *to feel (oneself)*

der Mut *mood, spirits*

Der Fichtenbaum

30 Ein Fichtenbaum steht einsam
Im Norden auf kahler Höh'!
Ihn schläfert; mit weißer Decke
Umhüllen ihn Eis und Schnee.

kahl *barren*   die Höhe *height*

schläfern *doze*

umhüllen *envelop, surround*

Er träumt von einer Palme,
35 Die fern im Morgenland
Einsam und schweigend trauert
Auf brennender Felsenwand.
— Heine

die Palme *palm tree*

(das) Morgenland *orient*

schweigend *silently*   trauern *mourn*   brennend *burning*   die Felsenwand *wall of rock*

Frühlingslied

Leise zieht durch mein Gemüt	leise *softly* ziehen *pass, move*
Liebliches Geläute.	das Gemüt′ *soul, heart*
Klinge, kleines Frühlingslied,	lieblich *lovely* das Geläute *ringing*
Kling hinaus ins Weite.	klingen *sound, ring* das Frühlingslied *spring song*
	hinaus ins Weite *out into the wide, wide world*
5 Kling hinaus bis an das Haus,	
Wo die Blumen sprießen.	
Wenn du eine Rose schaust,	schauen *see*
Sag, ich lass' sie grüßen !	ich lass′ sie grüßen *I send her greetings*
— Heine	

EXERCISES — SERIES B

I. Questions:

1. Wo wohnt der Baron Münchhausen? 2. Kann man alles glauben, was er erzählt? 3. Was sagt er, wenn er etwas Neues erzählt? 4. Was für Haar hatte er? 5. Wie waren seine Augen? 6. Wohin ritt er eines Tages? 7. Wie war das Wetter da? 8. Wann stieg Münchhausen vom Pferde? 9. Was hatte er zu essen? 10. Wo lag er, als er erwachte? 11. Wo war sein Pferd? 12. Wohin ging er dann? 13. Was fragte er den Wirt? 14. Was sollte der Wirt dem Pferde geben? 15. Wann erwachte er wieder?

II. Supply the necessary endings:

1. Er erzählt etwas Neu— und Seltsam—. 2. Als jung— Mann war er von groß— Kraft. 3. Er hatte schwarz— Haar und braun— Augen. 4. Unter tief—, fest— Schnee lag der Weg. 5. Es schneite, und groß—, weiß— Flocken fielen auf die Erde. 6. Er hatte groß— Hunger und mußte hart— Brot essen. 7. „Arm— Tier," sagte er, „jetzt ist gut— Rat teuer." 8. „Lieb— Herr Wirt," sprach er, „geben Sie mir etwas Gut— zu essen." 9. Ich möchte kalt— frisch— Wasser trinken. 10. Hier ist ein Zimmer mit frisch— Luft und gut— Licht.

III. True and false:

1. Münchhausen erzählt nicht gern von seinen Abenteuern. 2. Er war überall bekannt. 3. Alle Leute hörten ihm gern zu. 4. Eines Tages führte ihn die Wanderlust in fremde Länder. 5. Da war es viel wärmer

als zu Hause. 6. Bei dunkler Nacht band er sein Pferd an die Spitze des Turmes. 7. Er mußte auf dem Schnee schlafen. 8. Als er erwachte, war es dunkle Nacht. 9. Im Wirtshaus bekam er nichts Gutes zu essen. 10. Mit leichtem Herzen ritt er wieder weiter.

IV. Use in sentences:

1. immer (wieder, tiefer usw.), 2. überall, 3. mitten in, 4. stundenlang, 5. nichts ist zu (sehen, hören usw.).

V. Read the first page of the lesson in the perfect tense.

VI. How many nouns and adjectives can you give in rapid succession? One student supplies the nouns, the others give as many adjectives as possible. For example: **Buch — schönes, kleines, blaues, deutsches Buch.**

VII. Translate:

1. In Berlin, Paul has found two good rooms. 2. For breakfast we eat fresh fruit and toasted bread. 3. But Paul always eats black bread with fresh butter. 4. He likes to drink strong, black coffee with good fresh cream. 5. In the city he sees much [that is] interesting. 6. He is living among strange people, but he has found three old friends. 7. He also finds new German friends, who will help him. 8. Good books are also good friends, are they not? 9. Paul reads only German books and newspapers. 10. He has to speak German with young boys and girls, but also with old men and women. 11. He likes to write German letters to (**an** *acc.*) old friends at home. 12. He writes: Dear Mother, Dear Father, or Dear Friend. 13. In his letters he writes much [that is] new and interesting. 14. They are having splendid weather, long days, and short nights. 15. Paul likes our winter because we have ice and deep snow. — a. Old friends are good friends. b. In the morning I drink cold water. c. For breakfast we have white bread. d. This is nice (**schön**) weather, isn't it? e. I like to eat ripe red apples. f. Please tell us something new.

Berlin

Vor dem **letzten** Weltkrieg war Berlin die **stolze** Hauptstadt des **Deutschen** Reiches. Damals hatte die Stadt mehr als drei Millionen Einwohner und war mit seinen **vielen** Theatern, Museen, Bildergalerien, Denkmälern und Kirchen eine der **reichsten** Städte
5 der Welt. Aber heute ist Berlin arm und unglücklich, denn es wartet immer noch auf den Frieden.

Wissen Sie, was „der **eiserne** Vorhang" ist? Mit dem **eisernen** Vorhang haben die Russen die Stadt in Ostberlin und Westberlin geteilt. Hinter dem **eisernen** Vorhang liegt jetzt der **größere** Teil
10 der Stadt mit dem **alten** Schloße, wo die **letzten** Kaiser gewohnt haben, und der **berühmten** Universität, die einmal mehr als 10 000 Studenten hatte.

Die **bekannteste** Straße Berlins heißt Unter den Linden. Von dieser **berühmten** Straße haben Sie gewiß schon oft gehört. Heute
15 liegt sie hinter dem **dunklen eisernen** Vorhang, wie auch der Tempelhofer Flughafen, einer der **größten** und **wichtigsten** in Europa.

In der Straße Unter den Linden standen vor dem **letzten** Weltkrieg mehrere **öffentliche** Gebäude. Heute sieht man da, wo die **große** Bibliothek, die Staatsoper und der **prächtige** Dom gestanden
20 haben, nur noch **mächtige** Schutthaufen, die uns an die Bomben des Weltkriegs erinnern.

In der Mitte der Straße Unter den Linden steht das **kunstvolle** Denkmal Friedrichs des Großen, der sich den **ersten** Diener seines Staates nannte. Das Volk nannte ihn gern „den **alten** Fritz." Am
25 unteren Ende der Straße sieht man das **stattliche** Brandenburger Tor. Auf der **anderen** Seite des Brandenburger Tores kommt man in den **berühmten** Tiergarten, den **größten** Park Berlins, der natürlich auch durch die Bomben des Krieges schrecklich gelitten hat.

[**142**]

Berlin: Staatsoper   *Landesbildstelle Württemberg*

Berlin: Brandenburger Tor   *Landesbildstelle Berlin*

GRAMMAR _____

Weak Declension of Adjectives; Comparison of Adjectives and Adverbs; *gern.*

1. Weak Declension of Adjectives.

When an adjective is preceded by a **der**-word or an **ein**-word with a strong ending, it follows the weak declension, which has the ending –e in the nominative singular of all genders and the accusative singular feminine and neuter, and –en in all other cases; –e and –en are the weak endings.

SINGULAR

	Masc.	Fem.	Neut.
Nom.	der gute Mann	diese gute Frau	jenes gute Kind
Gen.	des guten Mannes	dieser guten Frau	jenes guten Kindes
Dat.	dem guten Manne	dieser guten Frau	jenem guten Kinde
Acc.	den guten Mann	diese gute Frau	jenes gute Kind

(See also Grammar, Table p. 310)

Two or more adjectives preceding a noun have the same ending:

der **gute, alte** Freund   dieses **schöne, neue** Buch

2. Comparison of Adjectives and Adverbs.

The comparative and superlative of adjectives and adverbs are formed by adding –er and –st to the positive. When the positive ends in –d, –t, or a sibilant, the superlative adds –est:

ältest, kürzest (See Grammar §§ 23, 24)

The comparative and superlative forms of the adjective are declined like the positive: (See Grammar § 27)

der ältere Bruder   der älteste Bruder

3. Superlative used in the Predicate.

When used in the predicate the superlative is formed with **am** and ends in –en:

Diese Blume ist **am** schönsten.   Dieser Junge schläft **am** längsten.
This flower is the most beautiful.   *This boy sleeps the longest.*

4. *so wie* and *als* in Positive and Comparative.

In making comparisons, the positive is preceded by **so** and followed by **wie**; the comparative is followed by **als**:

Er ist **so groß wie** ich.	Er ist **größer als** ich.
He is as tall as I.	*He is taller than I.*

5. Irregular Comparisons.

Note the irregular comparison of the following adjectives:

POSITIVE	COMPARITIVE	SUPERLATIVE	
groß	größer	der größte	am größten
gut	besser	der beste	am besten
hoch	höher	der höchste	am höchsten
nah	näher	der nächste	am nächsten
viel	mehr	der meiste	am meisten
gern	lieber		am liebsten

6. *gern.*

The adverb **gern** expresses the idea of liking:

Ich bin **gern** auf dem Lande.

Ich bin **lieber** in der Stadt.

Ich bin **am liebsten** zu Hause.

Ich lese **gern** Französisch, ich lese **lieber** Englisch, ich lese **am liebsten** Deutsch.

Ich esse **gern** Äpfel, ich esse **lieber** Pflaumen, ich esse **am liebsten** Birnen.

Ich **möchte** (**gern**) ins Theater gehen.

EXERCISES — SERIES A

I. Add the proper endings:

1. Die groß— Stadt heißt Berlin. 2. Es ist die größt— Stadt Deutschlands. 3. Auf der breit— Straße stehen Bäume. 4. Wir sitzen gern im kühl— Schatten. 5. Sehen Sie den groß— Dom? 6. Er steht bei dem alt— Schlosse. 7. Wo steht das schön— Denkmal? 8. Da steht das Haus des letzt— Königs. 9. Auf der link— Seite ist ein Park. 10. Ich wohne in diesem klein— Hause. 11. Wir sitzen im Schatten alt— Bäume. 12. Sind das die höchst— Gebäude? 13. Wie heißt der jünger— Sohn? 14. Kennen Sie dieses klein— Kind?

II. Supply the proper form of the comparative or superlative:

1. Der Vater ist (alt) als der Sohn. 2. Dieser Baum ist (hoch) als jener. 3. Der 21. Juni ist der (lang) Tag. 4. Keine Stunde ist (lang) als 60 Minuten. 5. Sie haben keinen (gut) Freund als mich. 6. Der Februar ist der (kurz) Monat. 7. Sie ist (jung) als ihr Bruder. 8. Das ist der (hoch) Baum im Walde. 9. Sie ist die (fleißig) Schülerin in der Klasse. 10. Er ist der (klug) der zwei Brüder.

III. Write sentences in the 1) positive, 2) comparative, 3) superlative. EXAMPLE: fleißig — 1. Der Schüler ist **fleißig**. 2. Er ist **fleißiger als** sein Bruder. 3. Er ist **der fleißigste** Schüler. — alt — 1. Die Mutter ist **alt**. 2. Der Vater ist **älter**. 3. Der Großvater ist **am ältesten**.

1. lang, 2. kurz, 3. jung, 4. schön, 5. gut, 6. groß, 7. hoch, 8. arm, 9. warm, 10. leicht.

IV. Questions:

1. Wann war Berlin die Hauptstadt des Deutschen Reiches? 2. Wie groß war Berlin vor dem Weltkrieg? 3. Wie hieß die schönste Straße Berlins? 4. Was schneidet die Stadt in zwei Teile? 5. Wer hat in dem Schloße gewohnt? 6. Wo sieht man den eisernen Vorhang? 7. Was steht mitten in der Straße? 8. Wie nannte sich Friedrich der Große? 9. Wo sehen wir das Brandenburger Tor? 10. Was ist der Tiergarten?

ALLERLEI

MEMORIZE:

> **Der alte Mann** ist mein Freund.
> Dies ist die Wohnung **des alten Mannes**.
> Ich gehe mit **dem alten Manne**.
> Ich besuche oft **den alten Mann**.

Das Jahr

Am Morgen ist es kühl, dann arbeite ich gern. Am Vormittag wird es wärmer, dann spiele ich lieber. Am Mittag ist es am wärmsten, dann sitzen wir am liebsten im Schatten. Gegen Abend wird es wieder kühler. Am kühlsten ist es in der Nacht.

Im Winter ist es kalt. Der Winter ist die kälteste Jahreszeit. Im Frühling ist es wärmer als im Winter, aber nicht so warm wie im Sommer. Im Sommer sind die Tage am längsten, aber am heißesten. Im Herbst werden die Tage kürzer und die Nächte länger.

Ich habe den Winter gern, aber den Sommer lieber und den Frühling am liebsten. Welche Jahreszeit haben Sie am liebsten?

Im Monat November ist es nicht so kalt wie im Dezember, aber es ist kälter als im Oktober. Im Januar ist es am kältesten. Der Schnee ist dann gewöhnlich am tiefsten und das Eis am festesten. Dann laufen wir gern Schlittschuh.

Am einundzwanzigsten Dezember kommen der kürzeste Tag und die längste Nacht, und vier Tage später feiern wir den fröhlichsten Tag des ganzen Jahres, nicht wahr?

VOCABULARY

ich arbeite gern I like to work
ich spiele lieber I prefer to play
wir sitzen am liebsten im Garten we like best of all to sit in the garden
gegen Abend toward evening

der Flughafen ⸜ airport
der Friede –ns peace
der Kaiser – emperor
der König –e king
der Krieg –e war
der Schutthaufen – pile of rubble
der Vorhang ⸜e curtain
der Weltkrieg –e World War

die Bildergalerie' –n picture gallery
die Bombe –n bomb
die Staatsoper –n state opera
die Welt –en world
die Wohnung –en dwelling, apartment

das Brandenburger Tor Brandenburg Gate
das Denkmal ⸜er monument
(das) Franzö'sisch French (language)
das Gebäude – building

das Glas ⸜er glass
das Interesse –n interest
das Mal –e time
das Muse'um Muse'en museum
(das) Ostberlin East Berlin
(das) Westberlin West Berlin

erin'nern remind
feiern celebrate
leiden litt gelitten er leidet suffer
nennen nannte genannt call
teilen divide

amerika'nisch American
damals then, at that time
eisern iron
immer noch still
kunstvoll artistic
mächtig mighty, huge
öffentlich public
prächtig splendid, magnificent

CONVERSATION

Im Raucher

1. Hat dieser Zug einen Speisewagen?

2. Gewiß, schauen Sie hier auf den Fahrplan. Messer und Gabel bedeutet: Dieser Zug hat einen Speisewagen.

3. Und was bedeutet das Glas?

4. Ein Weinglas bedeutet: Dieser Zug hat keinen Speisewagen, aber man kann im Zuge Speisen bekommen.

Ein Bett bedeutet: Dieser Zug hat Schlafwagen.

5. Hier sind wir in einem Raucherabteil; hier darf ich rauchen, nicht wahr?

6. Gewiß, darf ich Ihnen eine Zigarette anbieten?

7. Danke, ich rauche gern amerikanische Zigaretten. Darf ich um Feuer bitten?

8. Hier ist ein Streichholz. Rauchen Sie auch Zigarren? Nein?

9. Ich auch nicht; ich rauche gewöhnlich Zigaretten.

10. Wenn ich zu Hause bin, rauche ich am liebsten meine Pfeife; die schmeckt am besten.

In the smoking compartment

1. Does this train have a dining car?

2. Certainly, see here on the timetable. Knife and fork means: This train has a dining car.

3. And what does the glass mean?

4. A wineglass means: This train has no diner, but one can get food on the train. A bed means: This train has sleeping cars.

5. Here we are in a smoking compartment. I can smoke here, can't I?

6. Certainly, may I offer you a cigarette?

7. Thanks, I like to smoke American cigarettes. May I ask for a light?

8. Here is a match. Do you smoke cigars too? No?

9. I don't either. I usually smoke cigarettes.

10. When I am at home, I like best to smoke my pipe; that tastes best.

Ein neuer deutscher Zug

Hauptverwaltung d. Deutschen Bundesbahn, Pressedienst

59   Stuttgart   Karlsruhe—Heilbronn —Crailsheim—

km				U 237	ET 623	E 537	E 725	U 105	E 643	E 575	E 727	E 729	D 247	ET 655
	Paris Est	17	ab	...	...	...	...	21.50	...	...	...	...	...	...
	Strasbourg-Ville		ab	...	...	...	...	4.50	...	...	...	...	...	...
	Karlsruhe Hbf		ab	...	...	...	6.15	6.43	...	9.24	...	11.24	...	...
	Zürich HB	46	ab	...	...	...	...	...	...	7.06	...	...	10.23	...
	Schaffhausen Bad Bf		ab	...	...	...	...	...	...	7.57	...	...	...	...
	Zug Nr			U 237	ET 623	E 537	E 725	U 105	E 643	E 575	E 727	E 729	D 247	ET 655
	Klasse			2. 3.	2. 3.	2. 3.	2. 3.	2. 3.	2. 3.	2. 3.	2. 3.	Sa 2. 3.	2. 3.	2. 3.
0	**Stuttgart** Hbf	324	ab	6.50	7.35		8.23	8.45		11.36	12.08	Sa13.42	14.15	...
3	Stuttgart-Bad Cannstatt.			6.57	7.41		8.28			11.41	12.14	13.49	14.21	...
12	Waiblingen		ab		7.58		8.40			11.52	12.28	14.02		...
22	Winnenden	323	ab		8.13				9.14	**LS**	12.09			...
31	Backnang				8.27						12.09			...
47	Murrhardt				8.50						12.22			...
61	Gaildorf West		ab		9.11						12.38			...
0	**Karlsruhe** Hbf	319 a	ab		5.13					8.08				9.40
5	Karlsruhe-Durlach ..				5.23					8.15				9.47
24	Bretten				6.02					8.49				10.13
48	Eppingen				6.46					9.24				10.41
72	Heilbronn Hbf		an		7.28					9.58				11.11
	Ludwigshafen (Rh)Hbf	56	ab			6.18				7.48				10.00
	Mannheim Hbf		ab			6.33				8.06				10.14
	Heidelberg Hbf		ab			6.55				8.31				10.54
72	**Heilbronn** Hbf	323 c	ab			8.39				10.07				14.08
99	Öhringen					9.05				10.29				14.42
111	Waldenburg (Württ)..					9.05				10.45				15.08
126	Schwäb Hall		ab			9.34				10.59				15.25
73 133	Schwäb Hall-Hessenthal	323 c			9.28	9.45			9.53	11.09	12.51			15.39
100	**Crailsheim**		an		10.00	10.10			10.18	11.32	13.15			16.12
30	Schorndorf...........	324			7.24		8.58				12.47	14.20	14.50	
51	Schwäb Gmünd				7.43	E 761	9.23				13.14	14.47	15.10	X E763
76	Aalen.................		ab		8.13	2. 3.	9.54				13.46	15.17	15.40	2. 3.
	Friedrichshafen Stadt	306	ab			5.26					E 665			13.02
	Ulm Hbf		ab			7.01					12.47			X14.38
76	Aalen.................	324	ab	8.18	8.24		10.00				14.04	15.20	15.46	X15.55
83	Goldshöfe		ab		8.32						14.13			
	Nördlingen 324		an		9.27		10.48				2.3.Kl.			
92	Ellwangen.............	324 a	ab	8.34	8.43		...				14.22	15.36	16.02	16.13
113	**Crailsheim**		an	8.55	9.03		...				14.41	Sa15.55	16.22	X16.32

Aus einem deutschen Fahrplan

LESESTÜCKE

Münchhausens Abenteuer

Die nächsten Abenteuer, die uns der Baron Münchhausen erzählte, waren noch seltsamer als das erste.

„Sie wissen, meine Herren," sagte er, *meine Herren gentlemen*

5 „daß ich der beste Jäger im Lande bin. *der Jäger hunter*
Ich schieße gern Hasen, noch lieber schieße *der Hase rabbit, hare*
ich Wölfe, aber am liebsten schieße ich *der Wolf wolf*
Hirsche. *der Hirsch deer*

Einmal war ich den ganzen Tag im

10 Walde gewesen, ohne einen einzigen Hasen
zu sehen. Da sah ich plötzlich den seltsam-
sten Hasen, den ich je in meinem Leben *je ever*
gesehen habe. Dieser kleine Hase hatte unten am Leibe vier Füße und vier auf dem *unten below*

15 Rücken. Wenn die beiden unteren Paare *der Rücken back   die beiden*
müde waren, drehte er sich schnell um und *unteren the two lower*
lief mit den beiden frischen Paaren weiter. *drehte . . . um turned around*
Der seltsame Hase konnte außerordentlich *lief weiter ran on*
schnell laufen, aber mein Hund lief noch

20 schneller, und in kurzer Zeit hatte er ihn
gefangen.

Dieser außerordentliche Hund war mir
bei Nacht fast nützlicher als bei Tage. In *bei Nacht at night   bei Tage*
der Nacht band ich ihm eine Laterne an *during the day*
die Laterne lantern

25 den Schwanz, so daß ich auch in der *der Schwanz tail*
schwärzesten Dunkelheit meinen Weg fin-
den konnte. Das treue Tier blieb so lange
in meinem Dienste, bis es sich zuletzt die *der Dienst service*
Beine bis unter den Leib weggelaufen hatte. *der Leib body   es sich weg-*

30 Die letzten Jahre seines Lebens konnte ich *gelaufen hatte it had worn off*
es ganz bequem als Dachshund gebrauchen. *(lit. run off)*
der Dachshund dachshund   ge-
brauchen use

Am nächsten Morgen kam ich mitten
im Walde an einen See. ‚Nun,' sagte ich zu
meinem Pferde, ‚über diesen kleinen See

35 kannst du doch leicht springen.' Aber als *springen jump*
ich mitten über dem Wasser war, sah ich,

daß der See doch größer war, als ich ge-
meint hatte. Ich drehte mich schnell um,
um es noch einmal zu versuchen, aber auch
das zweite Mal sprang das Pferd zu kurz,
5 und wir fielen ins kalte Wasser. Schnell
faßte ich mich mit der rechten Hand beim
eigenen Haare und zog mich selbst mit dem
armen Pferde glücklich ans trockene Land.

    In demselben Augenblick flog eine
10 große Anzahl wilder Enten aus dem nahen
Walde. Da ich keine Kugeln mehr hatte,
nahm ich die Perle aus dieser goldenen

um es ... versuchen *in order to try it once more*

recht *right*

mich selbst *myself*

glücklich *safely*

der Augenblick *moment*

die Anzahl *number* die Ente *duck*

die Perle *pearl*

Stecknadel und steckte sie in die Pistole. | die Stecknadel *stickpin*
Ich bemerkte, daß mehrere Vögel in einer | bemerken *notice, observe* mehrere *several*
geraden Reihe flogen, und ich schoß nach | die Reihe *row, line* (fliegen) *flew* flogen
der langen Reihe. Vier Gänse und sechs
5 Enten fielen auf die Erde, und wollen Sie
mir das Seltsamste glauben, im Kopfe der
letzten Ente habe ich meine Perle wieder- | wiedergefunden *found again*
gefunden!
    Ich saß noch am Ufer des Sees. Da er- | das Ufer *shore* erschien (erscheinen) *appeared*
10 schien plötzlich ein Hirsch, das stattlichste
Tier, das ich je gesehen hatte. Ich hatte,
wie gesagt, keine Kugeln. Da nahm ich | wie gesagt *as I have remarked*
eine Anzahl Kirschkerne, die ich gerade in | der Kirschkern *cherry pit*
der Tasche hatte und steckte sie in die
15 Pistole. Ich schoß nach dem Hirsche und
traf ihn mitten zwischen die Augen. Er
schien von dem Schuß betäubt, aber im | betäubt *stunned*
nächsten Augenblick drehte er sich um und
verschwand. | verschwand (verschwinden) *disappeared*
20   Im nächsten Frühling befand ich mich | befand ich mich *I found myself*
eines Tages wieder mitten in demselben
Walde. Ich war den ganzen Tag geritten
und war müde, hungrig und durstig. So | durstig *thirsty*
legte ich mich denn in den kühlen Schatten
25 eines Baumes.
    Als ich da lag, erschien plötzlich der
seltsamste Hirsch vor mir. Auf dem stolzen
Kopfe trug er einen Baum, der mehr als
zehn Fuß hoch war. Sogleich fiel mir der | zehn Fuß hoch *ten feet high* fiel mir ein *I recalled, remembered* im vorigen Jahre *the previous year*
30 Hirsch ein, den ich im vorigen Jahre ge-
schossen, aber nicht getötet hatte. Diesmal
aber hatte ich eine Kugel, und nach dem
ersten Schusse lag das stolze Tier auf der | der Schuß *the shot*
Erde. So bekam ich das beste Fleisch zum
35 Abendessen. Und zum Nachtisch hatte ich | das Abendessen *supper*
süße Kirschen, denn der schöne, große
Baum hing voll der herrlichsten, reifen
Kirschen. Bessere Kirschen habe ich nie
gegessen!"

Die klugen Mäuse

die Mäuse *mice*

Eine Anzahl Mäuse wohnten zusammen in einem Hause. Sie hatten immer genug zu fressen und waren nie hungrig. Aber die Mäuse waren doch nicht glücklich, denn
5 eine Katze wohnte in demselben Hause.

Eines Tages hatten die Mäuse große Versammlung. Sie besprachen die wichtige Frage, wie sie wohl vor der bösen Katze sicher sein könnten. Die eine sagte dies, die
10 andere das. Endlich sprach die älteste und klügste Maus: ,,Das Beste ist, wir hängen der bösen Katze eine Schelle um den Hals; dann hören wir sie, wenn sie kommt, und husch! laufen wir in unsere Löcher!"

15 Dieser Rat gefiel den Mäusen, und sie lachten und tanzten vor Freude. Sie kauften sogleich eine Schelle, die fein und hell klang. Das war nun gut.

In der nächsten Versammlung fragte
20 dann die kluge, alte Maus: ,,Wer soll nun aber der bösen Katze die Schelle um den Hals hängen?" Da wurden alle Mäuse ganz still, die klugen wie die dummen. Keine hatte etwas zu sagen. Die jungen Mäuse
25 hatten Angst, und die alten wollten der Katze auch nicht zu nahe kommen. Sie schlichen eine nach der anderen leise aus der Versammlung, und die Katze ist heute noch ohne Schelle.

die Versammlung *meeting* besprachen *discussed*

sicher ... vor *safe from*

die Schelle *bell* der Hals *neck*

husch! *presto!, away* die Löcher *holes*

vor Freude *with joy*

fein *fine*

hatten Angst *were afraid*

schlichen *crept*

Im Mai

Im wunderschönen Monat Mai,	wunderschön *most beautiful*
Als alle Knospen sprangen,	die Knospen *buds* sprangen
Da ist in meinem Herzen	*burst*
Die Liebe aufgegangen.	die Liebe *love* aufgegangen
	(aufgehen) *opened, budded*
5 Im wunderschönen Monat Mai,	
Als alle Vögel sangen,	
Da hab' ich ihr gestanden	gestanden *confessed*
Mein Sehnen und Verlangen.	das Sehnen *longing* das Ver-
— Heine	langen *wish, desire*

EXERCISES — SERIES B _____

I. Questions:

1. Wie waren die nächsten Abenteuer? 2. Wer war der beste Jäger im ganzen Lande? 3. Was schoß dieser Jäger am liebsten? 4. Wie viele Beine hatte der seltsame Hase? 5. Wie schnell konnte der Hund laufen? 6. Konnte das Pferd über den kleinen See springen? 7. Wie oft hat Münchhausen es versucht? 8. Mit welcher Hand zog er sich aus dem kalten Wasser? 9. Wo hat er seine Perle wiedergefunden? 10. Wann kam er wieder in denselben Wald? 11. Wie lange war er an dem Tage geritten? 12. Was für ein Tier sah er plötzlich? 13. Was fiel ihm ein, als er das Tier sah? 14. Wann fiel das Tier auf die Erde? 15. Wie haben die Kirschen geschmeckt?

II. Supply the necessary endings:

1. Er war d— best— Jäger im ganz— Lande. 2. Dieser klein— Hase war d— seltsamst— Tier. 3. Mit d— gut— Hunde fing er die schnellst— Hasen. 4. In d— dunkl— Nacht zeigte er ihm den kürzest— Weg. 5. Im letzt— Jahre seines Lebens war er d— best— Dachshund. 6. Am nächst— Tage war er in d— dicht— Walde. 7. Auf d— stolz— Kopfe trug der Hirsch den schönst— Baum. 8. Aus d— nah— Walde flog eine Anzahl wild— Enten. 9. Er setzte sich in d— kühl— Schatten des groß— Baumes. 10. Wir hatten d— best— Fleisch und süß— Kirschen zum Abendessen. 11. In d— erst— Versammlung besprachen sie die wichtigst— Frage. 12. Die größt— und ältest— Mäuse waren die klügst—. 13. Vor d— alt— Katze hatten sie alle groß— Angst. 14. Sie wollten d— bös— Katze eine Schelle

um d— Hals hängen. 15. Wenn sie in dem klein—, rund— Loch sitzen, sind sie am sicherst—.

III. Find the antonyms of the following words and use them in sentences:

1. oben, 2. vorn, 3. über, 4. fragen, 5. der Anfang, 6. etwas, 7. viel, 8. hier, 9. jemand, 10. geben, 11. antworten, 12. nichts, 13. niemand, 14. wenig, 15. dort, 16. hinten, 17. unter, 18. nehmen, 19. das Ende, 20. unten.

IV. Use in sentences:

1. gern, lieber, am liebsten, 2. noch einmal, 3. vorn *in front*, hinten *at the rear*, oben *above*, unten *below*.

V. Many feminine nouns are formed by adding –**in** to the masculine form. Form feminines from:

der Lehrer, der Schüler, der Freund, der Amerikaner, der Dichter, der Diener, der König, der Nachbar, der Student, der Schneider.

VI. One student supplies the nouns for which others provide the adjectives, for example: **die Stadt — es ist die größte, schönste Stadt.**

VII. Translate:

1. Paul has been in this great city for two weeks. 2. Berlin is the largest city in Germany, and one of the largest cities of the world. 3. The most beautiful street in this large city is called Unter den Linden. 4. Have you heard of this beautiful street? 5. This broad street has four rows of old linden trees. 6. It is broader than the widest street in our city. 7. On hot days many people sit here in the cool shade. 8. The most interesting buildings are at the upper end of the street. 9. Here we see the old castle, the splendid cathedral, and several other buildings. 10. Frederick the Great called himself the first servant of his state. 11. The splendid monument of this old king stands in the middle of this most beautiful street. 12. Paul now lives in this famous city. 13. He likes to visit the castle, he likes better to visit the library, but he likes best to go to the theater. 14. The cathedral is large, the library is larger, but the castle is the largest building. 15. He often goes into the Tiergarten, the largest and most beautiful park in the city. — a. He lives in the largest city in Germany. b. The little bird has a nest in the highest tree. c. You have heard of this old city. d. The oldest friends are the best friends. e. I like to sleep in a soft bed. f. I like best to sleep at night.

FÜNFZEHNTE AUFGABE

Meine neue Wohnung

Berlin, den 1. Oktober 1954

Sehr geehrter Herr Lehrer!

In Ihrem letzten Briefe fragten Sie nach meiner neuen Wohnung. Eine längere Beschreibung ist wohl nicht nötig, denn Sie kennen ja die Einrichtung einer deutschen Wohnung. Aber mein eigenes Zimmer will ich etwas näher beschreiben.

Ich habe ein schönes, freundliches Zimmer in einem modernen Hause. Ein Fenster geht auf die Straße und ein zweites auf einen kleinen Park. Die Möbel sehen noch ganz neu aus. Ich habe einen großen Schreibtisch, einen mächtigen Kleiderschrank, einen sehr bequemen Lehnstuhl und ein einfaches Bett. Auf dem Bett liegt aber kein dickes Federbett, wie Sie vielleicht meinen, sondern eine warme wollene Decke.

Karl hat auch ein gemütliches Zimmer, aber seines ist nicht so groß wie meines. Er hat auch einen großen Kachelofen in seinem; ich habe keinen, denn dieses Haus hat Zentralheizung. Karl hat auch einen Lehnstuhl wie meinen, aber er sitzt lieber in meinem.

Einen kleinen Bücherschrank habe ich auch. Darin stehen meine besten Freunde, meine neuen deutschen Bücher. Ich habe noch kein gutes Wörterbuch, aber ich muß mir eins kaufen, denn von meinen deutschen Bekannten höre ich manchmal einen fremden Ausdruck, den ich nicht finden kann.

Wie geht es Ihren lieben Eltern und Ihrem kleinen Bruder? Machen Sie noch immer Ihren täglichen Spaziergang um die Stadt?

Grüßen Sie, bitte, meine alten Bekannten von mir und schreiben Sie bald wieder an

Ihren ergebenen Schüler

Paul

GRAMMAR

Declension of Adjectives after *ein*-words; Adjectives used as Nouns; Possessive Pronouns.

1. Declension of Adjectives after *ein*-words.

An adjective preceded by an **ein**-word (**ein, kein,** or a possessive adjective) has the weak endings except after the one uninflected form, which occurs in three cases: the nominative singular masculine and the nominative and accusative singular neuter. In these three cases the adjective must take the strong ending, because the **ein**-word has no ending to show the gender of the noun modified:

mein gut**er** Freund   sein alt**es** Haus   unser neu**es** Buch

2. Adjectives used as Nouns.

Adjectives used as nouns are capitalized, but they follow the adjective declension. In the masculine and feminine, singular and plural, they refer to persons, in the neuter singular to an abstract quality:

der Alte   ein Alter   die Fremde   die Deutschen   das Gute

3. Possessive Pronouns.

Like **ein** and **kein** the possessive adjectives may be used as possessive pronouns. When so used they take the **der**-endings, since they must show the gender of the noun for which they stand:

Mein Hut ist alt, aber **seiner** ist neu.   *My hat is old, but his is new.*
Sein Buch ist alt, aber **meines** ist neu.   *His book is old, but mine is new.*

When the possessive pronoun is preceded by the definite article it is declined like the weak adjective:

Mein Buch ist alt, **das Ihre** ist neu.
My book is old; yours is new.

Meine Bücher sind alt, **die Ihren** sind neu.
My books are old; yours are new.

The pronouns **eines, keines, meines, seines,** etc. are usually contracted to **eins, keins, meins, seins:**

Haben Sie ein Buch? Ich habe **keins.**
Er hat **meins.**

4. Review.

Review adjective declensions. (Grammar §§ 18–28)

EXERCISES — SERIES A

I. Read the letter with **du** instead of **Sie** and with **wir** instead of **ich**.

II. Write the proper endings:

1. Dies ist der erst— Brief, das ist der zweit—, und das sein letzt—. 2. Hier ist mein neu— Buch, das ist ein alt—, aber hier ist mein best—. 3. Ist dies Ihr neu— Hut? Wo ist der alt—? Haben Sie keinen besser—? 4. Hier wohnt ein Fremd—. Er erzählt viel Interessant—. Wissen Sie etwas Neu—? 5. Er ist ein Bekannt— von mir (*of mine*). Zwei Bekannt— von mir kommen heute.

III. Read these sentences with **dieser, kein, mein** in the singular and plural:

1. Sehen Sie — groß— Haus? 2. Er hat — alt— Buch. 3. Ich habe — hart— Stuhl. 4. Das steht in — neu— Buch. 5. Helfen Sie — gut— Freund! 6. Das ist — neu— Hut. 7. Ich sehe — schön— Bild. 8. Hören Sie — klein— Hund? 9. Er schläft in — weich— Bett. 10. Nehmen Sie — scharf— Messer!

IV. Conjugate in the present tense. EXAMPLE: ich schreibe meinen Brief, du schreibst deinen Brief usw.

1. Ich sehe — gut— Freund. 2. Ich lese — deutsch— Buch. 3. Ich schreibe mit — eigen— Feder. 4. Ich helfe — klein— Bruder. 5. Ich nehme es von — jung— Freundin.

V. Questions:

1. Wer schreibt diesen Brief? 2. An wen schreibt er ihn? 3. In was für einem Hause wohnt Paul? 4. Was für ein Zimmer hat er? 5. Wie viele Fenster hat das Zimmer? 6. Wie sehen die Möbel aus? 7. Was für einen Stuhl beschreibt Paul? 8. Was liegt auf seinem Bette? 9. Ist Karls Zimmer größer als Pauls? 10. Was für einen Ofen hat Karl? 11. Warum hat Paul keinen Ofen? 12. Hat Karl auch einen großen Stuhl? 13. Wer sind Pauls beste Freunde? 14. Was will er bald kaufen? 15. Warum will er es kaufen? 16. An wen schreibt er Grüße?

VI. Schreiben Sie einen kurzen Brief an einen guten Freund!

ALLERLEI

MEMORIZE:

Das ist **mein neues Buch.**

Auf dem Deckel **meines neuen Buches** steht der Titel.

In **meinem neuen Buche** stehen viele Erzählungen.

Möchten Sie **mein neues Buch** lesen?

Ich habe ein Messer; haben Sie eins? Wer hat seins?

Ist das ein Vogel? Ja, es ist einer. Nein, es ist keiner.

Ist das Ihr Hut? Nein, es ist seiner. Ich habe keinen.

Ich suche eine Feder; haben Sie eine? Hier ist meine.

Ein Blinder ist einer, der blind ist. Eine Fremde ist eine, die fremd ist.

Der Fremde und der Alte

Ein Fremder ging einmal zu Fuß durch eine öde Gegend. Da sah er einen alten Mann, der gegen den Türpfosten einer elenden Hütte lehnte. Er grüßte den Alten und fragte: ,,Mein lieber Mann, haben Sie Ihr ganzes Leben hier zugebracht?" ,,Noch nicht," war die Antwort des Alten.

Die Wahrheit

Einem kleinen Kinde muß man immer die Wahrheit sagen. Dies erfuhr unser guter Großvater einmal. Einer von seinen Enkeln fragte ihn einmal: ,,Lieber Großvater, warum ist dein Haar so weiß?" ,,Ich bin sehr alt," antwortete er. ,,Wie alt bist du denn," fragte der Kleine wieder. ,,Ach, ich war schon mit Noah in seiner großen Arche." ,,Dann bist du wohl einer von seinen Söhnen?" ,,Nein, das bin ich nicht." ,,Aber du kannst doch nicht seine Frau sein; also mußt du eins von den Tieren in der Arche sein."

Das Gesetz und die Liebe

Das Gesetz sagt: Jedem das Seine.

Die Liebe sagt: Jedem das Deine.

Wie geht es?

,,Wie geht es heute?" fragt ein Blinder einen Lahmen.

,,Wie du siehst," antwortet der Lahme dem Blinden.

VOCABULARY

sehr geehrter Herr Lehrer my dear teacher
fragen nach ask about
ein Fenster geht auf die Straße one window looks out on the street
grüßen Sie meine Bekannten von mir give my regards (remember me) to my acquaintances
noch nicht not yet

der Ausdruck ⁓e expression
der Bekannte –n –n acquaintance
der Blinde –n –n blind man
der Bücherschrank ⁓e bookcase
der Deckel – cover
der Enkel – grandson
der Fluß Flüsse river
der Kachelofen ⁓ tile stove
der Kleiderschrank ⁓e wardrobe
der Lahme –n –n lame man
der Lehnstuhl ⁓e easy chair
der Schreibtisch –e writing table, desk
der Titel – title
der Türpfosten – doorpost

die Arche –n ark
die Beschreibung –en description
die Einrichtung –en arrangements, furniture, furnishings
die Erzählung –en story, tale
die Frau –en wife
die Gegend –en neighborhood
die Hütte –n hut
die Wahrheit –en truth

die Zentral'heizung central heating
das Federbett –en feather bed
das Wörterbuch ⁓er dictionary
die Möbel (*pl.*) furniture

an-fangen fing an angefangen er fängt an begin
auf-atmen breathe a sigh of relief
erfahren erfuhr erfahren er erfährt learn, find out
geschehen geschah ist geschehen es geschieht happen
grüßen greet
lehnen lean

bequem' comfortable
darin' in it
einfach simple
elend miserable
ergeben devoted
länger rather long, lengthy
modern' modern
öde deserted
täglich daily

CONVERSATION

Die Jahreszeiten

1. Das Jahr hat vier Jahreszeiten, nicht wahr? Sind sie alle gleich lang?

2. Auf dem Kalender sind sie gleich lang. Aber ich meine, der Winter ist die längste Jahreszeit.

The seasons

1. The year has four seasons, hasn't it? Are they all equally long?

2. On the calendar they are all equally long. But I think winter is the longest season.

3. Welche Jahreszeit haben Sie am liebsten?

4. Ich habe den Herbst lieber als den Sommer, aber ich habe den Frühling am liebsten.

5. Wann ist das Wetter bei Ihnen am angenehmsten?

6. Ich finde es am angenehmsten im Herbst.

7. Wann ist es am kältesten? am heißesten?

8. Der Winter ist die kälteste Jahreszeit, der Sommer die heißeste.

9. Welchen Monat haben die Kinder am liebsten?

10. Den Dezember natürlich, denn der bringt Weihnachten.

3. Which season do you like best?

4. I like fall better than summer, but I like spring best of all.

5. When is the weather most pleasant in your country?

6. I find it most pleasant in the fall.

7. When is it coldest? hottest?

8. Winter is the coldest season, summer the hottest.

9. Which month do the children like best?

10. December, naturally, for it brings Christmas.

LESESTÜCKE

Paul mietet ein Zimmer

Als Paul am 4. September in Berlin ankam, war ihm die Stadt völlig fremd, und er wußte kaum, was er machen sollte, um ein gutes Zimmer zu bekommen. Er fuhr
5 zunächst mit einem Taxi vom Bahnhof zum Hotel Adler. Das war aber ein großes, prächtiges Hotel, also kaum etwas für einen jungen Studenten, der nicht besonders viel Geld hat. Paul verlangte ein Zimmer vom
10 Portier. „Ein Zimmer," sagte er, „gut eingerichtet, mit Bad."

Der Portier antwortete sofort: „Ich kann Ihnen eins im ersten Stockwerk geben. Zwanzig Mark den Tag, einschließ-
15 lich fünfzehn Prozent Bedienung." „Nein," sagte Paul, „das ist mir zuviel. Es kann meinetwegen auch ohne Bad sein." „Gut," sagte der Portier, „dann kann ich Ihnen

mieten *rent*

völlig *completely*

zunächst *first of all*

nicht besonders *not particularly*

verlangen *ask for*

der Portier (pron. portye') *doorman, porter*   gut eingerichtet *nicely furnished*   mit Bad *with bath*

das Stockwerk *floor, story*

einschließlich *including*

Prozent *per cent*   die Bedienung *service*

zuviel *too much*

meinetwegen *as far as I am concerned*

eins im vierten Stock geben. Fünfzehn
Mark den Tag." Paul war damit zufrieden.
Er mußte aber noch den Meldezettel aus-
füllen, und dann fuhr er mit dem Fahr-
5 stuhl zum vierten Stockwerk, wo er aus-
stieg und in sein Zimmer ging. Da setzte
er sich in einen bequemen Stuhl, atmete
tief auf und sah in der Zeitung nach, wo
möblierte Zimmer inseriert waren. Da
10 fielen ihm sogleich zwei Anzeigen auf. Die
erste lautete:

> Großes möbliertes Zimmer mit 2 Betten.
> Frühstück, Bad. Schellingstraße 54^{III}.
> Haltestelle der Straßenbahn.

15 Und die andere lautete:

> Freundliches, gut möbliertes Zimmer zu
> vermieten. Mit Frühstück, Zentralhei-
> zung. Bad, fließendes warmes und kaltes
> Wasser. Zu sehen täglich von 17 bis 19
20 Uhr. Heynstraße 53^{II}.

Ohne weiteres hat Paul sich für das
Zimmer in der Heynstraße entschlossen,
und dann legte er sich sogleich ins Bett.
Er schlief die ganze Nacht hindurch bis
25 zum nächsten Mittag.

Am Nachmittag machte sich Paul
dann auf den Weg und suchte das Haus in
der Heynstraße auf. Die Dame, die inseriert hatte, empfing ihn sehr freundlich,
30 und Paul war natürlich auch sehr höflich
und sagte: „Ich suche ein ruhiges, gemütliches Zimmer. Ich wünsche ein Zimmer
mit allen modernen Bequemlichkeiten,
elektrischem Licht, Zentralheizung, Bad
35 und Telephon. Ich möchte natürlich ein
einzelnes Zimmer, und zwar mit Frühstück.
In der Zeitung habe ich gelesen, daß Sie
solch ein Zimmer zu vermieten haben.
Kann ich es sehen?"

---

im vierten Stock *on the fifth floor*

damit *with that* zufrieden *satisfied*
der Meldezettel *registration blank* ausfüllen *fill out* der Fahrstuhl *elevator*

atmete tief auf *took a deep breath*

sah ... nach *looked*

möbliert *furnished* inseriert *advertised*
fielen ihm ... auf *attracted his attention* zwei Anzeigen *two advertisements* lautete *read, said*

zu vermieten *to let, rent*

fließendes *running*

ohne weiteres *without hesitating* any further *sich entschlossen* *decided*

die ganze Nacht hindurch *the whole night through*

suchte ... auf *looked up*

die Dame *lady*

empfing *received*

höflich *polite*

Bequemlichkeiten *conveniences*

elektrisches Licht *electric light*

zwar *besides, what is more*

solch ein *such a*

„Natürlich," sagte die Dame. „Es ist im zweiten Stock. Ich führe Sie sogleich hinauf." Paul fand das Zimmer sehr nett, gerade was er sich gewünscht hatte, und fragte dann, wieviel es kostete. „Die Miete beträgt fünfzig Mark den Monat mit Frühstück," war die Antwort. „Sie können jetzt

Ich führe Sie hinauf *I'll take you up*
nett *nice*

die Miete *rent*
beträgt *amounts to* den Monat (acc.) *per month*

eine Anzahlung machen," sagte die Dame, | die Anzahlung *down-payment*
„und den Rest dann bezahlen, wenn Sie | der Rest *balance, rest*
einziehen." „Ist Bedienung mit einge- | einziehen *move in* mit eingeschlossen *included*
schlossen?" fragte Paul. „Jawohl," sagte |
5 die Dame, „Bedienung, Licht und Heizung. | die Heizung *heating*
Wenn Sie später einmal das Zimmer wieder |
aufgeben wollen, dann erwarte ich, daß Sie | aufgeben *give up* erwarten *expect*
vierzehn Tage vorher kündigen." | vierzehn Tage vorher *2 weeks in advance* kündigen *give notice*
Paul, der an die fünfzehn Mark dachte, |
10 die er täglich für sein Hotelzimmer bezah- |
len mußte, erklärte sich bereit, die Miete | erklärte sich *said he was* bereit *willing, ready*
im voraus zu bezahlen, denn er wollte so- | im voraus *in advance*
gleich umziehen. Doch, ehe er ging, fragte | doch *but, however*
er noch etwas verlegen: „Das Zimmer wird | verlegen *embarrassed*
15 doch keine Wanzen haben?" „Gott be- | Wanzen *bedbugs* Gott bewahre! *God forbid!*
wahre! So etwas kommt in meinem Hause | so etwas *something like that* kommt... nie vor *never happens* lasse... reinigen *have it cleaned* (lassen *with infinitive means to have something done*) gründlich *thoroughly* das Bett frisch beziehen *have the bed covered with fresh linen* darauf... verlassen *you can depend on it* Ihre Wäsche *your laundry* nebenan' *next door* besorgen lassen *have taken care of* die Waschfrau *laundress* tüchtig *capable* liefert... Arbeit *does good work* bot... an *offered* der Kuchen *cake* nachdem *after* sich unterhalten hatten *had conversed*
nie vor. Ich lasse das Zimmer jede Woche |
gründlich reinigen und das Bett frisch be- |
ziehen. Darauf können Sie sich verlassen. |
20 Ihre Wäsche können Sie auch nebenan be- |
sorgen lassen. Die Waschfrau ist sehr tüch- |
tig und liefert immer gute Arbeit." Dann |
bot die Dame ihm noch eine Tasse Kaffee |
und ein kleines Stück Kuchen an. Nach- |
25 dem sie sich eine halbe Stunde unterhalten |
hatten, machte Paul sich auf den Rückweg | der Rückweg *way back to*
zum Hotel. Er holte seine Koffer aus dem | seine Koffer *his suitcases*
Hotelzimmer, bezahlte seine Rechnung und | das Hotelzimmer *hotel room*
fuhr mit der Straßenbahn nach seiner |
30 neuen Wohnung. |

Wehmut

Du bist wie eine Blume,
So hold und schön und rein;
Ich schau' dich an, und Wehmut | die Wehmut *melancholy, sadness*
Schleicht mir ins Herz hinein. | schleicht... hinein *creeps into my heart*

35 Mir ist, als ob ich die Hände |
Aufs Haupt dir legen sollt', | das Haupt *head*
Betend, daß Gott dich erhalte | betend *praying*
So rein und schön und hold. |
— Heine

EXERCISES — SERIES B

I. Questions:

1. Wann ist Paul in Berlin angekommen? 2. Kennt er die Stadt schon? 3. Wohin fährt er zunächst? 4. Was für ein Zimmer verlangt er vom Portier? 5. Wie lange bleibt er im Hotel? 6. Warum blieb er nicht länger da? 7. Welche Anzeige in der Zeitung hat ihm gefallen? 8. Was sagte er zu der Dame, die das Zimmer zu vermieten hatte? 9. In welchem Stock war sein Zimmer? 10. Wieviel beträgt die Miete? 11. Wo kann Paul seine Wäsche besorgen lassen? 12. Wie ist die Waschfrau, die nebenan wohnt? 13. Wie lange hat Paul sich mit der Dame unterhalten? 14. Was mußte er noch aus seinem Hotelzimmer holen? 15. Womit fuhr er zu seiner neuen Wohnung?

II. Supply the necessary endings:

1. Paul war kein reich— jung— Herr. 2. Er ist kein Deutsch—, sondern Amerikan—. 3. Im Hotel hat er ein klein—, einzeln— Zimmer gefunden. 4. Es war auch im erst— Stock, aber sein— war nicht so teuer. 5. Paul war mit sein— klein— Zimmer zufrieden. 6. Haben Sie ein gut möbliert— Zimmer zu vermieten? 7. Jetzt habe ich kein—; aber nächst— Woche werde ich wieder ein— haben. 8. Haben sie schon in ein— solch— Bett geschlafen? 9. Er hatte kein— groß— Rechnung zu bezahlen. 10. Sein Hotelzimmer hatte ein klein— und ein groß— Fenster. 11. Das klein— ging auf ein— schön—, breit— Straße. 12. Unser alt— Haus sieht immer noch schön aus. 13. Paul blieb nur ein— halb— Stunde im Hotel. 14. Das ist ein lang— aber interessant— Buch. 15. Es gefällt ihm sehr in sein— neu— Wohnung.

III. True and false:

1. Paul war ein Fremder in dieser Stadt. 2. Er hatte aber sehr viel Geld. 3. Im Hotel konnte er kein Zimmer bekommen. 4. In der Zeitung fand er gute Anzeigen. 5. Am nächsten Tag hat er ein freundliches Zimmer gemietet. 6. Bedienung, Licht und Heizung waren eingeschlossen. 7. Er wollte nicht die ganze Miete im voraus bezahlen. 8. Die Dame, die inseriert hatte, war nicht sehr freundlich. 9. Paul hat sich für das Zimmer in der Heynstraße entschlossen. 10. Dieses Zimmer hatte alle modernen Bequemlichkeiten.

IV. Diminutives are neuter nouns formed by adding the suffix –chen or –lein to other nouns, usually with umlaut, for example: **die Hand, das Händchen.**

Form diminutives with –chen from:

der Bruder, der Finger, die Maus, der Baum, der Ast, die Schwester, die Stadt.

Form diminutives with –lein from:

die Frau, der Tisch, das Buch, das Haus, der Ring, die Rose.

V. Translate:

1. Our good friend, Paul, now has a nice (**schön**) new room. 2. In his last letter he wrote a long description of his new room. 3. It is a very nice little room with two large windows. 4. One large window looks out (**geht**) upon a small garden. 5. He has a good writing desk and a comfortable chair. 6. He likes to sit in his comfortable armchair. 7. Karl also has a nice room, but his is not so large as Paul's. 8. On his simple bed there is a warm woolen cover. 9. Paul has a little bookcase in his room, but Karl has none in his. 10. His new German books are in the little bookcase. 11. Karl also has a bookcase, but he has no new books in his. 12. He has a good dictionary, hasn't he? 13. Sometimes he hears a strange word, and he finds it in the dictionary. 14. His new acquaintances visit him often in his new room. 15. Now Paul is no longer (**nicht mehr**) a stranger in a strange land. — a. I have no good book. Have you one? b. Is that your new hat? No, it is mine. c. He has my big chair, and I have his. d. He sits in mine, and I sit in his. e. He is helping his little brother. f. My books are new, but his are old.

16

Wer geht mit?

„**Wer** geht heute abend mit ins Theater?" Es ist unser Freund Paul, in **dessen** Zimmer mehrere junge Deutsche versammelt sind, **der** die Frage stellt. Er ist der junge Amerikaner, von **dem** wir schon öfters gesprochen haben, **den** wir also recht gut kennen. Die
5 jungen Herren, **die** Paul besuchen und mit **denen** er oft zusammen ist, sind Studenten, über **deren** Kenntnisse er manchmal erstaunt ist.

„**Was** wird heute abend gespielt? Von **wem** ist das Stück?"
„Es ist ein modernes Drama, **worin** der Dichter etwas ganz Neues
10 versucht. Man sagt, es ist das Beste, **was** er bis jetzt geschrieben hat. Das ist aber alles, **was** ich davon weiß." „Nun," sagte Paul, „ich schlage vor, wir gehen alle hin. Ich lade Sie alle als meine Gäste ein. **Wer** nicht mitgeht, der muß leider zu Hause bleiben und arbeiten." „Gut," riefen alle, „die freundliche Einladung nehmen
15 wir mit Vergnügen an."

Nun besprachen sie alles Mögliche, den deutschen Unterricht, **wovon** Paul noch wenig wußte, die Vorlesungen, **die** er hören wollte usw. Zuletzt sprachen sie von Potsdam und beschlossen, am nächsten Tag einen Ausflug nach der berühmten Stadt zu machen.
20 Dann nahmen die Freunde Abschied, und alle riefen: „Auf Wiedersehen heute abend! Um sieben Uhr treffen wir uns vor dem Theater!"

Berlin: Schillertheater

Landesbildstelle Be

[168]

GRAMMAR _____

Interrogative and Relative Pronouns.

1. Interrogative Pronouns.

Nom.	Gen.	Dat.	Acc.
wer	wessen	wem	wen
was	wessen	—	was

Wer refers to persons, **was** to things.

After **wer** the verb is singular, except **sein** which may be singular or plural:

Wer ist der Herr?   Wer sind die Herren?

The interrogative **was** is not used in the dative and accusative after prepositions, but is replaced by **wo–**, (**wor–** before vowels) contracted with the preposition: **womit? worin?** etc.

2. Relative Pronouns.

The relative pronouns **der, die, das** are declined like the definite article, except in the genitive singular (*m.* **dessen,** *f.* **deren,** *n.* **dessen**) and in the genitive plural (**deren**) and dative plural (**denen**).

The relative pronouns **welcher, welche, welches** are declined like the **der**-words. In the genitive only the forms of the relative **der** are used.

The relative pronoun agrees in gender and number with the noun to which it refers. Its case depends on its use in the clause:

Das ist der Mann, den ich sah.
Das ist die Frau, von der ich sprach.

3. *wer* and *was* used as Compound Relatives.

Wer and **was** are used as compound relatives, **wer** meaning *he who, whoever;* **was** meaning *that which, whatever:*

Wer gute Freunde hat, ist nicht arm.
He who has good friends is not poor.

Was schwarz ist, ist nicht weiß.
That which is black is not white.

4. *was* **used as Relative.**

Was is used as a relative after a neuter adjective-noun or a neuter pronoun:

> Das ist das Beste, was ich habe.
> *That is the best I have.*

> Das ist alles, was ich weiß.
> *That is all I know.*

5. Use of Relative Pronoun in German.

The relative pronoun is *never* omitted in German.

> Hier ist das Buch, **das** er hatte.   *Here is the book he had.*
> (See also the two sentences in 4 above.)

6. Contractions.

The relative pronoun referring to an inanimate object and governed by a preposition is frequently replaced by a contraction of **wo–** (**wor–** before vowels) with this preposition: **womit, worin, wovon,** etc.

> Die Feder, womit (*or* mit der) ich schreibe.

7. Word Order in Relative Clauses.

Relative clauses are dependent, and the verb stands at the end.

> Die Herren, die ihn **besuchen,** sind Studenten.

EXERCISES — SERIES A _____

I. Read the first paragraph of the story with **welcher** in place of **der**.

II. Supply the proper relative pronoun:

1. Das ist der Mann, von — ich sprach. 2. Er hat das Buch, — ich will. 3. Wo ist das Bild, — er kaufte? 4. Hier ist das Buch, — ich kaufte. 5. Ist das die Frau, — Tochter hier war? 6. Hier kommt der Schüler, — ich half. 7. Das, — gut ist, ist nicht schlecht. 8. Das ist der Freund, mit — ich reise. 9. Das ist die Freundin, — ich begegnete. 10. Das ist alles, — ich weiß.

III. Read the following sentences with 1) **der**, 2) **welcher**, 3) **wo(r)–**. EXAMPLE: Das ist das Haus (in) — 1) in **dem**, 2) in **welchem**, 3) **worin** ich wohne.

1. Das ist die Stadt, (von) — ich erzählte. 2. Das Messer, (mit) — ich schneide, ist scharf. 3. Da ist das Bett, (in) — er schläft. 4. Das Glas, (aus) — er trank, ist leer. 5. Ist das der Stuhl, (auf) —

er saß? 6. Das ist das Haus, (in) — er wohnt. 7. Der Tisch, (an) — ich sitze, ist alt. 8. Ist das der Zug, (mit) — wir fahren? 9. Die Feder, (mit) — ich schreibe, ist spitz. 10. Das ist das Holz, (aus) — man Tische macht. 11. Hier sind die Bücher, (von) — ich erzählte. 12. Sind das die Gärten, (in) — die Blumen sind?

IV. Answer in complete sentences:

1. Wer besucht Paul? 2. In wessen Zimmer sind die Studenten? 3. Von wem haben wir öfters gesprochen? 4. Wen kennen wir recht gut? 5. Wen besuchen die jungen Herren? 6. Was fragt Paul? 7. Was für ein Stück wird gespielt? 8. Was sagt man von dem Stück? 9. Was schlägt Paul vor? 10. Was muß der (*that one, he*) tun, der nicht mitgeht? 11. Wer hat die Studenten eingeladen? 12. Wer hat die Einladung angenommen? 13. Was besprachen die Freunde dann? 14. Wovon wußte Paul noch wenig? 15. Wovon sprachen sie zuletzt? 16. Was riefen die Freunde, als sie Abschied nahmen?

V. Write a short composition: Ein Tag auf dem Lande.

ALLERLEI

Vergleichen Sie!

Woran denken Sie?	**An wen** denken Sie?
Worauf warten Sie?	**Auf wen** warten Sie?
Womit schreiben Sie?	**Mit wem** studieren Sie?
Wovon sprechen Sie?	**Von wem** sprechen Sie?

Relativpronomen

Das ist der Freund,   die Freundin,   das Mädchen,

der (welcher)	die (welche)	das (welches) hier wohnt.
dessen (—)	**deren** (—)	**dessen** (—) Buch ich habe.
dem (welchem)	der (welcher)	dem (welchem) ich helfe.
den (welchen)	die (welche)	das (welches) ich besuche.

Das sind die Freunde, die (welche) hier wohnen.

             deren (—) Buch ich habe.

             denen (welchen) ich helfe.

             die (welche) ich besuche.

In der Schule

Der Lehrer, **dessen** Klasse ich besuchte, erklärte ein Gedicht, **das** er den Schülern vorgelesen hatte und **worüber** sie einen Aufsatz schreiben sollten. Dann lasen sie eine Erzählung, über **deren** Inhalt der Lehrer nachher Fragen stellte. **Wer** nicht aufmerksam zuhörte, mußte das Gedicht auswendig lernen.

Sprichwörter

Wer zuletzt lacht, lacht am besten.
Es ist nicht alles Gold, was glänzt.
Sage mir, mit wem du gehst,
so will ich dir sagen, wer du bist.

Der Erlkönig

Wer reitet so spät durch Nacht und Wind?
Es ist der Vater mit seinem Kind;
Er hat den Knaben wohl in dem Arm,
Er faßt ihn sicher, er hält ihn warm.

Dies ist der erste Vers von Goethes Gedicht „Der Erlkönig."

VOCABULARY

eine Frage stellen ask a question
recht gut very well
alles mögliche everything possible
worin' in which *or* what
wovon' of which *or* what
womit' with which *or* what
worü'ber about which *or* what
was wird gespielt? what is being given?

der Aufsatz ⁼e composition	**beschließen beschloß beschlossen** decide
der Erlkönig erl king	
der Gast ⁼e guest	**glänzen** glitter
der Inhalt contents	**hin-gehen ging hin ist hingegangen** go there
der Unterricht instruction, lessons	
der Vers –e stanza	**mit-gehen ging mit ist mitgegangen** go along

die **Kenntnis** –se knowledge
die **Vorlesung** –en lecture

das **Drama Dramen** drama
das **Gedicht** –e poem
das **Stück** –e piece, play

**annehmen nahm an angenommen
er nimmt an** accept

schneiden schnitt geschnitten cut
vergleichen verglich verglichen
compare
**vor-lesen las vor vorgelesen er
liest vor** read aloud

nachher afterwards
versammelt assembled

CONVERSATION

Ich muß einkaufen.	**I must shop.**

1. Guten Morgen, Karl. Was gibt's Neues?

2. Nichts Besonders. Ich muß in die Stadt.

3. Gut! Fahren Sie mit mir. Mein Auto steht gleich um die Ecke.

4. Danke, das ist sehr freundlich von Ihnen.

5. *Im Warenhaus:* —Verzeihung, wo finde ich hier die Herrenabteilung?

6. Im zweiten Stock. Der Aufzug ist gleich gegenüber.

7. Womit kann ich dienen? Sie wünschen?

8. Ich möchte mir Hemden und Krawatten ansehen.

9. Dann muß ich mir auch ein Dutzend Taschentücher und zwei Paar Socken kaufen.

10. Das finden Sie alles hier in guter Auswahl.

1. Good morning, Karl. What's new?

2. Nothing special. I must go downtown.

3. Good. Ride with me. My car is right around the corner.

4. Thanks, that is very kind of you.

5. *At the department store:* — Pardon me, where do I find the men's department?

6. On the third floor. The elevator is right there.

7. What can I do for you? What would you like? (What do you wish?)

8. I should like to look at shirts and ties.

9. Then I also have to buy a dozen handkerchiefs and two pairs of socks.

10. You will find a good selection of those here.

LESESTÜCK

Einkaufen

das Einkaufen *shopping*

Paul Keller und seine Frau sitzen beim
Frühstück. Sie lesen die Zeitung. Frau
Keller liest natürlich die Anzeigen. Da fällt
ihr Auge auf die Anzeige eines Waren-
5 hauses: „Großer Ausverkauf bei Altmann
und Sohn! Leinene Taschentücher, 15
Mark das Dutzend." „Das ist ja sehr billig," sagt sie zu ihrem Mann. „Da kaufe
ich dir ein halbes Dutzend. Die brauchst
10 du sehr." Paul findet es lieb, daß seine
Frau an ihn denkt.

der Ausverkauf *sale*

leinen *linen*

billig *cheap*

der Mann *husband*

die ... sehr *you need them very much*

lieb *dear, sweet*

Mit dem Omnibus fährt Frau Keller
in die Stadt zum großen, modernen Warenhaus von Altmann und Sohn.

15   *Im Warenhaus*

Frau K.: „Bitte, Fräulein, wie komme
ich zur Weißwarenabteilung?"

Die Verkäuferin: „Nehmen Sie den
Fahrstuhl da drüben zum dritten Stock,
20 oder möchten Sie lieber die Rolltreppe benutzen?"

die Weißwarenabteilung *linen department*

die Verkäuferin *saleswoman*

die Rolltreppe *escalator* benutzen *use, take*

Frau K.: „Danke, ich finde die Rolltreppe bequemer."

In der Weißwarenabteilung

25   Frau K.: „Bitte, Fräulein, ich möchte
mir Tischtücher, Bettücher und Handtücher ansehen." Sie kauft zwei leinene
Tischtücher und ein halbes Dutzend große
Handtücher.

das Tischtuch *tablecloth* das Bettuch *sheet* das Handtuch *towel*

30   *In der Schuhabteilung*

Verkäufer: „Guten Tag! Womit kann
ich dienen?"

die Schuhabteilung *shoe department*

der Verkäufer *salesman, clerk*

Frau K.: „Ich möchte ein Paar
schwarze Halbschuhe, aber sie dürfen nicht
35 zu teuer sein."

der Halbschuh *low shoe*

Verkäufer: „Nehmen Sie Platz, bitte.
Welche Größe haben Sie?"

nehmen Sie Platz *have a seat*

die Größe *size*

Frau K.: ,,Ich trage immer amerikanische Schuhe, Größe 5A.''

Sie probiert vier Paar an. Das erste ist viel zu eng, das zweite ein wenig zu kurz, 5 das dritte zu weit, das vierte paßt.

Frau K.: ,,Dieser Schuh paßt ausgezeichnet. Was kostet das Paar?''

Verkäufer: ,,Jetzt im Ausverkauf ist der Preis vierzig Mark.''

10 Frau K.: ,,Gut, schicken Sie die Schuhe so bald wie möglich an meine Adresse.''

Beim Friseur läßt sich Frau Keller das Haar schneiden, waschen und Dauerwellen machen. Das dauert ziemlich lange, denn 15 sie muß zwei Stunden unter dem Trockenapparat sitzen. Davon bekommt sie Kopfschmerzen, und sie geht in eine Drogerie, um sich Aspirin zu kaufen. Hier trifft sie mit ihrer amerikanischen Freundin, Frau 20 Wilson, zusammen, die in die Drogerie gekommen war, um eine Tasse Kaffee zu trinken. Sie ist erstaunt über den Unterschied zwischen einer deutschen Drogerie und einem amerikanischen *drugstore*, und 25 sagt zu ihrer Freundin: ,,Bei uns in Amerika kann man in einem *drugstore* beinahe alles finden, was man braucht: Schreibwaren, Zeitschriften, Bücher, Spielzeug und elektrische Geräte; auch Tabak, Zigarren 30 und Zigaretten, allerlei Süßigkeiten, Eis und Getränke aller Art. Zu jeder Zeit des Tages kann man da zu essen und zu trinken bekommen. Natürlich kann man auch allerlei Arzneien kaufen und Rezepte an35 fertigen lassen. Aber in einer deutschen Drogerie verkauft man, wie ich sehe, nur Drogen und Toilettenartikel.''

,,Ja,'' sagt Frau Keller, ,,da haben Sie recht. Wer am Nachmittag essen will, der 40 geht in eine Konditorei oder in ein Café. Ich schlage vor, wir gehen in die Konditorei

---

tragen *wear*

an-probie'ren *try on*

passen *fit*

der Preis *price*

die Adres'se *address*
der Friseur' *barber, hairdresser*
Dauerwellen *permanent wave*
dauert *takes time*
der Trockenapparat' *drier*
die Kopfschmerzen (pl.) *headache*
die Drogerie' *drug store*
zusammen-treffen *meet*

der Unterschied *difference*

die Schreibwaren (pl.) *stationery*
die Zeitschrift *magazine, periodical*   das Spielzeug *toy*
elektrische Geräte   *electrical appliances*   der Tabak *tobacco*

das Getränk *drink*   aller Art *of all kinds*

die Arznei' *medicine*   das Rezept' *prescription*   anfertigen *fill, prepare*

Drogen *drugs*   Toilet'tenarti'kel *toilet articles*

die Konditorei' *pastry shop*

da drüben, trinken eine Tasse Kaffee und
essen ein Stück Apfelkuchen oder Torte."

der Apfelkuchen *apple cake*
die Torte *cake, tart*

Nachdem sie Kaffee getrunken und
Kuchen gegessen haben, kauft Frau Keller
5 einen Käsekuchen für ihren Mann. Dann
eilt sie nach Hause. An der Tür begegnet
sie ihrem Manne.

begegnen *meet*

Paul: „Was fehlt dir denn, liebe Frau,
du siehst ja so blaß und müde aus."

10 Frau K.: „Ja, ich bin sehr müde, den
ganzen Tag war ich auf den Beinen. Im
Warenhaus mußte ich von einem Stock in
den anderen, aus einer Abteilung in die
andere. Nichts macht einen so müde wie
15 das Einkaufen."

auf den Beinen *on my feet*

die Abteilung *department*

der Einkauf *purchase*

Beim Abendessen erzählt sie von ihrer
Freundin in der Drogerie und von ihren
vielen Einkäufen.

„Und meine Taschentücher?" fragt
20 Paul.

„Ach, lieber Paul, die Taschentücher
habe ich leider ganz vergessen."

EXERCISES — SERIES B

I. Questions:

1. Wo sitzen Paul Keller und seine Frau? 2. Was liest Frau Keller
natürlich? 3. Worauf fällt ihr Auge? 4. Wem wollte sie Taschentücher
kaufen? 5. Womit fährt sie in die Stadt? 6. Was fragt sie die Verkäuferin im Warenhaus? 7. Wie kommt man zum dritten Stock?
8. Sieht man in jedem Warenhaus eine Rolltreppe? 9. Was für Schuhe
trägt Frau Keller immer? 10. Welches Paar Schuhe paßt am besten?
11. Wohin geht man in Deutschland, wenn man am Nachmittag essen
will? 12. Für wen kauft Frau Keller einen Käsekuchen? 13. Wem
begegnet sie an der Tür? 14. Hat Frau Keller alles gekauft, was sie
kaufen wollte? 15. Was hatte sie vergessen?

II. Supply the missing relative pronouns:

1. Sind das die Damen, — ich helfen soll? 2. Bitte, zeigen Sie mir
das Beste, — Sie haben. 3. Ist das alles, — Sie haben? 4. Der Herr,

— die Schuhe verkauft, ist Amerikaner. 5. Es war ihr Mann, — sie an der Tür begegnete.

III. Read the following with 1) **der,** 2) **welcher,** 3) **wo(r)–:**

1. Ist das die Zeitung, in — die Anzeige steht? 2. Hier kommt der Omnibus, mit — ich fahre. 3. Wo ist die Rolltreppe, mit — ich zum dritten Stock komme? 4. Das war der Ausverkauf, von — alle sprachen. 5. Hier kommt der Zug, auf — wir warten.

IV. Find the antonyms of the following words and use them in sentences:

1. anfangen, 2. lernen, 3. lachen, 4. leben, 5. der erste, 6. gab, 7. gelernt, 8. kam, 9. fortgehen, 10. die Krankheit, 11. sterben, 12. nahm, 13. ging, 14. vergessen, 15. die Gesundheit, 16. weinen, 17. zurückkommen, 18. aufhören, 19. der letzte, 20. vergessen.

V. Many feminine nouns are formed by adding **–ung** to verb stems, for example: **wohnen** *dwell,* **die Wohnung** *dwelling.* Form nouns from the following verbs:

bemerken *remark*	einladen *invite*
bewegen *move*	öffnen *open*
erzählen *tell*	wohnen *dwell*

N.B. hoffen *hope,* die Hoffnung

VI. Study the word group:

sprechen   sprach   gesprochen

aussprechen *pronounce*	die Aussprache *pronunciation*
besprechen *discuss*	die Besprechung *discussion*
versprechen *promise*	das Versprechen *promise*
das Gespräch *conversation*	die Sprache *language*
das Sprichwort *proverb*	der Spruch *saying*

VII. Translate:

1. Where are you going and with whom? 2. Who are the friends who are going with you? 3. Are they the students with whom you went to the city? 4. Yes, they are the two young men whose mother has invited us. 5. This is the German student of whom we were speaking. 6. And that is my good friend whose parents I visited last week. 7. Whose parents did you visit? Whom did you see there? 8. Have you read the little book I gave you? 9. It is a drama in which the

poet tells a long, sad story. 10. Is that the story of which you told me? 11. Please tell us all you know about it. 12. Whoever wants to know what is in the drama must read it. 13. What are you thinking of, and what are you waiting for? 14. Whom are you thinking of, and whom are you waiting for? 15. He who laughs last, laughs best. — a. This is the best book I have. b. This is the house in which they live. c. Of whom are you speaking? d. Who is the boy whose book you have? e. That which is old is not new. f. That is all I know.

17

SIEBZEHNTE AUFGABE _____

Ich kann nicht mit nach Potsdam

Als Paul am nächsten Morgen aufstand, **regnete es** heftig. **Darüber** war er enttäuscht, denn **das** war kein schönes Wetter für einen Ausflug. Aber er nahm seinen Regenschirm und ging **damit** auf die Straße. Er wollte Karl abholen. Der aber fühlte sich nicht

5 wohl. „**Es tut mir leid,**" sagte er, „ich kann leider nicht mit." „**Was fehlt dir** denn?" „Ach, ich fühle mich nicht wohl, ich habe mich erkältet." „Das **ist** aber **schade.** Bleibe ruhig im Bett, dann **geht es dir** vielleicht morgen besser."

Als sie sich trennten, wünschte Paul seinem Freunde gute

10 Besserung, und **dieser** wünschte ihm viel Vergnügen. Dann ging Paul schnell auf den Bahnhof. Dort warteten die Freunde auf ihn. „**Es freut uns,** daß Sie endlich da sind," rief einer der Freunde. „Wir müssen eilen. Der Zug fährt gleich ab." „Ja," antwortete er auf Pauls Frage, „die Fahrkarten haben wir schon besorgt." **Es ge-**

15 **lang ihnen,** ein leeres Abteil zu finden, und kaum saßen sie **darin,** als der Zug sich schon in Bewegung setzte. „Hier steht das Wort — Raucher — was heißt das?" fragte Paul. „**Es gibt** Abteile für Raucher und für Nichtraucher," erklärte man ihm, „in **jenen** darf man rauchen, in **diesen** aber nicht."

20 Bald kamen sie in der Stadt Potsdam an. Über **deren** Geschichte hatten sie auf der kurzen Fahrt gesprochen. Nun wollten sie sich die Stadt ansehen.

Der Regen hatte inzwischen aufgehört, **es blitzte** und **donnerte** noch in der Ferne, aber der Himmel war klar; die Sonne schien

25 freundlich und versprach einen schönen Tag.

[**180**]

Alt-Potsdam *Landesbildstelle Württemberg*

Potsdam: Im Schloß Sanssouci *Landesbildstelle Württemberg*

GRAMMAR _____

Personal and Demonstrative Pronouns; Impersonal Verbs.

1. Genitive of Personal Pronouns.

The genitive of the personal pronouns is not frequent. It is used with adjectives and verbs which govern the genitive case:

> ich bin **seiner müde** *I am tired of him*
> er **erinnert sich meiner, ihrer** *he remembers me, her* (*them*)
> er **schämt sich unser** *he is ashamed of us*

2. Contractions.

The personal pronoun referring to an inanimate object is not used after a preposition; in its stead **da(r)–** is contracted with the preposition: **damit** *with it*, **darin** *in it*, **davon** *of it:*

> Sprach er von der Reise?   Ja, er sprach **davon.**
> Sind Blumen im Garten?   Ja, es sind Blumen **darin.**

3. Word Order of Personal Pronouns.

Of two pronoun objects the direct usually precedes the indirect:

> Er sagt **es mir;** ich bringe **sie ihr.**

The contraction of **es** is frequently used after **mir, dir, sich:**

> Er hat **mir's** gesagt; ich kaufe **dir's.**

4. Declension of Demonstrative Pronouns.

The demonstrative pronouns **der, die, das** are declined like the relative pronouns (see p. 318). In the genitive plural followed by a relative clause **derer** is used:

> Die Bücher **derer,** die Deutsch lernen.

Derselbe *the same* and **derjenige** *that* (*one*) decline both parts, the first like the definite article and the second like a weak adjective:

> derselbe   derjenige
> desselben   desjenigen
> etc.   etc.

5. Personal Pronoun es.

The pronoun **es** often introduces a sentence with the real subject following the verb:

> Es kommt jemand; es kamen zwei Freunde.

6. Impersonal Verbs.

Impersonal verbs are used only in the third person singular with **es** as subject:

> Es regnet. *It is raining.*
> Es schneit. *It is snowing.*
> Es donnert. *It is thundering.*

Many impersonals are followed by an object in the dative or accusative:

> Es geht mir gut. *I am well.*
> Es tut mir leid. *I am sorry.*
> Es gelingt mir. *I succeed.*

7. *Es gibt, es ist* (there is), *es sind* (there are).

Es gibt denotes existence in general, is always singular and takes the accusative. **Es ist, es sind** refer to definite persons or things and agree in number with the subject which follows:

> Es gibt viele gute Bücher.
> *There are many good books.*
>
> Es sind drei Bücher auf dem Tisch.
> *There are three books on the table.*

EXERCISES — SERIES A

I. Read the following sentences in the present, past, and perfect tenses, in all persons:

1. Es freut mich. 2. Mir geht es gut. 3. Es gelingt mir nicht. 4. Es tut mir leid. 5. Es hungert mich. 6. Was fehlt mir?

II. Read the following sentences in the past, perfect, and future tenses:

1. Es regnet heute nicht. 2. Es blitzt manchmal. 3. Es gibt allerlei Menschen. 4. Im Winter schneit es. 5. Es tut mir leid. 6. Es gelingt ihm, das Buch zu finden.

III. Substitute personal pronouns for the nouns. EXAMPLE: Der Schüler lernt die Aufgabe. **Er** lernt **sie.**

1. Der Lehrer fragt die Schüler. 2. Die Tochter geht mit der Mutter. 3. Der Junge ruft den Hund. 4. Der Hund spielt mit der

Katze. 5. Sie kauft der Schwester das Kleid. 6. Der Brief ist von dem Freunde. 7. Die Jungen sind bei den Freunden. 8. Ich schreibe Briefe an die Kinder. 9. Bringen Sie der Mutter das Buch! 10. Paul erinnert sich an den Freund.

IV. Form sentences with pronouns and **da**(r)-forms. EXAMPLE: Buch — auf dem Tische: Es liegt **darauf.** Mit der Feder — schreiben: Der Junge schreibt **damit.**

1. An der Wand — Bilder. 2. Blumen — in dem Garten. 3. An dem Tisch — sitzen. 4. In der Zeitung — lesen. 5. Auf den Zug — warten. 6. Vogel — auf dem Nest. 7. Mit dem Messer — schneiden. 8. In dem Wagen — fahren. 9. Von dem Brot — essen. 10. Aus dem Glas — trinken.

V. Answer in complete sentences:

1. Wie war das Wetter am Morgen? 2. Wie ist der Himmel, wenn es regnet? 3. Warum war Paul enttäuscht? 4. Was nahm Paul mit auf die Straße? 5. Warum konnte Karl nicht mit? 6. Was wünschte Karl seinem Freunde? 7. Wohin ging Paul dann? 8. Wer wartete auf ihn? 9. Was hatten die Freunde besorgt? 10. In was für einem Abteil saßen sie? 11. Wovon haben sie auf der Fahrt gesprochen? 12. Wann hatte es angefangen zu regnen? 13. Regnete es noch, als sie ausstiegen? 14. Was für einen Tag versprach die Sonne?

ALLERLEI _____

Ein Gespräch

Es klopft. Es ist ein Freund. **„Es freut mich,** Sie zu sehen. Wie **geht es** Ihnen? Wie **geht es Ihrer Mutter?"** „Danke, **es geht ihr** besser." „Wie **gefällt** Ihnen dieses Bild? Das habe ich für Karl gekauft." „Geben Sie **mir's,** ich will **es ihm** bringen. Sie wissen doch, daß er sich nicht wohl fühlt." „Das **tut mir** sehr **leid. Was fehlt ihm** denn?" „Dasselbe, **was ihm** so oft **fehlt,** nur eine leichte Erkältung, aber **es ärgert ihn,** daß er zu Hause bleiben muß."

Hören Sie!

Diejenigen, die nicht studieren, lernen auch nicht. Der Lehrer hilft **denen,** die fleißig sind, denn er ist ein Freund **derer,** die lernen wollen, aber er ist streng gegen **diejenigen,** die nicht arbeiten wollen.

Mich hungert, das heißt ich bin hungrig; d.h. ich habe Hunger.

Mich dürstet, das heißt ich bin durstig; d.h. ich habe Durst.

1. **Messer:** Was tut man damit? Man schneidet damit.
2. **Aufgabe:** Denken Sie nicht daran! Ich muß immer daran denken.
3. **Gold:** Was macht man daraus? Man macht Ringe daraus.
4. **Tasche:** Ist das Geld darin? Es ist nichts darin.
5. **Tat:** Was wissen Sie davon? Ich weiß nichts davon.
6. **Vorschlag:** Was sagen Sie dazu? Was soll ich dazu sagen?

Irland

Mit Recht nennt man Irland die grüne Insel, denn es regnet da so viel, daß alles grün ist. Einmal hatte es drei Tage nacheinander geregnet. Da fragte ein Reisender: „Regnet's hier denn immer?" „O nein," war die Antwort, „im Winter schneit's manchmal."

Sprichwörter

Was man will, das kann man auch.

Wer einmal lügt, dem glaubt man nicht,
Und wenn er auch die Wahrheit spricht.

VOCABULARY

es gefällt mir I like it
ich fühle mich nicht wohl I am not feeling well
das ist schade that is too bad
es freut uns we are glad
mit Recht rightly, justly so
es gelang ihnen they succeeded
der Zug setzte sich in Bewegung the train began to move
es hungert mich I am hungry
mich dürstet I am thirsty

der **Durst** thirst
der **Regen** rain
der **Regenschirm** −e umbrella
der **Reisende** −n −n (**ein Reisender**) traveler

sich **erinnern** (**an**) remember
sich **erkälten** catch cold
gelingen gelang ist gelungen succeed
heißen hieß geheißen mean

die **Besserung** recovery
die **Erkältung** –en cold
die **Ferne** distance
die **Geschichte** –n history
die **Insel** –n island
die **Tat** –en deed

ab-fahren fuhr ab ist abgefahren er fährt ab leave, depart
ab-holen call for, meet
ärgern vex, irritate
besorgen attend to
bitten bat gebeten ask, request, beg
blitzen lighten, flash
bringen brachte gebracht take, bring
donnern thunder

hungern be hungry
lügen log gelogen lie
malen paint
sich schämen be ashamed
sich trennen separate

darü'ber over that
dieser the latter
enttäuscht disappointed
gleich immediately
heftig violent
inzwischen in the meantime, meanwhile
jener the former
nacheinander one after the other
streng severe
wenn . . . auch even if

CONVERSATION

Die Dame kauft Handschuhe.

1. Guten Tag, gnädige Frau, Sie wünschen?
2. Ich möchte ein Paar Handschuhe.
3. Welche Nummer, bitte, und welche Farbe?
4. Nummer sechseinhalb oder -dreiviertel, braun.
5. Wie gefallen Ihnen diese aus Schweinsleder?
6. Können Sie die empfehlen? Sie passen recht gut.
7. Jawohl, sie sind modern und elegant und kosten nur 8 Mark 50. Sonst noch etwas?
8. Wo finde ich Taschentücher und Handtücher?
9. Taschentücher? Die finden Sie im ersten Stock. Nehmen Sie den Aufzug hier rechts.
10. Danke, ich nehme lieber die Rolltreppe.

The lady buys gloves.

1. How do you do, madam, what would you like?
2. I should like a pair of gloves.
3. Which size, please, and which color?
4. Size six and a half or three quarters, brown.
5. How do you like these made of pigskin?
6. Can you recommend them? They fit very well.
7. Yes indeed, they are new and smart, and cost only 8 marks 50. Anything else?
8. Where do I find handkerchiefs and towels?
9. Handkerchiefs? You will find those on the second floor. Take the elevator here on your right.
10. Thanks, I prefer to take the escalator.

LESESTÜCK _____

Der fahrende Schüler
aus dem Paradies

fahrend *wandering, traveling*

das Paradies *paradise*

Es gibt heute viele Studenten, die ehrlich und fleißig studieren. Es gibt deren auch manche, die nicht immer ehrlich sind. Das ist aber nichts Neues, denn solche hat
5 es schon immer gegeben.

Es war einmal ein solcher Student, der kam eines Tages durch ein kleines Dorf. Er hatte kein Geld, und er hatte Hunger, denn er hatte seit dem frühen Morgen
10 nichts gegessen. Da sah er im Dorfe ein schönes, großes Haus. Darin wohnte ein reicher Bauer mit seiner Frau.

„Das ist ein stattliches Haus, das gefällt mir," sagte er zu sich selbst, „darin
15 müssen reiche Leute wohnen. Die werden mir vielleicht etwas zu essen geben."

zu sich selbst *to himself*

Er klopfte, und die Frau des Bauers, — er selbst war gerade nicht zu Hause — kam an die Tür. „Wollen Sie mir, bitte,
20 etwas zu essen geben?" bat er.

„Gehen Sie, bitte, um das Haus in den Garten," sprach die Frau, „und ich werde Ihnen sogleich etwas bringen."

Der hungrige Student ging in den Gar-
25 ten. In der Mitte desselben stand ein großer Apfelbaum. Darunter war eine Bank; darauf setzte er sich.

Bald kam die Frau mit Brot und Milch und setzte sich neben ihn. Während er aß,
30 erzählte der Student dies und das von seinen Reisen.

Endlich fragte die Frau: „Wer sind Sie denn, und wo kommen Sie her?"

wo kommen Sie her? *where do you come from?*

„Ich bin ein armer fahrender Student
35 und komme eben von Paris," antwortete

er. Die gute Frau, deren erster Mann vor
einem Jahre gestorben war, hatte noch nie
von Paris gehört und verstand Paradies.

　　„Dann kennen Sie vielleicht meinen
5 ersten Mann? Wie geht es ihm im Paradies?"

　　Und was sagte unser ehrlicher Student
dazu? Er antwortete darauf: „Meine liebe
Frau, es tut mir sehr leid, aber es ist eine
10 traurige Geschichte. Ihrem Manne geht es
schlecht, sehr schlecht. Er hat nicht genug
Kleider, und es friert ihn. Es hungert ihn
auch, denn er hat nicht genug zu essen.
Andere Frauen haben besser für ihre Män-
15 ner gesorgt, und die sind im Paradies glücklich und zufrieden."

　　Da war die gute Frau sehr traurig. Sie
weinte und sprach: „Es tut mir leid, daß
es meinem armen Manne so schlecht geht.
20 Jetzt werde ich immer daran denken müssen, daß er keine Kleider und kein Geld
hat."

　　„Liebe Frau, seien Sie doch nicht so
traurig," sagte der Student. „Wenn Sie es
25 wünschen, werde ich wieder ins Paradies
gehen. Geben Sie mir die Kleider Ihres
zweiten Mannes, und soviel Geld, wie Sie
im Hause haben, und ich werde dasselbe
Ihrem armen Manne bringen."

30 　　Dann lief die Frau schnell ins Haus,
nahm die besten Kleider ihres Mannes und
machte ein Bündel daraus. Dann holte sie
all das Geld, das sie im Hause versteckt
hatte, und kam damit zum Studenten.

35 　　„O wie freut es mich, daß ich meinem
armen Manne helfen kann. Bringen Sie
ihm diese Kleider und das Geld," sprach
sie zu dem Studenten. Dieser, der ungeduldig darauf gewartet hatte, nahm das Bün-

---

vor einem Jahre *a year ago*

noch nie *never before*

verstand (verstehen) *understood*

die Kleider *clothes*　　es friert
ihn *he freezes, he is cold*

seien Sie nicht *don't be so*

soviel Geld, wie *as much money
as*

das Bündel *bundle*

del und das Geld und machte sich so schnell
wie möglich auf den Weg.

Als der Bauer am Abend nach Hause
kam, erzählte ihm die Frau alles, was ge-
5 schehen war. Er war natürlich sehr zornig,
aber er sagte nur: „Du hast ihm nicht
genug gegeben. Ich will ihm auch Geld geben. Dafür soll dein erster Mann sich etwas
Gutes kaufen." Er holte sein Pferd und ritt
10 sogleich davon.

Der Student ging eben durch einen
Wald, da hörte er das Pferd hinter sich.
Schnell versteckte er das Bündel hinter   versteckte *hid*
einen Baum und legte sich ins Gras am
15 Wege.

Der Bauer kam und rief: „Haben Sie
nicht einen fahrenden Studenten mit einem
Bündel gesehen?" „Jawohl," antwortete
jener, „vor fünf Minuten ist er dort in den   vor fünf Minuten *five minutes*
20 Wald gelaufen."   *ago*

Der Bauer stieg ab und band sein
Pferd an einen Baum. Dann bat er den
jungen Mann, bei dem Pferde zu bleiben,
und lief schnell in den Wald. Sobald der
25 Bauer darin verschwunden war, nahm der
Student das Bündel, setzte sich aufs Pferd
und ritt schnell davon.   ritt (reiten) davon *rode away*

Als der Bauer aus dem Walde kam,
fand er weder das Pferd noch den jungen   weder ... noch *neither ... nor*
30 Mann. Da wurde ihm plötzlich alles klar.
„Nun weiß ich, wo mein Pferd ist," sprach
er, „und ich weiß auch, wer darauf reitet."

Zu seiner Frau aber sagte er: „Ich habe
den fahrenden Studenten gesehen. Ich habe
35 ihm das Geld gegeben und auch mein
Pferd. Darauf kommt er schneller ins
Paradies."

(nach Hans Sachs)

EXERCISES — SERIES B

I. Questions:

1. Warum war der Student hungrig? 2. Was sagte er von dem Hause des Bauers? 3. Wo stand der große Apfelbaum? 4. Was erzählte der Student? 5. Wovon hatte die Frau noch nie gehört? 6. Wann war ihr erster Mann gestorben? 7. Warum friert es ihn jetzt? 8. Was tut der guten Frau leid? 9. Was machte die Frau aus den Kleidern ihres Mannes? 10. Wieviel Geld holte sie im Hause? 11. Warum war die Frau jetzt froh? 12. Was erzählte sie dem Bauer am Abend? 13. Was wollte er dem Studenten geben? 14. Was machte der Student mit dem Pferde? 15. Was wurde dem Bauer klar, als er aus dem Walde kam?

II. Read the following impersonal verbs with personal pronouns in the first and third persons, singular and plural, present and past tense:

1. es gefällt —. 2. es hungert —. 3. es freut —. 4. es geht — gut. 5. es tut — leid. 6. es gelingt —.

III. True and false:

1. Das Haus des Bauers gefiel dem Studenten. 2. Als er klopfte, kam der Bauer an die Tür. 3. Der Student kam aus dem Paradies. 4. Es tat der Frau leid, daß ihr erster Mann kein Geld hatte. 5. Es freute sie, daß sie ihm helfen konnte. 6. Der Student wollte der armen Frau helfen. 7. Er versprach, dem Manne die Kleider zu bringen. 8. Der Bauer wollte dem ersten Mann auch Geld schicken. 9. Es gelang ihm, den Studenten zu finden. 10. Es gibt auch fleißige Studenten.

IV. Use in sentences:

1. es gibt, 2. noch nie, 3. denken an, 4. warten auf, 5. sobald.

V. Nouns denoting agent are formed by adding the suffix –**er** to verb stems. Form nouns from the following verbs:

1. arbeiten, 2. erzählen, 3. finden, 4. fischen, 5. führen, 6. lehren, 7. malen, 8. reiten, 9. träumen, 10. wandern.

VI. Read the story on p. 187 ff. in the present tense.

VII. Study the word group:

ein *one*

einander *one another*

einfach *simple*

die Einfachheit *simplicity*

einmal *once*

einsam *lonely*

die Einsamkeit *loneliness*

einzig *single, only*

VIII. Translate:

1. An old friend comes to visit me. 2. There is a knock. I open the door and see my good friend Paul. 3. Good morning. I am glad to see you. Come in. 4. How are you, and how is your mother this morning? 5. I am well, but my mother is not feeling well. 6. That is too bad; what is the matter with her? 7. She caught a cold yesterday and has to stay in bed. 8. She is very sorry that she could not come with me. 9. Perhaps she will be better tomorrow; then we can take a walk. 10. How do you like the book I gave you? 11. I don't like it. There is nothing in it. 12. There are many words in it which I cannot understand. 13. I am hungry. What do you say to that? 14. I always give those who are hungry something to eat. 15. There are people who are always hungry, are there not? — a. Is it raining or snowing today? b. Do not think of it. c. What have you done with it? d. I am sorry to hear that. e. There are all kinds of books in the library. f. Those who will not study will not learn.

Potsdam: Das berühmte Schloß Sanssouci

Landesbildstelle Württemberg

ACHTZEHNTE AUFGABE **18**

Potsdam

Hier befanden wir uns in einer Stadt, die reich an Erinnerungen ist. Lesen wir die Geschichte Deutschlands, so finden wir oft den Namen Potsdam.

Vor vielen Jahren hat der große Kurfürst das Stadtschloß ge-
5 baut, in welches wir nun eintraten. Während wir durch die pracht-
vollen Räume des großen Gebäudes gingen, erklärte uns der Führer alles und erzählte allerlei Interessantes aus der Geschichte der Könige, die hier gewohnt hatten.

Wir blieben so lange in dem Schloß, bis uns der Hunger daran erinnerte, daß es Mittag war. Dann gingen wir in ein Restaurant, wo wir ein gutes Mittagessen bestellten.

Nachdem wir eine Weile geruht hatten, gingen wir weiter, an der alten Kirche vorbei, wo der beliebte König, Friedrich der Große, 5 nach seinem Tode begraben wurde. Diese Kirche wollen wir später einmal besuchen, wenn wir mehr Zeit haben. Dann kamen wir zu einem schönen Park und stiegen die breiten grünen Terrassen hinauf zum berühmten kleinen Schloß Sanssouci (ohne Sorge), wo Friedrich der Große so lange gewohnt hat. 10

Fast den ganzen Nachmittag blieben wir in dem Schlosse, worin alles noch genau so ist, wie zur Zeit des großen Königs. Endlich aber hatten wir genug gesehen, und da es schon spät war, machten wir uns auf den Weg nach Hause.

Potsdam: Stadtschloß   *Landesbildstelle Württemberg*

GRAMMAR _____
Word Order.

1. Normal Word Order.

The *Normal Order* is used in direct statements. The subject comes first, then the verb:

> Der Mann geht in die Stadt.

In a compound tense, the infinitive or the perfect participle comes last:

> Er wird heute nicht kommen.
> Er hat das Buch nicht gelesen.

An infinitive with **zu** is placed at the end of the sentence:

> Ich fange an, das Buch zu lesen.

2. Inverted Word Order.

The *Inverted Order* is used
1) In questions:

> Kommt er heute?

2) When the sentence is introduced by some element other than the subject:

> In der Schule lernen wir. (See p. 120, **4**.)

3) In the conditional clause, if **wenn** is omitted:

> Kommt er nicht bald, so gehe ich nach Hause.
> *If he does not come soon, I am going home.*

The independent clause has either the normal or the inverted order.

> Ich gehe sofort nach Hause, wenn er nicht bald kommt.
> Sofort gehe ich nach Hause, wenn er nicht bald kommt.

3. Dependent Word Order.

The *Dependent Order* is used in all dependent clauses, those introduced by a relative pronoun or a subordinating conjunction, and in indirect questions:

> Er fragte, wo wir jetzt wohnen. (See p. 132, **3**.)

4. Position of Direct and Indirect Objects.

The indirect object precedes the direct except when the direct object is a personal pronoun:

> Ich gebe dem Kinde ein Buch.
> Ich gebe es dem Kinde.
> Ich gebe es ihm.

5. Position of Separable Prefixes and Predicate Adjectives.

Separable prefixes and predicate adjectives come last:

> Er steht nicht sofort auf.
> Es ist heute kalt.

6. Position of Adverbs.

Adverbs of time usually precede objects except pronouns:

> Ich habe gestern dem Mann einen Brief geschrieben.
> Ich habe ihm gestern einen Brief geschrieben.
> *I wrote the man (him) a letter yesterday.*

Adverbs and adverbial phrases stand in the order 1. *time*, 2. *place*, 3. *manner:*

> Wir haben heute hier fleißig gearbeitet.
> *We worked diligently here today.*

In direct statements the subject is never separated from the verb by an adverb:

> Er kommt immer. *He always comes.*

7. Position of *nicht.*

Nicht usually stands at the end of the sentence, except when it negates a word or a phrase, which it precedes. It regularly precedes a perfect participle, infinitive, predicate adjective, predicate noun or predicate phrase:

> Er kommt heute nicht.
> Er kommt nicht heute, sondern morgen.
> Er ist heute nicht in der Stadt gewesen.

EXERCISES — SERIES A _____

I. Read the story in 1) the first person singular, 2) the third person singular, 3) the third person plural.

II. Combine the following sentences with the conjunctions indicated in parentheses. Example: Er bleibt zu Hause. Er ist krank. (**denn**) Er bliebt zu Hause, **denn** er ist krank.

1. Karl bleibt zu Hause. Er hat eine Erkältung. (weil) 2. Wir blieben in dem Schlosse. Wir wurden hungrig. (bis) 3. Sie gingen

durch das Schloß. Der Führer erklärte alles. (während) 4. Er hatte
zu Mittag gegessen. Er ging nach Hause. (nachdem) 5. Wir gingen
nicht in die Kirche. Wir fuhren auf das Land. (sondern)

III. Supply the proper words:

1. — Morgen ist es kühl. 2. Er geht — Fuß. 3. Er sitzt — Tisch.
4. Wohin gehen Sie — Sommer? 5. Er wartet — mich. 6. Gehen Sie
— das Land? 7. — Winter ist es kalt. 8. Wir gehen — Hause. 9. Er
kommt — vier Uhr. 10. Wir essen — Hause. 11. Wohnen Sie — dem
Lande? 12. Er fühlt — wohl.

IV. Form sentences with the following groups of words. EXAMPLE:
alt — Bruder, Schwester; Vater, Großvater: Der Bruder ist **so alt wie** die
Schwester. Der Vater ist **älter als** die Schwester. Der Großvater ist **am
ältesten.**

1. jung — Mutter, Vater; Sohn, Tochter. 2. lang — Tag, Nacht;
Woche, Jahr. 3. hoch — Baum, Haus; Turm, Berg. 4. klein — Hund,
Katze; Vogel, Maus. 5. müde — ich, du; er, ihr. 6. fleißig — Junge,
Mädchen; Onkel, Tante.

V. Answer in complete sentences:

1. In welcher Stadt befindet sich Paul? 2. Woran ist die Stadt
reich? 3. Wie alt ist das Stadtschloß? 4. Was erzählte der Führer?
5. Wer hatte in diesem Schlosse gewohnt? 6. Woran erinnerte sie der
Hunger? 7. Welche Kirche wollen sie später besuchen? 8. Wie heißt
das berühmte kleine Schloß? 9. Wie lange blieben sie in dem Schlosse?
10. Wie ist noch alles darin?

VOCABULARY

reich an rich in
an der alten Kirche vorbei past the old church
später einmal sometime later
zur Zeit at the time

der Führer – guide
der Kurfürst –en –en Elector
der Raum ⸚e room
der Streit –e quarrel

die Erinnerung –en remembrance

die Sorge –n care, worry
die Terras'se –n terrace

das Mittagessen – noon meal, dinner
das Stadtschloß city castle

begraben begrub begraben er begräbt bury
ein-treten trat ein ist eingetreten er tritt ein step in, enter
hinauf-steigen stieg hinauf ist hinaufgestiegen ascend, climb up
vorbei-gehen ging vorbei ist vorbeigegangen go past, pass by

beliebt popular   **schmal** narrow
frei clear   **wenigstens** at least

CONVERSATION

Das Wetter

1. Guten Morgen, Fräulein Binder, es freut mich, Sie wieder einmal zu sehen. Wie geht es Ihnen?

2. O danke, es geht mir jetzt viel besser.

3. Wie gefällt Ihnen das Wetter hier in Deutschland?

4. Recht gut; bei uns ist es um diese Jahreszeit kälter als hier.

5. Was für Wetter haben Sie im April?

6. Im April haben wir oft Gewitter; es regnet (es donnert und blitzt) fast jeden Tag.

7. Welche Jahreszeit haben Sie am liebsten?

8. Den Winter natürlich; dann gibt es Schnee und Eis, und wir können schlittschuh- und skilaufen.

9. Der Frühling dauert in Deutschland länger als in Amerika, nicht wahr?

10. Jawohl, aber es ist doch eine schöne Zeit; dann wird alles wieder frisch und grün.

The weather

1. Good morning, Miss Binder, I am glad to see you once again. How are you?

2. Oh thanks, I am much better now.

3. How do you like the weather here in Germany?

4. Very well; at home it is colder at this season than here.

5. What kind of weather do you have in April?

6. In April we often have storms; it rains (there is thunder and lightning) almost every day.

7. Which season do you like best?

8. Winter, naturally; then there is ice and snow, and we can go skating and skiing.

9. Spring lasts longer in Germany than in America, doesn't it?

10. Yes, but still it is a beautiful time. Then everything turns fresh and green.

Blick von der Burg in Nürnberg   *Landesbildstelle Württemberg*

LESESTÜCK

Alte deutsche Städte

Deutschland hat viele interessante Städte, die sehr alt sind, viel älter als die ältesten Städte in den Vereinigten Staaten. Sie bestanden schon lange vor der Ent-
5 deckung Amerikas. Man denke nur an Köln, das schon tausend Jahre alt war, als man im dreizehnten Jahrhundert den berühmten Dom zu bauen begann. In Nürnberg bestehen die Burg und der Markt
10 schon seit dem Jahre 1050 n. Chr. Auch Frankfurt ist reich an altertümlichen Gebäuden, die schon im zwölften Jahrhundert entstanden, und das alte Braunschweig hat heute noch mehrere hundert Häuser aus
15 dem fünfzehnten und sechzehnten Jahrhundert. In Heidelberg befindet sich die schöne Ruine eines Schlosses aus dem drei-

die Vereinigten Staaten *the United States*
bestanden *existed*   die Entdeckung *discovery*
Man denke . . . Köln *one need only think of Cologne*

das Jahrhundert *century*

die Burg *castle, citadel*

n. Chr. (nach Christo) *A.D.*

altertümlich *ancient, antique*

entstanden *originated*

die Rui'ne *ruins*

Dr. Wolff & Tritschler

zehnten Jahrhundert und eine der ältesten
deutschen Universitäten, die man im Jahre
1386 gegründet hat.

gegründet *founded*

Alle diese Städte sind schon viele hun-
5 dert Jahre alt. Aber wenn man die schönsten mittelalterlichen Städte Deutschlands
sehen will, so muß man Hildesheim und
Rothenburg besuchen. Im lieblichen Hildesheim sieht man mitten in der Stadt den
10 breiten Marktplatz mit dem kunstvollen
Brunnen. Rings um den Marktplatz stehen
schöne altertümliche Häuser mit hohen
Giebeln, steilen Dächern und vorspringen-
den Stockwerken. In vielen dieser alten
15 Häuser ist das erste Stockwerk breiter als
das Erdgeschoß, und das zweite breiter als
das erste. Diese Häuser stehen manchmal
so nahe beieinander, daß die Leute in den
obersten Stockwerken den Nachbarn über
20 der Straße die Hände reichen können.

mittelalterlich *medieval*

der Giebel *gable*   steil *steep*
die Dächer *roofs*   vor-
springend *projecting*

das Erdgeschoß *ground floor*

beieinan'der *together*

Unter den berühmten Kirchen Deutschlands ist der Dom in Hildesheim eine der
berühmtesten. Von diesem Dom erzählt
man folgende wundervolle Sage: Als Kaiser
25 Ludwig der Fromme eines Tages im Jahre
817 auf der Jagd war, verlor er sein sil-
bernes Kreuz, das ihm sehr lieb war und
das er immer bei sich hatte. Er sagte: ,,Wir
müssen das Kreuz suchen, und wo wir es
30 finden, will ich eine Kirche bauen.`` Am
nächsten Morgen fand einer seiner Diener
im tiefsten Schnee einen blühenden Rosenstock, an dessen Zweig das silberne Kreuz
hing. Der dankbare Kaiser rief: ,,Dies ist
35 ein holdes Heim für eine Kirche!`` Diese
Worte sollen der Stadt Hildesheim ihren
Namen gegeben haben. Und der Kaiser
baute den Dom, an dessen Mauer heute
noch der ,,tausendjährige`` Rosenstock
40 wächst und blüht.

wundervoll *wonderful*   die
Sage *legend*
der Fromme *the pious*

die Jagd *hunt, chase*   silbern
silver
das Kreuz *cross*

der Rosenstock *rosebush*

dankbar *grateful*

das Heim *home*   diese Worte
these words

die Mauer *wall*

tausendjährige *thousand-year-
old*

Hildesheim: Marktplatz und Brunnen   *Dr. Wolff & Tritschler*

Rothenburg o.T.   *Landesbildstelle Württemberg*

Rothenburg, das schon im Jahre 804 n. Chr. als Rotinbure bekannt war, ist eine Perle unter den altertümlichen Städten Deutschlands. Die roten Dächer der Häu-
5 ser und Kirchen, die dicken Mauern rings um die Stadt mit ihren vielen Türmen, die engen, krummen Straßen bieten ein schönes altertümliches Bild. Wir treten durch ein altes, graues Tor und folgen einer der engen
10 Gassen. Zu beiden Seiten stehen hübsche Giebelhäuser mit Blumen vor den Fenstern; gemütlich schauen sie uns an. Da geht die kleine Gasse auf einmal um die Ecke, und wir befinden uns auf dem Markt-
15 platz vor dem stattlichen Rathaus, wo der Meistertrunk stattgefunden hat. Es geschah im Dreißigjährigen Krieg, daß der Feind vor den Mauern der Stadt lag. Die Bürger kämpften lange, aber endlich ge-
20 wann der Feind den Sieg und zog in die Stadt ein. Ein kluger Bürger brachte dem General ein mächtiges Glas, das drei Liter

bieten offer

die Gasse narrow street, alley
Giebelhäuser gabled houses

Meistertrunk master drink
  stattgefunden took place
der Dreißigjährige Krieg the
  Thirty Years' War
der Feind enemy

die Bürger citizens kämpften
  fought gewann gained, won
der Sieg victory zog ... ein
  moved in, entered

der General' general

Wein enthielt. Da mußte der General lachen, und er sprach zu den Bürgern: „Wenn einer von euch dieses Glas mit einem Zuge leeren kann, so soll die Stadt 5 frei sein." Da trat der tapfere Bürgermeister vor ihn, nahm das mächtige Glas, setzte es an die Lippen und trank mit einem langen Zuge den Wein bis auf den letzten Tropfen. Nun war die Stadt frei. 10 Seit dem Tage feiert man jedes Jahr in der schönen alten Stadt den Meistertrunk von Rothenburg.

der Wein *wine* enthielt *contained*

mit einem Zuge *in one draught*
leeren *empty*

tapfer *brave* der Bürgermeister *burgomaster*

bis auf den letzten Tropfen *down to the last drop*

EXERCISES — SERIES B

I. Questions:

1. Wie alt war Köln, als man begann, den Dom zu bauen? 2. Wie viele Jahre hat ein Jahrhundert? 3. Wie alt ist der Markt in Nürnberg? 4. Wo findet man eine der ältesten deutschen Universitäten? 5. In welchem Jahr hat man diese Universität gegründet? 6. Was für Häuser stehen in Hildesheim um den Marktplatz? 7. Wie nahe stehen die Häuser beieinander? 8. Wie berühmt ist der Dom von Hildesheim? 9. Wovon erzählt man eine wundervolle Sage? 10. Wer hat das Kreuz gefunden? 11. Wußte der Kaiser, wo er das Kreuz verloren hatte? 12. Was für Dächer haben die Häuser in Rothenburg? 13. Was sagte der General zu den Bürgern? 14. Wie hat der Bürgermeister die Stadt befreit? 15. Der Dreißigjährige Krieg dauerte von 1618 bis 1648; wie viele Jahre sind das?

II. Begin the following sentences with the expressions in parentheses:

1. Man begann den Dom zu bauen (im 13. Jahrhundert). 2. Der Markt besteht (seit dem 2. Jahrhundert). 3. Der Kaiser war auf der Jagd (eines Tages). 4. Sie fanden einen Rosenstock im Schnee (am nächsten Morgen). 5. Die kleine Gasse springt um die Ecke (auf einmal).

III. Connect the following sentences with 1) **weil** and 2) **denn**:

1. Diese Städte sind sehr alt. Sie bestanden schon vor der Entdeckung Amerikas. 2. Die Nachbarn können sich über der Straße die Hände reichen. Die Häuser stehen so nahe beieinander. 3. Der Kaiser

baute den Dom. Sein Diener hat das Kreuz gefunden. 4. Der General mußte lachen. Ein Bürger brachte ihm ein mächtiges Glas. 5. Nun war die Stadt frei. Der Bürgermeister leerte das Glas mit einem Zug.

IV. Find the synonyms of the following words and use them in sentences:

1. sicher, 2. öffnen, 3. still, 4. tun, 5. sogleich, 6. zornig, 7. wieder, 8. plötzlich, 9. begegnen, 10. endlich, 11. auf einmal, 12. sofort, 13. zuletzt, 14. noch einmal, 15. gewiß, 16. aufmachen, 17. treffen, 18. ruhig, 19. böse, 20. machen.

V. Infinitives may be used as neuter nouns: **lesen** *read* — **das Lesen** *reading*, meaning the act of reading. Form nouns from:

1. denken, 2. leben, 3. sprechen, 4. essen, 5. schlafen, 6. sterben, 7. lachen, 8. schreiben, 9. warten.

VI. Study the following word group:

der Freund	der Feind	die Freundlichkeit	die Feindlichkeit
die Freundin	die Feindin	die Freundschaft	die Feindschaft
freundlich	feindlich	freundlos	

VII. Read each subject with each adverb and with each prepositional phrase. Note that the adverb of time stands directly after the verb in simple sentences.

ich	komme	jetzt	an	den	Fluß
du	gehst	dann	auf	die	Straße
er	läuft	oft	hinter	das	Haus
sie	eilt	selten	in	den	Wald
es	reitet	immer	neben	den	Berg
wir	fahren	nie	über	die	Brücke
ihr	flieht	bald	unter	den	Baum
sie	fliegen	früh	vor	die	Stadt
Sie	wandern	spät	zwischen	das	Feld und den Wald
ich	bin	heute	an	dem	Fluß
du	stehst	morgen	auf	der	Straße
er	bleibt	übermorgen	hinter	dem	Hause
sie	liegt	manchmal	in	dem	Bett
es	ruht	zuweilen	neben	dem	Wald

wir	sitzen	öfters	über	dem Buche
ihr	schlaft	nachts	unter	dem Dach
sie	spielen	abends	vor	der Stadt
Sie	arbeiten	täglich	zwischen	den Feldern

VIII. Translate:

1. Potsdam is the famous city where we find Paul and his friends today. 2. Here they are in this city, which is very old and very famous. 3. If you read the history of this country (**das Land**), you will often see this name. 4. Karl did not go with his friends because he was ill. 5. Many years ago I visited the city of which you are speaking. 6. Were you in the castle which the great Elector built? 7. Did the guide explain everything that you saw? 8. He told us much (that was) interesting while we were going through the castle. 9. He also told us something of the history of the kings who had lived in it. 10. At twelve o'clock we went to a restaurant, for we were hungry. 11. After we had eaten we rested a while. 12. Then we went to the little castle in which Frederick the Great lived many years. 13. In this castle everything is exactly as it was at the time of the great king. 14. There are two beautiful churches in the city, but we had no time to visit them. 15. When we came out of the castle it was very late; therefore (**darum**) we set out for home. — a. He began to read the letter. b. Then he began to read. c. When he began to read, I began to write. d. They were not here yesterday. e. He has not been in school today. f. He gave me the letter, and I gave it to you.

Goethe und Schiller   *German Tourist Information Office*

NEUNZEHNTE AUFGABE 19

Eine Überraschung

Am nächsten Morgen steht Karl vor Pauls Bett und **weckt** ihn
auf: „Entschuldige, daß ich so früh **hereinkomme.** Ich hoffe, du
hast dich von deiner Erkältung **erholt.** Gut! dann **steh** schnell **auf**
und **komm mit.** Eben habe ich einen Brief von meinem Onkel **er-**
5 **halten,** worin er mir **mitteilt,** daß er heute morgen hier **ankommt.**
Wir müssen ihn **abholen.** Denke dir, er **erkundigt** sich nach unseren
Plänen und fragt, ob wir ihn nach Weimar **begleiten** möchten."

Die beiden Freunde **brannten** natürlich vor Neugier, den Onkel
zu sehen. Sie **kamen** pünktlich am Bahnhof **an,** holen ihn **ab** und
10 **brachten** ihn ins Hotel. Als sie beim Frühstück saßen, **unterhielten**
sie ihn mit einer Beschreibung von allem, was sie bisher **erlebt**
hatten. Plötzlich fragte Paul: „Aber, lieber Onkel, warum hast du
uns so **überrascht?** Wir haben dich erst nächste Woche **erwartet.**
Wir **wußten** ja gar nicht, daß du schon in Deutschland warst." Der
15 Onkel **erklärte,** wie es kam, daß er so plötzlich **erschienen** war.

Gleich nach dem Frühstück telephonierte Paul und **erkundigte**
sich, wann der Zug nach Weimar **abfährt.** Dann **besprachen** sie
ihren Reiseplan. Der Onkel **nannte** verschiedene Städte, die er noch
nicht **kannte;** alles weitere **überließ** er Paul. Endlich war der Plan
20 fertig. „Die Reise geht also über Weimar, Nürnberg, Heidelberg,
den Rhein hinunter bis Köln. Wie **gefällt** dir das?" „Famos," sagte
der Onkel, „es ist nur schade, daß die Reise so kurz sein muß."

GRAMMAR
Separable and Inseparable Verbs; Irregular Verbs.

1. Inseparable Verbs.

Inseparable verbs (see p. 109, **5**) have the stress on the stem and are inflected like simple verbs, except that the perfect participle omits the prefix **ge–**:

> beschrei′ben, beschrieb, beschrie′ben,
> verges′sen, vergaß′, verges′sen

2. Separable Verbs.

Separable verbs (see p. 85, **4**) 1. have the stress on the prefix: **an′fangen**; 2. the **ge–** of the perfect participle comes between the prefix and the verb: **an′gefangen**; 3. when **zu** is used with the infinitive, it comes between the prefix and the verb: **an′zufangen**; 4. in the simple tenses the prefix is placed at the end of the clause unless the clause is dependent, in which case the prefix remains united with the verb:

> Er **macht** das Fenster **zu,** wenn er **aufsteht.**
> *He closes the window when he gets up.*

Observe the position of the infinitive with **zu** after a separable verb:

> Es fängt an zu regnen. *It is beginning to rain.*
> Er hört auf zu schreiben. *He stops writing.*

(See Table, p. 348 ff.)

3. Variable Prefixes.

Verbs compounded with **über, unter, um, wieder** may be separable or inseparable. When separable these prefixes generally have their literal meaning, when inseparable they are used in a derived or figurative sense:

SEPARABLE	INSEPARABLE
un′tergehen *go under*	unterge′hen *undergo*
wie′derholen *fetch again*	wiederho′len *repeat*

4. Verbs in *ieren.*

Verbs in **–ieren** have the stress on the **–ie–** of the ending and omit **ge–** in the perfect participle: **studie′ren, studier′te, studiert′.**

5. Irregular Verbs.

The following irregular weak verbs change their vowel in the past tense and perfect participle:

brennen	brannte	gebrannt	*burn*
bringen	brachte	gebracht	*bring*
denken	dachte	gedacht	*think*
kennen	kannte	gekannt	*know, be acquainted with*
nennen	nannte	genannt	*name, call*
rennen	rannte	gerannt	*run*
senden	sandte	gesandt	*send*
wenden	wandte	gewandt	*turn*
wissen	wußte	gewußt	*know (of facts)*

Observe the consonant change in the last two verbs.

EXERCISES — SERIES A

I. Read the following sentences in the present and past tenses:

1. Er ist früh aufgestanden. 2. Wir haben den Brief erhalten. 3. Wann sind sie angekommen? 4. Wer hat sie überrascht? 5. Wann hat er ihn erwartet? 6. Er hat den Freund aufgeweckt. 7. Haben Sie sich von der Erkältung erholt? 8. Wer hat den Onkel abgeholt? 9. Wie hat ihm die Reise gefallen? 10. Haben Sie den Plan besprochen?

II. Read the following sentences in the past, perfect, and future tenses, singular and plural:

1. Ich verliere mein Geld nicht. 2. Wem gehört das schöne Buch? 3. Wann kommt der Freund an? 4. Wir überraschen die Eltern. 5. Ich vergesse meine Freunde nicht. 6. Er verspricht mir zu helfen. 7. Wen besuchen Sie heute? 8. Erwarten Sie heute jemand? 9. Wie gefällt Ihnen das Bild? 10. Senden Sie mir den Brief?

III. Conjugate the following sentences in the past, perfect, and future tenses:

1. Wissen Sie, wo er wohnt? 2. Er bringt mir etwas Gutes. 3. Wir kennen die Herren nicht. 4. Er liest uns den Brief vor. 5. Wir unterhalten uns recht gut. 6. Ich denke den ganzen Tag daran. 7. Im Ofen brennt ein heißes Feuer. 8. Er nennt dem Manne seinen Namen. 9. Ich wende mich an den Arzt. 10. Wir wiederholen die Aufgabe.

IV. Answer in complete sentences:

1. Wen hat Paul aufgeweckt? 2. Von wem hatte Paul einen Brief erhalten? 3. Was hat der Onkel ihm mitgeteilt? 4. Wo wollte ihn Karl abholen? 5. Wonach erkundigte sich der Onkel? 6. Kamen sie spät am Bahnhof an? 7. Wohin brachten sie den Onkel? 8. Womit unterhielten sie ihn? 9. Was fragte Paul plötzlich?

V. Write a letter about a trip.

ALLERLEI _____

Friedrich II. und Mendelssohn

Der Philosoph Mendelssohn war ein Freund Friedrichs des Großen und war oft ein Gast an der königlichen Tafel. Als er eines Tages eingeladen war, und zwar zu einer bestimmten Stunde, erschien er nicht. Niemand verriet Ungeduld, bis der König seine Uhr hervorzog. Da bemerkte einer der Gäste: „Ja, so sind die Gelehrten; wenn sie hinter ihren Büchern sitzen, vergessen sie alles."

„Nun," erwiderte der König, „wir wollen ihn bestrafen." Er nahm Papier und Bleistift und schrieb die Worte: „Mendelssohn ist ein Esel. — Friedrich II." Dann befahl er einem Diener, diese Zeilen an den Platz des Philosophen zu legen.

Bald kam Mendelssohn, sah die Karte an und steckte sie in die Tasche, ohne ein Wort zu sagen. „Nun," fragte der König, „was für ein wichtiger Brief ist das? Wollen Sie uns nicht den Inhalt vorlesen?" „Sehr gern, Majestät," erwiderte der Philosoph und las mit lauter Stimme: „Mendelssohn ist *ein* Esel, Friedrich der *zweite*." Da mußte der König herzlich lachen.

Der berühmte Berg

„Dieser Berg ist wohl sehr berühmt, nicht wahr?"

„Jawohl, er ist sehr berühmt."

„Gibt es auch viele Erzählungen über diesen Berg?"

„O gewiß, sehr viele; erst letzte Woche sind drei junge Leute auf dieser Seite hinaufgegangen und nie zurückgekommen."

„Das ist ja schrecklich! Was ist denn aus den armen Menschen geworden?"

„Sie sind auf der andern Seite hinuntergegangen."

VOCABULARY _____

denke dir imagine
die beiden Freunde the two friends
sie brannten vor Neugier they were burning with curiosity
erst nächste Woche not until next week
alles weitere all the rest, everything else
über Weimar via Weimar
den Rhein hinunter down the Rhine
ohne ein Wort zu sagen without saying a word
was ist aus ihm geworden? what has become of him?
punkt sechs Uhr promptly at six o'clock, at six o'clock sharp

der Dieb –e thief
der Gelehrte –n –n scholar
der Philosoph' –en –en philosopher
der Plan ≃e plan
der Reiseplan ≃e plan for trip, itinerary

die Karte –n card
die Majestät' –en majesty
die Neugier curiosity
die Tafel –n table
die Überraschung –en surprise
die Ungeduld impatience
die Zeile –n line

auf-wecken wake up, awaken
befehlen befahl befohlen er befiehlt command
bemerken remark
bestrafen punish
entschuldigen excuse
sich erholen recover

sich erkundigen (nach) inquire (about)
erleben experience
gehören (w. dat.) belong to
hervor-ziehen zog hervor hervorgezogen pull out
hinauf-gehen ging hinauf ist hinaufgegangen go up
mit-kommen kam mit ist mitgekommen come along
mit-teilen impart, inform
telephonie'ren telephone
überlassen überließ überlassen er überläßt leave to, entrust to
überraschen surprise
unterhalten unterhielt unterhalten entertain
verraten verriet verraten er verrät betray
zurück-kommen kam zurück ist zurückgekommen come back, return

bisher' so far, hitherto
fertig completed, ready
jemand someone, somebody

pünktlich punctually
selber myself
verschieden various

CONVERSATION

Die Uhr	The clock
1. Können Sie mir sagen, wie spät es ist?	1. Can you tell me what time it is?
2. Es muß bald zehn sein.	2. It must be about ten.
3. Wie spät ist es denn nach Ihrer Uhr?	3. What time is it by your watch?
4. Ich habe meine Uhr leider nicht bei mir. Die Wanduhr schlägt eben zehn.	4. Unfortunately, I don't have my watch with me. The wall clock is just striking ten.
5. Dann geht meine Uhr nach. Ihre geht wohl immer richtig?	5. Then my watch is slow. I suppose yours is always right?
6. O nein, manchmal geht sie vor; manchmal bleibt sie sogar stehen.	6. Oh no, sometimes it is fast; sometimes it even stops.
7. Haben Sie nicht zu Weihnachten eine Armbanduhr bekommen?	7. Didn't you get a wristwatch for Christmas?
8. Jawohl, aber ich kann mich nicht darauf verlassen.	8. Yes, but I cannot depend on it.
9. Was für eine Uhr haben Sie am liebsten?	9. What kind of clock do you like best?
10. Nicht den Wecker; der klingelt jeden Morgen punkt sechs Uhr. Dann möchte ich ihn manchmal an die Wand werfen.	10. Not the alarm clock; that rings every morning promptly at six o'clock. Then I would like to throw it against the wall sometimes.

LESESTÜCKE

Wenn die Äpfel reif sind

Es war mitten in der Nacht. Hinter den Bäumen im Garten ging der Mond auf. Am Fenster des Hauses stand ein Mädchen, das eine kleine Uhr gegen das Mondlicht
5 hielt und sie aufmerksam zu betrachten schien. Vom Kirchturm schlug es eben drei Viertel.

Unten im Garten war es dunkel und still. Plötzlich guckte ein Kopf über den

das Mondlicht *moonlight*

betrachten *examine, look at*

schien *seemed* or *appeared to*
schlug *struck*

guckte *looked, peeked*

Zaun; ein Junge kletterte langsam in den Garten hinab.

der Zaun *fence*   kletterte ...
hinab *climbed down*

Nicht weit von dem Zaune stand ein nicht sehr hoher Apfelbaum; die Äpfel
5 waren gerade reif, die Zweige voll. Der Junge kannte den Baum schon, denn er nickte ihm zu, band sich einen großen Sack um den Leib und fing an zu klettern. Bald fielen die Äpfel in den Sack, einer nach dem
10 anderen.

nickte ihm zu *nodded to it*

Da geschah es, daß ein Apfel zur Erde fiel und ins Gebüsch rollte, wo ganz versteckt eine Bank stand. Auf dieser Bank saß ein junger Mann und dachte sich aller-
15 lei Schönes. Als der Apfel seinen Fuß berührte, sprang er erschrocken auf. Da sah er oben, wo der Mond schien, einen Zweig mit roten Äpfeln sich hin und her bewegen, eine Hand fuhr in das Mondlicht hinaus
20 und verschwand sogleich wieder mit einem Apfel in den tiefen Schatten der Blätter.

das Gebüsch *bushes*   rollte *rolled*

berührte *touched*

sprang ... auf *jumped up*

sich ... bewegen *moving*

fuhr ... hinaus *reached out*

Der junge Mann schlich leise unter den Baum und sah den Jungen, der wie ein großer, schwarzer Wurm an dem Stamme
25 hing. Schnell griff er durch die Zweige, und leise aber fest legte er seine Hand um den Fuß, welcher am Stamme herunterhing. Der Fuß zuckte; der Junge erschrak, sagte aber kein Wort. Er zog, der andere hielt
30 fest; so ging es eine Weile; endlich fing der Junge an zu bitten.

der Wurm *worm*   der Stamm
trunk

herunterhing *hung down*

zuckte *jerked, twitched*   erschrak *became frightened*
hielt fest *held on tightly*

„Lieber Herr!"

„Spitzbube!"

der Spitzbube *rascal*

„Den ganzen Sommer haben Sie über
35 den Zaun geguckt."

„Warte nur, ich werde dir einen Denkzettel geben," und er ergriff den Jungen an den Hosen. Dann zog er ein Messer aus der Tasche und versuchte es aufzumachen.
40 Der Junge wollte herunterkommen, aber

der Denkzettel *reminder*

die Hosen *trousers*

herunterkommen *come down*

der andere sagte: „Bleibe nur, du hängst
mir eben recht."

Der Junge schien ganz erschrocken.
„Lieber Himmel," sagte er, „es sind des
5 Meisters Hosen! Haben Sie denn keinen
Stock, lieber Herr? Damit können Sie es
besser machen. Es ist mehr Vergnügen dabei; der Meister sagt, es ist so gut wie
Reiten."

10 Allein — der Mann schnitt. Als der
Junge das kalte Messer so dicht an seinem
Fleisch fühlte, ließ er den vollen Sack zur
Erde fallen. Der andere aber steckte das
Stück Tuch in die Tasche und sagte: „Nun
15 kannst du herunterkommen."

Er erhielt keine Antwort. Ein Augenblick nach dem anderen verging; aber der
Junge kam nicht herunter. Von seiner
Höhe hatte er plötzlich im Hause das Fen-
20 ster sich öffnen sehen. Ein kleiner Fuß kam
aus dem Fenster, und bald stand ein Mädchen auf dem Grase. Langsam ging sie an
den Zaun und sah in den dunklen Garten
hinaus.

25 Dem Jungen schienen dabei allerlei
Gedanken zu kommen; denn er lachte über
das ganze Gesicht.

„Nun, kommst du bald?" fragte der
andere.

30 „Ei, freilich!" sagte der Junge.
„So komm herunter!"
„Schade," erwiderte der Junge und biß
in einen Apfel, „schade, daß ich kein
Schneider bin."

35 „Warum denn?" fragte der andere.
„Dann könnte ich mir das Loch selber
flicken," und er fuhr fort, seinen Apfel zu
essen.

Der junge Mann suchte in seiner
40 Tasche nach Geld, aber er fand nur ein

---

lieber Himmel! *good heavens!*

der Stock *stick*

das Reiten *riding*

allein' *but, however*

dicht *close*

das Fleisch *flesh*

das Tuch *cloth*

verging *passed*

hatte . . . sehen *had seen the window open*

sah . . . hinaus *looked out*

lachte . . . Gesicht *his face was wreathed in smiles*

freilich *of course*

der Schneider *tailor*

könnte *could*

flicken *patch*   fuhr fort *continued*

Goldstück. Er wußte nicht, was er tun
sollte. Da hörte er die Gartentür. Auf dem
Kirchturm schlug es eben zwölf. Er steckte
die Hand wieder in die Tasche und sagte
5 leise: „Du bist wohl armer Leute Kind?"

„Bei uns," sagte der Junge, „gibt es
wenig Geld."

„So fange und laß dir die Hosen flik-
ken." Damit warf er das Goldstück zu ihm
10 hinauf. Der Junge ergriff es, sah es genau
im Mondlicht an und steckte es in die
Tasche.

Draußen im Garten hörte man kleine
Schritte, die näher kamen. Der junge Mann
15 biß sich die Lippen. „Hörst du nicht,"
sagte er, „du kannst nun gehen."

„Freilich," sagte der Junge, „aber meinen Sack muß ich haben."

„Was geht das mich an?"
20 „Nun, lieber Herr, Sie stehen ja unten.
Werfen Sie ihn nur, ich werde ihn fangen."

Er versuchte den schweren Sack zu
heben, ließ ihn aber wieder fallen.

Die kleinen Schritte kamen immer
25 näher. Er trat in den Garten hinaus. Plötzlich hing ein Mädchen an seinem Halse.
„Heinrich!"

Der junge Mann hielt ihr den Mund
zu, zeigte in den Baum hinauf und schob
30 sie in das Gebüsch hinein.

Mit großer Mühe hob er den schweren
Sack in den Baum.

„Ja, ja!" sagte der Junge, „das sind
die roten, die sind schwer." Er nahm den
35 Sack und hob ihn auf die Schulter. Dann
faßte er einen Ast und schüttelte ihn mit
beiden Händen. „Diebe in den Äpfeln,"
schrie er, und nach allen Seiten fielen die
reifen Äpfel durch die Zweige.

40 Unter ihm im Gebüsch schrie eine

---

das Goldstück *gold piece*
die Gartentür *garden gate*

bei uns *at our house*

warf . . . hinauf *threw it up*

draußen *out there*
der Schritt *step*

Was . . . an? *How does that concern me?*

heben *lift*

trat . . . hinaus *stepped out*

hielt . . . zu *held shut*
zeigte . . . hinauf *pointed up*
schob . . . hinein *pushed into*

der Dieb *thief*

Stimme, die Gartentür klirrte, das kleine Fenster öffnete sich und das hübsche Mädchen verschwand.

klirrte *clicked, rattled*

Einen Augenblick später saß der Junge
5 auf dem Zaune und sah, wie sein neuer Bekannter mit langen Schritten aus dem Garten rannte. Er lachte so herzlich, daß ihm die Äpfel auf dem Rücken tanzten; er sprang vom Zaune und lief schnell nach
10 Hause.

(nach Theodor Storm)

Sprichwort

Wo man singt, da laß dich ruhig nieder! Böse Menschen haben keine Lieder.

laß dich nieder *settle down*

EXERCISES — SERIES B

I. Questions:

1. Wo ging der Mond auf? 2. Was machte der Junge? 3. Wie zeigte der Junge, daß er den Apfelbaum schon kannte? 4. Was machte der junge Mann, als der Apfel seinen Fuß berührte? 5. Was sah er, als er in den Baum schaute? 6. Was versuchte er mit dem Messer zu tun? 7. Warum war der Junge erschrocken? 8. Wann ließ er den Sack fallen? 9. Was sollte der Junge jetzt tun? 10. Was für eine Antwort erhielt der junge Mann? 11. Was machte das Mädchen am Zaun? 12. Was dachte der Junge, als er das Mädchen sah? 13. Was war schade? 14. Was machte der Junge mit dem Goldstück? 15. Was tat der junge Mann, als das Mädchen an seinem Halse hing?

II. Read in the past and perfect tenses:

1. Der Junge kennt den Baum. 2. Er weiß, wo die schönsten Äpfel sind. 3. Er bringt einen großen Sack. 4. Der junge Mann denkt an das Mädchen. 5. Das Mädchen rennt durch den Garten. 6. Der junge Mann wendet sich zu dem Mädchen. 7. Sie nennt ihn „Heinrich." 8. Sein Gesicht brennt.

III. Form sentences in the present, past and perfect tenses of the following verbs:

1. anfangen, 2. verschwinden, 3. aufmachen, 4. erhalten, 5. herunterkommen, 6. hinaussehen, 7. fortfahren, 8. hinaufwerfen, 9. versuchen, 10. ausgehen.

IV. True and false:

1. Der Mond geht immer am Abend auf. 2. Das Mädchen betrachtete ihre Uhr. 3. Der Junge hatte seinen Sack vergessen. 4. Der Junge erschrak, als er eine Hand an seinem Fuße fühlte. 5. Der junge Mann nannte den Jungen einen Spitzbuben. 6. Dann kam der Junge sogleich herunter. 7. Er wußte, warum das Mädchen in den Garten kam. 8. Der Junge suchte in seiner Tasche nach einem Goldstück. 9. Er kannte das Mädchen nicht. 10. Das Mädchen lief schnell wieder aus dem Garten.

V. Form separable verbs with the following prefixes:

1. **auf:** fliegen, gehen, halten, hängen, nehmen, stehen, wachen. 2. **mit:** bringen, gehen, kommen, laufen, nehmen, spielen. 3. **hinauf:** fahren, gehen, kommen, laufen, rufen, werfen, zeigen. 4. **herunter:** bringen, fahren, fallen, nehmen, sehen, springen, steigen.

VI. Read the sentences in the lesson containing separable verbs in the future tense.

VII. Study the following word group:

wissen, wußte, gewußt

wissend *knowing*	das Wissen *knowledge*
unwissend *ignorant*	allwissend *omniscient*
die Wissenschaft *science*	die Gewißheit *certainty*

gewiß *certain*

VIII. Translate:

1. Did you get (*perf. tense*) a letter from your uncle this morning? 2. Did he inform (*perf.*) you when he will arrive in the city? 3. Yes, I was surprised to hear that he arrives tomorrow. 4. He has invited us to accompany him on a trip through Germany. 5. This was a great surprise, for they did not know that he was in Germany. 6. They had not heard from him and had not expected him so soon. 7. The

next morning they got up early and dressed quickly. 8. Then they hurried to the station and met (**abholen**) him. 9. They brought him to a hotel where they ate breakfast together. 10. While they were eating they entertained him with a description of the life in Berlin. 11. They inquired about (**sich erkundigen nach**) their parents and asked how they were. 12. Then they asked about (**nach**) all the people they knew at home. 13. Paul's uncle did not know the city, and he was burning with curiosity to see it. 14. He also named two or three cities which he wanted to visit. 15. Finally the uncle explained why he had arrived so suddenly. — a. Were you thinking of it? b. He knows where we are going. c. I didn't know the man. d. I knew that he had brought it. e. Please come in! f. Has he explained the lesson?

20

Weimar

Heute **wird** die Reise nach Weimar **unternommen.** In einem Auto **werden** unsere Freunde an den Bahnhof **gebracht.** Der Koffer **wird** in den Bahnhof **getragen.** Die Fahrkarten **werden gekauft,** und das Gepäck **wird gewogen** und **aufgegeben.** Das Zeichen zur
5 Abfahrt **wird gegeben,** die Türen **werden geschlossen.**

Von entfernten Verwandten, mit denen Paul gestern Abend telephoniert hat, **werden** sie **erwartet** und pünktlich **abgeholt.** Zuerst **wird** das Gepäck ins Hotel **gebracht.** Zum Mittagessen **sind** sie bei den Verwandten **eingeladen.** Es **wird** zu Mittag **gegessen,** und
10 dann **wird** eine Weile **geruht.** Am Nachmittag **werden** sie durch die Stadt **geführt.** Es **werden** ihnen die Häuser der großen deutschen Dichter Goethe und Schiller **gezeigt,** die jedes Jahr von Tausenden **besucht werden.** Die Häuser **sind** sehr gut **erhalten.** In einigen Zimmern ist alles noch genau so wie vor hundert Jahren.

15 Am Nachmittag **wird** ein Spaziergang durch den Park **gemacht** zum berühmten Gartenhaus, das so viele Jahre von Goethe **bewohnt wurde.** Dann geht's weiter zum kleinen Haus, wo Goethe das schöne Gedicht geschrieben hat:

Über allen Gipfeln
20
Ist Ruh',
In allen Wipfeln
Spürest du
Kaum einen Hauch;
Die Vögelein schweigen im Walde.
25
Warte nur, balde
Ruhest du auch.

Am Abend **wird** das Theater **besucht,** wo das beliebte Stück Schillers, Wilhelm Tell, **gespielt wird.**

Am nächsten Morgen scheiden die Freunde von den Verwand-
30 ten, und die Reise **wird fortgesetzt.**

[**220**]

Wehmuthig sieht's nicht aus   Allen die darin verzehrt
Dieses stille Gartenhaus.   Ward ein guter Muth beschert
Goethe 1828

Weimar: Goethes Gartenhaus   *Landesbildstelle Württemberg*

Warum stehen sie davor?   Kömen sie getrost herein
Ist nicht Thüre da und Thor?   Würden wohl empfangen seyn
Goethe 1828

Weimar: Goethehaus   *Landesbildstelle Württemberg*

GRAMMAR

The Passive Voice; *als, wenn, wann.*

1. Passive Voice.

The *Passive Voice* is formed by conjugating **werden** with the perfect participle of the verb. In the perfect tenses the form **worden** is used for **geworden:**

PRES.   Es wird gefunden. *It is found.*
PAST   Es wurde gefunden. *It was found.*
PERF.   Es ist gefunden worden. *It has been found.*
FUT.   Es wird gefunden werden. *It will be found.*

The object of the active verb becomes the subject of the passive. The agent is expressed by **von** (*usually of persons*), or **durch** (*of means*):

Der Brief wird **von** dem Lehrer geschrieben.
The letter is (is being) written by the teacher.
Der Boden wird **durch** den Regen fruchtbar gemacht.
The ground is made fertile by the rain.

(See Table, p. 342.)

2. Impersonal Passive.

An *Impersonal Passive* is formed of intransitive verbs:

Es wird gearbeitet. *Work is being done.*
Es wurde getanzt. *There was dancing.*

In the inverted order **es** is omitted:

Heute wird gearbeitet.

If the intransitive verb governs an object in the dative, the dative is retained:

Der Freund hilft ihm. *The friend helps him.*
Ihm wird von dem Freunde geholfen. *He is helped by the friend.*

Observe:

Mir wurde gesagt. *I was told.*
Eine Uhr wird ihm gegeben. *He is given a watch.*

3. Substitutes for Passive Voice.

The passive is less frequent in German than in English. It is often replaced by:

1. **Man** with an active verb: Man sagt. *It is said.*
2. The reflexive: Die Tür öffnet sich. *The door is opened.*

4. *werden* and *sein* in Passive Voice.

Werden + the perfect participle expresses an action, the subject being acted upon:

Der Brief wird geschrieben. *The letter is (being) written.*

Sein + the perfect participle expresses a state or condition, the result of previous action, not an action taking place:

Der Brief ist geschrieben. *The letter is written (is completed).*

5. *als, wenn* and *wann.*

Als, wenn, wann translate English *when:*

als refers to a single event in the past: **Als** ich ankam, war er da.
wenn refers to indefinite time, *whenever:* **Wenn** wir hungrig sind, essen wir.
(Remember that **wenn** also means *if.*)
wann is interrogative: **Wann** kommt er nach Hause?

EXERCISES — SERIES A _____

I. Read the first two paragraphs of the story in the imperfect, perfect, and future tenses.

II. Read the following sentences in the imperfect and future tenses, in the third person singular and plural:

1. Ich mache eine Reise. 2. Mein Gepäck ist bereit. 3. Ich schließe den Koffer und alles ist fertig. 4. Ich fahre an den Bahnhof und kaufe eine Fahrkarte. 5. Ich gebe mein Gepäck auf und warte auf die Abfahrt des Zuges. 6. Bald wird der Zug angemeldet. 7. Ich steige ein, und der Zug fährt ab.

III. Change the following sentences to the passive voice in all persons in the imperfect and perfect tenses:

1. Ich mache eine Reise. 2. Ich packe meinen Koffer. 3. Ich kaufe meine Fahrkarte. 4. Ich gebe mein Gepäck auf. 5. Ich zeige meine Fahrkarte. 6. Ich öffne das Fenster. 7. Ich lese die Zeitung. 8. Ich rauche eine Zigarette. 9. Mein Freund erwartet mich. 10. Er holt mich ab. 11. Ich bringe eine Woche bei ihm zu.

IV. Read the following sentences in the active voice:

1. Die Reise wird von uns unternommen. 2. Sie wurde von der Mutter erwartet. 3. Wird das Drama von ihr gelesen werden? 4. Die Reise wird von uns fortgesetzt. 5. Ist das Haus verkauft worden? (**man**) 6. Die Tür ist von ihm geschlossen worden. 7. Von den Verwandten werde ich abgeholt. 8. Die Häuser wurden von ihm gebaut. 9. Wann ist der Brief geschrieben worden? (**man**) 10. Guter Rat wird ihm gegeben werden. (**man**)

V. Answer the following questions:

1. Wohin wird die Reise gemacht? 2. Was muß man auf dem Bahnhof kaufen? 3. Von wem werden sie erwartet? 4. Wer holt die Freunde ab? 5. Wo essen sie zu Mittag? 6. Was wird ihnen am Nachmittag gezeigt? 7. Welche Häuser werden von vielen besucht? 8. Wie ist noch alles in einigen Zimmern? 9. Wann wird die Reise fortgesetzt? 10. Haben Sie das Gedicht auswendig gelernt?

ALLERLEI ⎯⎯⎯⎯⎯⎯⎯⎯⎯⎯⎯⎯⎯⎯⎯⎯⎯⎯⎯⎯

Der kluge Richter

Ein reicher Mann verlor eines Tages eine große Summe Geld. Der Verlust wurde bekanntgemacht, und dem Finder wurde eine Belohnung von hundert Talern versprochen. Von einem armen ehrlichen Mann wurde das Geld gefunden. Es wurde dem reichen Manne gebracht, der sich natürlich sehr freute. Als aber das Geld gezählt wurde, da sagte plötzlich der Reiche: „Es waren achthundert Taler, und hier sind nur siebenhundert." „Sie glauben doch nicht, daß ich von dem Gelde gestohlen habe?" rief der andre. „Kein einziger Pfennig ist davon genommen worden."

Endlich wurde die Sache vor den Richter gebracht. Als diesem die ganze Geschichte erzählt worden war, erkannte er die böse Absicht des Reichen und sagte zu ihm: „Du hast achthundert Taler verloren; von diesem Mann sind aber nur siebenhundert gefunden worden. Also gehört dir das Geld nicht. Das Geld wird dem zurückgegeben, der es gefunden hat. Er soll es behalten, bis der Mann kommt, der es verloren hat."

So wurde die Sache von dem klugen Richter entschieden.

Der junge Schauspieler

Im Theater wurde das bekannte Drama Hamlet gegeben. Die Rolle des Geistes wurde von einem jungen Schauspieler ziemlich schlecht gespielt, und er wurde ausgezischt. Endlich sagte er: ,,Meine Damen und Herren, es tut mir leid, daß ich bei Ihnen keinen Erfolg habe; wenn Sie nicht zufrieden sind, so muß ich den Geist aufgeben.''

Wiegenlied

Guten Abend, gut' Nacht,
Mit Rosen bedacht [1];
Mit Näglein [2] besteckt,
Schlupf unter die Deck'!
Morgen früh, so [3] Gott will,
Wirst du wieder geweckt.

Guten Abend, gut' Nacht,
Von Englein bewacht;
Die zeigen im Traum
Dir Christkindleins Baum.
Schlaf nun selig und süß,
Schau im Traum 's Paradies.

— Brahms

[1] bedeckt　　　　[2] Nelken　　　　[3] = wenn

VOCABULARY

eine Summe Geld a sum of money
Sie glauben doch nicht? You surely don't believe?

der Boden ⸗ ground, soil
der Erfolg –e success
der Finder – finder
der Geist –er ghost, spirit
der Gipfel – top, summit
der Hauch breath
der Koffer – trunk
der Richter – judge
der Schauspieler – actor
der Traum ⸗e dream
der Verlust –e loss
der Verwandte –n –n relative
der Wipfel – top, crown (*of trees*)

die Abfahrt departure
die Absicht –en purpose, intention
die Belohnung –en reward
die Nelke –n carnation
die Rolle –n role
die Sache –n affair, case
die Summe –n sum, amount

das Christkindlein Christ child
das Englein – little angel
das Gartenhaus ⸗er garden house
das Wiegenlied –er lullaby
das Zeichen – sign, signal

an-melden announce
auf-geben gab auf aufgegeben er
gibt auf give up, check (*baggage*)
aus-zischen hiss someone off the
stage
behalten behielt behalten er behält
keep

bekannt-machen machte bekannt
bekanntgemacht make known,
publish, announce
bewohnen occupy, live in
entscheiden entschied entschieden
decide
erkennen erkannte erkannt recognize
fort-setzen continue
führen lead, conduct
packen pack
scheiden schied geschieden take
leave, part, depart
schlüpfen (*or* schlupfen) slip
schweigen schwieg geschwiegen be
silent
spüren feel
stehlen stahl gestohlen er stiehlt
steal
unternehmen unternahm unternommen er unternimmt undertake
wiegen (wägen) wog gewogen weigh
zählen count
zurück-geben gab zurück zurückgegeben er gibt zurück give back,
return

besteckt adorned
bewacht guarded
entfernt distant
fruchtbar fertile
selig blissful

CONVERSATION ────────────

Im Restaurant	In the restaurant
1. Ist dieser Tisch frei, Herr Ober?	1. Waiter, is this table available?
2. Jawohl, meine Herren, nehmen Sie Platz.	2. Yes indeed, gentlemen, be seated.
3. *Kellnerin:* Haben die Herren schon bestellt?	3. *Waitress:* Have the gentlemen placed their order?
4. Nein, noch nicht. Bitte, bringen Sie uns die Speisekarte.	4. No, not yet. Please bring us the bill of fare.
5. Die Speisen sind hier immer ausgezeichnet.	5. The food is always excellent here.
6. Ich bestelle Sauerbraten, Kartoffeln, Spargel und ein Helles.	6. I shall order sauerbraten, potatoes, asparagus, and a glass of light beer.
7. Bringen Sie mir, bitte, dasselbe, aber ein Dunkles.	7. Please bring me the same, but a glass of dark beer.
8. Herr Ober, wir möchten zahlen. Die Rechnung, bitte!	8. Waiter, we'd like to pay. The check, please.
9. Das macht zusammen 7 Mark 50, Trinkgeld eingeschloßen.	9. That will be 7 Marks 50, tip included.
10. Besten Dank. Auf Wiedersehen!	10. Thanks. Good-bye.

LESESTÜCK ────────────

Aus der Geschichte Deutschlands

Der älteste Bericht über Deutschland wurde im Jahre 98 n. Chr. von Tacitus geschrieben. In seiner „Germania" wird uns mancherlei Interessantes über die Sit-
5 ten und Lebensweise der alten Deutschen oder Germanen, wie sie zu der Zeit genannt wurden, berichtet.

Kaiser Karl der Große, oder Charlemagne, wie er in Frankreich genannt wird,
10 war der erste deutsche Kaiser. Als er am

der Bericht *report*

mancherlei *various*
(pl.) *customs*
die Lebensweise *mode of life,
habits*
die Germanen *the Germanic people*
berichtet *reported*
die Sitten

CAR·OLVS
MAGNVS

Karl der Große

Weihnachtstage im Jahre 800 vom Papst
in Rom gekrönt wurde, entstand das *Erste
Deutsche Reich.* Es wurde das Heilige Rö-
mische Reich Deutscher Nation genannt.
5 Vier Länder wurden unter dem mächtigen
Kaiser politisch vereinigt: Deutschland,
Frankreich, Italien und der nördliche Teil
Spaniens. Unter ihm waren auch zum ersten Male alle deutschen Stämme zu einer
10 politischen Einheit verbunden. Für das
Wohl des deutschen Volkes sorgte er auch,
indem er Kirchen und Schulen bauen ließ
und die größten Gelehrten des Abendlandes
an seinem Hofe versammelte. Nach dem
15 Tode Karls des Großen (814) wurde das
Reich geteilt. Ein Teil wurde von Ludwig
dem Deutschen regiert und hieß Deutschland; ein zweiter Teil erhielt den Namen
Frankreich.

der Papst *pope*
gekrönt *crowned*
Römisch *Roman*

politisch *politically* vereinigt
united
nördlich *northern*

die Stämme *tribes*

die Einheit *unit, unity* verbunden *united, combined*
das Wohl *welfare* des Volkes
of the people
indem . . . bauen ließ *by having
churches and schools built*
des Abendlandes *of the occident*
der Hof *court* versammelte
gathered together
der Tod *death*

regiert *ruled*

Die deutsche Reformation, die von Martin Luther (1483–1546), eingeführt wurde, war nicht nur für Deutschland, sondern für die ganze Welt von großer
5 Bedeutung. Auch war Luthers Übersetzung der Bibel das größte literarische Werk des sechzehnten Jahrhunderts. Zum Unglück Deutschlands wurde aber durch die am Anfang rein religiöse Bewegung eine Reihe
10 schrecklicher Kriege hervorgerufen. Im Dreißigjährigen Krieg (1618–1648) ist Deutschland fast vollständig zerstört worden. Schulen, Kirchen, ja ganze Dörfer und Städte sind verbrannt worden. Von 1618,
15 dem Beginn des Dreißigjährigen Krieges, bis zum Jahre 1813, dem Ende der Herrschaft Napoleons, als dieser in der Schlacht bei Leipzig besiegt wurde, war Deutschland

eingeführt wurde *was introduced*

die Bedeutung *significance*   die Übersetzung *translation*
die Bibel *Bible*   literarisch *literary*   das Werk *work*

religiös' *religious*   die Bewegung *movement*
hervorgerufen *caused, called forth*

vollständig *completely*   zerstört worden *was destroyed*

verbrannt *burned*

der Beginn *beginning*

die Herrschaft *dominion, rule*

die Schlacht bei Leipzig *Battle of Leipzig*
besiegt *defeated*

Martin Luther

Deutsche Zentrale für Fremdenverkehr

das Schlachtfeld Europas. In diesen zwei Jahrhunderten wurden die letzten Reste des kaiserlichen Glanzes und die alte Einheit des Reiches vernichtet.

5 Unter Friedrich dem Großen (1712–1786), der von sich als dem ersten Diener seines Staates sprach und der von seinem Volke „der alte Fritz" genannt wurde, wurde Preußen der mächtigste Staat 10 Deutschlands. Nach dem Deutsch-Französischen Krieg (1870–1871) sind die deutschen Staaten unter der Leitung Fürst Bismarcks, des eisernen Reichskanzlers, wieder zu einer politischen Einheit verbun-15 den worden. König Wilhelm I. von Preußen wurde zum Deutschen Kaiser gewählt und somit das *Zweite Deutsche Reich* gegründet, das bis zum ersten Weltkrieg bestand. Vor dem Ende dieses Krieges

das Schlachtfeld *battlefield*

kaiserlich *imperial*   der Glanz *splendor*
vernichtet *destroyed*

(das) Preußen *Prussia*

der Deutsch-Französische Krieg *Franco-Prussian War*

die Leitung *leadership*   der Fürst *prince*
der eiserne Reichskanzler *the Iron Chancellor of the Reich*

gewählt *elected*

somit *thus, consequently*

Friedrich der Große

Presse- und Informationsamt der Bundesregierung, Bundesbildstelle

Fürst Otto von Bismarck

mußte der letzte Deutsche Kaiser, Wilhelm II., das Reich verlassen, und Deutschland wurde eine Republik mit einem Reichspräsidenten, der vom ganzen Volke
5 gewählt wurde. Diese Republik bestand aber nur eine kurze Zeit, denn schon im Jahre 1933 ergriff Adolf Hitler, den man zum Reichskanzler gemacht hatte, mit seinen Nationalsozialisten die Regierung, und es
10 entstand das *Dritte Reich.* Nun begann eine schwere Zeit für das arme Deutschland. Wieder wurde Krieg erklärt, und wieder sind die Deutschen besiegt worden. So arm und klein war das Deutsche Reich noch nie
15 gewesen.

In diesem zweiten Weltkrieg sind die großen Städte Deutschlands fast alle zerstört worden, aber jetzt werden sie langsam wiederaufgebaut. Berühmte alte Häuser,
20 wie das Goethehaus in Frankfurt und das Dürerhaus in Nürnberg sind schon wieder-

die Republik' *republic*

der Reichspräsident *president of the Reich*

die National'soziali'sten *the National Socialists* die Regie'rung *government*

wiederaufgebaut *reconstructed*

wiederhergestellt *restored*

hergestellt worden. Am Wiederaufbau der
Städte, der Kirchen, Schulen, Universitäten, der Warenhäuser, Fabriken und Wohnhäuser wird mit fleißiger Energie gearbeitet.
5   Deutschland darf wohl mit Recht als
das Herz Europas bezeichnet werden. In
der Mitte Europas gelegen, ist sein Fortschritt mit dem Fortschritt der übrigen
Länder aufs engste verknüpft; ohne ein
10 gesundes, kräftiges Herz kann Europa aber
keine großen Fortschritte machen.

der Wiederaufbau *reconstruction*

die Fabri'ken *factories*   die
  Wohnhäuser *dwellings*
die Energie' *energy*

bezeichnet *designated*

gelegen *situated*

der Fortschritt *progress*   übrigen *the other, remaining*
aufs engste *most closely*   verknüpft *connected, tied*
kräftig *strong, vigorous*

Fortschritte machen *make prog-
  ress*

EXERCISES — SERIES B

I. Questions:

1. Wann wurde der älteste Bericht über Deutschland geschrieben?
2. In welchem Jahr wurde Karl der Große in Rom gekrönt? 3. Was
hat der Kaiser für das deutsche Volk bauen lassen? 4. Wann wurde
das Reich Karls des Großen geteilt? 5. Von wem wurde die deutsche
Reformation eingeführt? 6. Was wurde durch die Reformation hervorgerufen? 7. Was ist im Dreißigjährigen Krieg mit Deutschland geschehen? 8. Wie wurde Friedrich der Große von seinem Volke
genannt? 9. Wie lange dauerte der Deutsch-Französische Krieg?
10. Unter wessen Leitung sind die deutschen Staaten zu einer politischen Einheit verbunden worden? 11. Wann wurde das *Zweite
Deutsche Reich* gegründet? 12. Wann mußte der letzte Kaiser das
Reich verlassen? 13. In welchem Jahr entstand das *Dritte Reich?*
14. Was ist im zweiten Weltkrieg zerstört worden? 15. Welches Land
darf wohl als das Herz Europas bezeichnet werden?

II. Change to the passive voice:

1. Er schrieb ein Buch über Deutschland. 2. Man nannte sie
Germanen. 3. Wir vereinigen vier Länder. 4. Der Kaiser hat dem
Volk geholfen. 5. Luther hat die deutsche Reformation eingeführt.
6. Die Reformation rief eine Reihe schrecklicher Kriege hervor.
7. Der Krieg wird das ganze Land zerstören. 8. Ich werde Ihnen das
neue Deutschland zeigen. 9. Der letzte Kaiser hatte das Reich verlassen. 10. Die Deutschen werden ihre Städte wieder aufbauen.

III. Find the antonyms of the following words and use them in sentences:

1. einschlafen, 2. kaufen, 3. recht, 4. öffnen, 5. mehr, 6. überall, 7. laut, 8. das Leben, 9. der Berg, 10. gefunden, 11. schließen, 12. nirgends, 13. das Tal, 14. leise, 15. aufwachen, 16. der Tod, 17. verkaufen, 18. verloren, 19. links, 20. weniger.

IV. Many nouns are formed from verb stems. Give the verbs from which the following are formed, and use them in sentences:

1. der Anfang, 2. der Besuch, 3. der Dank, 4. der Fall, 5. der Kauf, 6. der Rat, 7. der Schlaf, 8. der Schlag, 9. der Tanz, 10. der Teil, 11. die Antwort, 12. die Arbeit.

V. Study the following word group:

kommen

ankommen *arrive*	vorkommen *appear*
bekommen *receive*	die Ankunft *arrival*

die Zukunft *future*

VI. Translate this exercise in the present, past, and perfect tenses:

1. The journey is not made by Paul's uncle alone. 2. He is accompanied by our young friends. 3. They are brought to the station by two German acquaintances. 4. The baggage is carried into the station by a young man. 5. First the tickets are bought by Paul's uncle. 6. Now they are sitting in the train, the doors are closed, and the train leaves (**abfahren**). 7. It is warm, and one of the windows is opened by Paul. 8. Soon they arrive in Weimar where they are expected by relatives. 9. They are invited for dinner by one of the relatives. 10. In the afternoon they are taken (**führen**) through the city. 11. The houses of the famous poets are shown them. 12. These houses are visited every year by many people. 13. The houses of the poets are very well preserved. 14. In the evening the theater is visited, where a drama of Schiller is played. 15. Early in the morning our friends depart (**Abschied nehmen**), and the journey is continued. — a. Did you visit Weimar when you were in Germany? b. Do you always visit Weimar when you are in Germany? c. When are you going to visit Weimar? d. I don't know when he is going to Weimar. e. I didn't see him when he was in Weimar. f. When I have time and money, I take a trip.

21

Nürnberg

„Es **würde** uns sehr freuen, wenn Sie uns begleiten **könnten,**"
sagte der Onkel zum Vetter beim Abschied. „Ich **würde** gern mit
Ihnen **reisen,**" sagte dieser, „wenn ich nicht so beschäftigt **wäre.**
Wenn ich etwas früher **gewußt hätte,** daß Sie **kämen,** so **hätte** ich
5 mich für diese Zeit frei **gemacht.** Vielleicht **könnten** wir nächsten
Sommer zusammen eine Reise machen, sagen wir nach der
Schweiz."
„Das **wäre** prächtig, vergessen wir das nicht!" sagte der Onkel.
Der Vetter rief noch: „**Möge** es Ihnen überall so gut gefallen, daß
10 Sie bald wiederkommen!", als der Zug sich in Bewegung setzte, und
der Onkel dachte bei sich: „**Hätten** wir doch mehr Zeit! Ich **wäre**
gern noch einmal so lang dageblieben, aber es fehlt die Zeit."
Die Stadt Nürnberg, wohin sie nun fuhren, kannte Paul, als ob
er schon oft **dagewesen wäre.** „**Fahren** wir sogleich nach der Burg!"
15 schlug er vor, „von da oben **hätten** wir eine schöne Aussicht über die
ganze Stadt mit ihren schönen Kirchen, den engen, krummen
Straßen innerhalb, und dem neuen Stadtteil außerhalb der Stadtmauer." Das war auch interessant, aber noch interessanter war der
Spaziergang durch den alten Teil der Stadt, denn hier sieht man
20 das alte Nürnberg, die Kirchen und Museen mit ihren wundervollen
Kunstschätzen und alte Häuser, von denen manche aussehen, als
hätten sie schon immer **dagestanden.** (Leider sind viele dieser
Gebäude im letzten Weltkrieg zerstört worden.)
„Wie **wäre** es, wenn wir noch einen Tag hier **blieben** und dann
25 nach München **reisten?**" meinte Paul. „Da **hätten** wir die beste Gelegenheit, die neue wie auch die alte Kunst zu sehen, denn München
hat die besten Sammlungen." „Man **glaube** nur nicht, daß ich das
nicht sogleich **täte,** wenn es irgend möglich **wäre,**" erwiderte der
Onkel, „aber es ist nicht daran zu denken. Wenn die Freunde zu
30 Hause **wüßten,** wie interessant eine solche Stadt ist, **würden** sie alle
gern **herüberkommen.**"

[234]

Nürnberg: Burg *Landesbildstelle Württemberg*

Nürnberg: Dürerhaus *Landesbildstelle Württemberg*

GRAMMAR _____
Subjunctive; Conditional.

1. Nature of Subjunctive.

The *Indicative* is the mode of reality, of fact; the *Subjunctive* is the mode of unreality, of doubt.

2. Formation of Subjunctive.

The inflectional endings of the present and past subjunctive are the same: **–e, –est, –e, –en, –et, –en.**

ich sagt**e**
du sagt**est**
er, sie, es   sagt**e**
wir sagt**en**
ihr sagt**et**
sie sagt**en**

The past subjunctive of weak verbs is the same as the past indicative.

The past subjunctive of strong verbs takes the umlaut if possible (see Table, p. 339 ff.).

kommen — **käme**   fliegen — **flöge**

3. Uses of Subjunctive.

The subjunctive is used to express:

1) *a wish:*

   a) that may be fulfilled, present subjunctive:

Lang lebe der König! *Long live the king!*

   b) that cannot be fulfilled, past subjunctive for present time and pluperfect subjunctive for past time:

      Wäre er nur hier! *If he were only here!*
      Wäre er nur hier gewesen! *If he had only been here!*
      Hätte er das nur nicht getan! *If he only hadn't done that!*

2) *a command or request:*

Er gehe jetzt! *Let (have) him go now!*
Gehen wir jetzt! *Let us go now!*

3) *an unreal condition.* A *condition contrary to fact* in the present is expressed by the past subjunctive in both the conditional clauses

and the conclusion. A *condition contrary to fact* in the past is expressed by the past perfect subjunctive:

Wenn er gesund wäre, käme er.
If he were well, he would come.
Wenn er gesund gewesen wäre, wäre er gekommen.
If he had been well, he would have come.

If **wenn** is omitted, the inverted order is used:

Wäre er gesund, so käme er.
If he were well, he would come.

4) After **als ob, als wenn** the unreal condition is expressed by the subjunctive:

Er sieht aus, als ob er krank wäre.
He looks as if he were ill.

If **ob** or **wenn** is omitted, the inverted order is used:

Er sieht aus, als wäre er krank.
He looks as if he were ill.

5) The subjunctive is used in indirect discourse. (See p. 250 ff.)

4. Conditional.

The conditional, which is formed by the infinitive of the verb + **würde,** is frequently used instead of the subjunctive in the conclusion of the sentence. When the forms of the past subjunctive are the same as the indicative, the conditional is preferred:

Wenn ich Geld hätte, würde ich das Buch kaufen.
If I had money, I should buy the book.

Note: A real condition is expressed in the indicative:

Wenn man krank ist, geht man zum Arzt.

EXERCISES — SERIES A _____

I. Conjugate:

1. Wenn ich Zeit hätte, ginge ich mit. 2. Wenn ich Zeit habe, gehe ich mit. 3. Wenn ich Geld hätte, würde ich es kaufen. 4. Wenn ich gesund wäre, würde ich arbeiten. 5. Wenn ich gearbeitet hätte, hätte ich Geld.

II. Read the following sentences in the third person singular and plural, omitting **wenn**:

1. Wenn ich Geld hätte, würde ich reisen. 2. Wenn ich krank wäre, ginge ich zum Arzt. 3. Wenn ich Zeit gehabt hätte, wäre ich mitgegangen. 4. Wenn ich Geld gehabt hätte, hätte ich das Haus gekauft. 5. Wenn ich es früher gewußt hätte, so wäre ich gekommen.

III. Form conditional sentences. EXAMPLE: Wenn ich krank bin, bleibe ich zu Hause.

1. Wenn ich krank wäre, bliebe ich zu Hause (*or*) würde ich zu Hause bleiben.
2. Wenn ich krank gewesen wäre, wäre ich zu Hause geblieben (*or*) würde ich zu Hause geblieben sein.

1. Wenn ich in der Stadt bin, besuche ich meinen Freund. 2. Wenn ich Geld habe, kaufe ich mir etwas. 3. Wenn er mich abholt, gehe ich mit ihm. 4. Wenn es regnet, bleibe ich zu Hause.

IV. Supply **wenn, wann,** or **als**:

1. Ich weiß nicht, — er kommt. 2. — er jung war, war er fleißig. 3. Sagen Sie mir, — Sie gehen! 4. — er kommt, gehe ich fort. 5. — kommt er hierher? 6. — es regnet, wird es naß.

V. Answer in complete sentences:

1. Was sagte der Onkel beim Abschied? 2. Warum konnte der Vetter nicht mit? 3. Wohin möchte er nächsten Sommer reisen? 4. Was rief der Vetter zum Abschied? 5. Was dachte der Onkel bei sich? 6. Wie gut kannte Paul Nürnberg? 7. Wo liegt der alte Teil der Stadt? 8. Wie sehen die alten Häuser aus? 9. Woran war nicht zu denken? 10. Was wissen die Freunde zu Hause nicht?

ALLERLEI

Volkslied

Wär' ich ein Vögelein,
Wollt' ich bald bei dir sein,
Scheut' Falk und Habicht nicht,
Flög' schnell zu dir.

Schöß' mich ein Jäger tot,
Fiel' ich in deinen Schoß,
Sähst du mich traurig an,
Gern stürb' ich dann.

Dies ist der letzte Vers des Volkslieds *Ach, wie ist's möglich dann?*

VOCABULARY

sagen wir let's say
er dachte bei sich he thought to himself
wenn es irgend möglich wäre if it were at all possible
es ist nicht daran zu denken it is not to be thought of
immer wieder again and again

der Falke −n −n falcon
der Habicht −e hawk
der Kunstschatz ⁻e art treasure
der Schoß ⁻e lap
der Stadtteil −e quarter, part of city

die Aussicht −en view

die Ehre −n honor
die Gelegenheit −en opportunity, occasion
die Sammlung −en collection
die Stadtmauer −n city wall

das Volkslied −er folk song

da-sein war da ist dagewesen er ist da be there
da-stehen stand da dagestanden stand there
herüber-kommen kam herüber ist herübergekommen come over
nach-denken dachte nach nachgedacht meditate, reflect
scheuen fear
tot-schießen schoß tot totgeschossen shoot to death

außerhalb outside of, without
beschäftigt busy, occupied
innerhalb inside of, within
überhaupt at all

CONVERSATION

Vorstellung	Introduction
1. Verzeihung, darf ich mich vorstellen? Ich heiße Karl Schilling.	1. Pardon me, may I introduce myself? My name is Karl Schilling.
2. Es freut mich, Sie kennenzulernen. Mein Name ist Alfred Keller.	2. I am pleased to meet you. My name is Alfred Keller.
3. Sehr angenehm, Sie kennenzulernen (Ihre Bekanntschaft zu machen).	3. Very pleased to meet you (to make your acquaintance).
4. Gestatten Sie, daß ich Ihnen meinen Freund vorstelle. Herr Schilling: Herr Braun.	4. Permit me to introduce my friend. Mr. Schilling: Mr. Braun.
5. Sie sind beide Ausländer, nicht wahr?	5. You are both foreigners, aren't you?

6. Jawohl, wir sind Amerikaner. Wir wollen hier auf der Universität studieren.

7. Darf ich Sie mit einer guten Freundin bekannt machen? Herr Keller: Fräulein Bauer.

8. Es hat mich sehr gefreut.

9. Danke, gleichfalls.

10. Hoffentlich sehen wir uns bald wieder.

6. Yes, we are Americans. We wish to study here at the university.

7. May I introduce you to a good friend? Mr. Keller: Miss Bauer.

8. It was a great pleasure.

9. Thanks, for me too.

10. I hope we shall meet again soon.

Schnippisch

„Mein Fräulein, darf ich mich vorstellen? Ich heiße Erich Schilling. Wohin gehen Sie?"

„Nach Hause," antwortet das Fräulein kurz.

„Wissen Sie, was Faust zu Gretchen sagt?"

Mein schönes Fräulein, darf ich wagen,
Meinen Arm und Geleit Ihr anzutragen?

„Und wissen Sie, junger Herr, Gretchens Antwort?"

Bin weder Fräulein, weder schön,
Kann ungeleitet nach Hause gehn!

„Ich will auch allein nach Hause gehen. Also, gute Nacht!"

Pert

"Young lady, may I introduce myself? My name is Erich Schilling. Where are you going?"

"Home," said the young lady curtly.

"Do you know what Faust says to Gretchen?"

My fair lady, may I venture
To offer you my arm and company?

"And do you, young man, know Gretchen's answer?"

Am neither lady, nor am I fair
Can go home without your care.

"I want to go home alone too. So, good night."

The Lesestücke of the following chapters are set in Fraktur type so that the student can familiarize himself with it. Much of the literature that the student will want to read is still set in Fraktur type.

Fraktur type closely resembles black letter or Old English type. The alphabet of this type face is given in the Introduction.

LESESTÜCKE

Siegfried

Aus alten nordischen Sagen kennen wir
die Geschichte von Siegfrieds Jugend und von
seinem Kampf mit dem Drachen.

5 Schon als kleines Kind hörte er die Lieder
von den Helden, die das Land von Räubern
und Drachen befreit und am Ende die schönste
Prinzessin zur Frau gewonnen hatten. Mit
fünfzehn Jahren ritt er heimlich zum Turnier
der Ritter mit geschlossenem Visier, damit sie
10 nicht wüßten, daß er der junge Siegfried sei,
kämpfte mit manchem stolzen Ritter und warf
ihn aus dem Sattel.

Eines Tages war er wieder auf Aben=
teuer ausgegangen. Der Abend kam, und
15 Siegfried befand sich in fremder Gegend. Da
er seit dem frühen Morgen nichts gegessen
hatte, war er sehr hungrig. Er stieg auf einen
hohen Baum, da sah er ein Licht in der Ferne.
Er lief hin und stand plötzlich vor einer
20 kleinen Hütte, in der ein helles Feuer brannte.
Am Feuer stand der Zwerg Mimi, der als
Waffenschmied und als Meister seiner Kunst
weit und breit berühmt war. Als Siegfried
ihn grüßte und um etwas zu essen bat, nahm
25 ihn der Zwerg freundlich auf und gab ihm
Speise und Trank und ein Lager für die Nacht.

Am nächsten Morgen stand Siegfried in
der Schmiede und wollte dem Zwerg bei der
Arbeit helfen. Da reichte ihm Mimi den
30 großen Hammer und zeigte auf den Amboß,
wo ein glühendes Stück Eisen lag. Siegfried
schlug so gewaltig auf das Eisen, daß es in
Stücke brach und der Amboß tief in die Erde
sank.

35 Da hatte Mimi zwar große Angst vor
diesem jungen Helden, aber er dachte darüber
nach, wie er wohl solche Kraft für sich ver=

---

nordisch *northern*

die Jugend *youth*

der Kampf *battle, fight*　der
Drache *dragon*

der Held *hero*　der Räuber
robber
befreien *free*　am Ende *in the
end, finally*
die Prinzes'sin *princess*　zur
Frau gewonnen *won for his
wife*　mit fünfzehn Jahren
at the age of fifteen　heimlich *secretly*　das Turnier'
tournament　der Ritter
knight　das Visier' *visor*

der Sattel *saddle*

der Zwerg *dwarf*

der Waffenschmied　*armorer*
die Kunst *art*

nahm ihn ... auf *received him
in a friendly manner*

der Trank *drink*　das Lager
bed, place to sleep

die Schmiede *smithy, forge*

zeigte auf *pointed to*　der
Amboß *anvil*
glühend *glowing*　das Eisen
iron
gewaltig *mighty, powerful*

brach (brechen) *broke*

dachte ... nach *reflected*

verwenden *use, employ*

wenden könnte. Er hätte Siegfried gerne wei=
ter bei sich behalten und sprach zu ihm: „Wenn
du bei mir bleiben wolltest, könnte ich dir einen
großen Schatz an Gold und Edelsteinen zeigen;
5 der liegt in einer Höhle und wird von einem
Drachen bewacht. Dieser Drache aber ist mein
Bruder Fafner, der mir meinen Teil des
Schatzes genommen hat. Mit Hilfe der Tarn=
kappe, welche die wunderbare Eigenschaft be=
10 sitzt, den Träger unsichtbar zu machen oder
jede beliebige Gestalt anzunehmen, hat er sich
in einen Drachen verwandelt, um den Schatz
besser behüten zu können. Du aber könntest den
Drachen töten, und den Schatz könnten wir
15 unter uns teilen.“

So sprach Mimi, und er führte Siegfried
dahin, wo der furchtbare Drache vor der Höhle
lag. Da grub Siegfried ein tiefes Loch in die
Erde, versteckte sich darin und wartete, bis der
20 Drache herannahen würde. Als dieser dann ge=
gen Abend auf dem Weg zur Quelle über dem
Graben erschien, stieß ihm Siegfried sein
langes, scharfes Schwert tief in den Leib und
tötete ihn. Dann öffnete er den Leib des Dra=
25 chen und schnitt das Herz heraus, das er nun
braten wollte.

Als ihm dabei das heiße Blut des Dra=
chen über die Hand lief, bemerkte er, daß sie
mit einer festen Hornhaut überzogen war.
30 Hätte ich doch eine solche Hornhaut am ganzen
Körper, dachte er, dann könnte mich kein Speer
und kein Schwert verwunden. Sogleich warf
er die Kleider ab und badete sich in dem Blute,
so daß sein ganzer Körper von der Hornhaut
35 bedeckt war, die ihn auf immer unverwundbar
machte. Nur an einer Stelle, wo ihm ein Lin=
denblatt zwischen die Schultern gefallen war,
blieb er verwundbar.

Als er dann mit dem Finger an das
40 bratende Herz rührte, fand er es natürlich

der Schatz *treasure*   der Edelstein *precious stone*
die Höhle *cave*

die Tarnkappe *magic hood*

wunderbar *wonderful*   die Eigenschaft *property, attribute*
besitzen *possess, have*   der
Träger *wearer*   unsichtbar
invisible   jede beliebige Gestalt *any form he wishes*
an-nehmen *assume*   verwandeln *change, transform*
um . . . behüten zu können *in
order to be able to guard* or *protect*

furchtbar *terrible*

grub (graben) *dug*

heran-nahen *approach*

die Quelle *spring*

der Graben *ditch, trench, pit*
stieß (stoßen) *thrust*
das Schwert *sword*

heraus-schneiden *cut out*

braten *roast, fry*

dabei' *thereby, in doing so*

die Hornhaut *horny skin*   überzogen (überziehen) *covered*

der Speer *spear*

verwunden *wound*   ab-werfen
throw off
sich baden *bathe*   das Blut
blood

bedeckt *covered*   auf immer
forever   unverwundbar *invulnerable*   die Stelle *place,
spot*   das Lindenblatt *linden
leaf*

verwundbar *vulnerable*

an . . . rührte *touched*

sehr heiß, steckte den Finger in den Mund und
bemerkte plötzlich, daß er die Sprache der   die Sprache *language*
Vögel verstand. Diese aber erzählten ihm von
dem Schatz in der Höhle, von der Tarnkappe
5 und von dem wunderbaren Ring, der die Kraft
besaß, alles Gold aus den Bergen anzuziehen,   an-ziehen *attract*
so daß der Schatz immer wieder erneuert wer=   erneuert *renewed*
den könnte. Dann holte sich Siegfried den
Ring aus der Höhle, nahm auch die Tarnkappe
10 und so viele Edelsteine, wie er tragen konnte.

Nun erzählten ihm die Vögel weiter von   edel *noble*   die Jungfrau *maid,*
der edlen Jungfrau Brunhild, die schon jahre=   *young woman*   jahrelang
lang im fernen Norden hinter einer Flammen=   *for years*   die Flammenmauer schlief. Dahin eilte Siegfried dann, ritt   mauer *wall of flames*
15 mutig durch die hellen Flammen und erweckte   mutig *courageously*   die
die Jungfrau. Sie war wunderbar schön und   Flammen *flames*   erwecken
lieblich, und er verliebte sich in sie, und Brun=   *awaken*
hild sprach: „Hätte ich unter allen Männern   verliebte sich in *fell in love with*
der Erde zu wählen, so wählte ich dich und
20 keinen andern.“

Als Siegfried darauf wieder auf Aben=   darauf' *thereupon, after that*
teuer ausritt, schenkte er Brunhild den Ring   ausritt (ausreiten) *rode out*
der Nibelungen.

Siegfrieds Schwert

Jung Siegfried war ein stolzer Knab',
25 Ging von des Vaters Burg herab,   ging ... herab *went down*

Wollt' rasten nicht in Vaters Haus,   rasten *rest, remain*
Wollt' wandern in alle Welt hinaus.   hinaus-wandern *wander* or *go*
                                                          out

Begegnet' ihm manch Ritter wert   wert *worthy*
Mit festem Schild und breitem Schwert.   der Schild *shield*

30 Siegfried nur einen Stecken trug;   der Stecken *stick, pole*
Das war ihm bitter und leid genug.   das war ... leid genug *he felt*
                                                          badly enough about that

Und als er ging im finstern Wald,   finster *dark*
Kam er zu einer Schmiede bald.

Da sah er Eisen und Stahl genug;
Ein lustig Feuer Flammen schlug.

                                   der Stahl *steel*

                                   Flammen schlug *blazed*

„O Meister, liebster Meister mein,
Laß du mich deinen Gesellen sein;

   der Gesel'le *helper*

5 Und lehr du mich mit Fleiß und Acht,
Wie man die guten Schwerter macht!“

   der Fleiß *diligence*   die Acht *care*

Siegfried den Hammer wohl schwingen kunnt,
Er schlug den Amboß in den Grund.

   schwingen *swing*   kunnt *obs.* *form for* konnte

Er schlug, daß weit der Wald erklang
10 Und alles Eisen in Stücke sprang.

   erklingen *resound*

Und von der letzten Eisenstang'
Macht' er ein Schwert, so breit und lang.

   die Eisenstange *iron bar*

„Nun hab' ich geschmiedet ein gutes Schwert;
Nun bin ich wie andre Ritter wert.

   geschmiedet *forged*

15 Nun schlag' ich wie ein andrer Held
Die Riesen und Drachen in Wald und Feld!“
                     — Ludwig Uhland

   der Riese *giant*

EXERCISES — SERIES B

I. Questions:

1. Warum ritt Siegfried mit geschlossenem Visier zum Turnier? 2. Mit wem kämpfte er auf dem Turnier? 3. In was für einer Gegend befand er sich, als der Abend kam? 4. Warum stieg er auf einen hohen Baum? 5. Wohin lief er dann? 6. Was hat ihm der Zwerg gegeben? 7. Was geschah, als Siegfried auf das Eisen schlug? 8. Was wollte der Zwerg Siegfried dann zeigen? 9. Welche wunderbare Eigenschaft besitzt die Tarnkappe? 10. Warum hatte sich Fafner in einen Drachen verwandelt? 11. Wohin führte der Zwerg Siegfried dann? 12. Was wollte Siegfried mit dem Herzen des Drachen? 13. Warum badete er sich im Blute des Drachen? 14. Was bemerkte er, als er den Finger in den Mund steckte? 15. Was holte Siegfried aus der Höhle?

II. Read the following as conditions contrary to fact and supply the conclusion. EXAMPLE: Er hat Geld. — **Wenn er Geld hätte, würde er etwas kaufen.**

1. Wir haben Zeit. 2. Er ist zu Hause. 3. Er kommt heute abend. 4. Sie bringen das Geld. 5. Sie bleibt in der Schule. 6. Er findet sein Buch. 7. Er schreibt mir einen Brief. 8. Ihr gebt mir etwas Gutes. 9. Wir gehen in die Stadt. 10. Sie denken an uns.

III. True and false:

1. Siegfried ritt heimlich zum Turnier. 2. Der Zwerg Mimi war weit und breit berühmt. 3. Siegfried konnte den großen Hammer nicht heben. 4. Der Zwerg hätte Siegfried gern bei sich behalten. 5. Mimi hatte sich in einen Drachen verwandelt. 6. Siegfried versteckte sich und wartete auf den Drachen. 7. Er wollte dem Zwerg das Herz des Drachen schenken. 8. Siegfried badete sich im Blute des Drachen und wurde unverwundbar. 9. Die Vögel erzählten ihm von der Jungfrau im Norden. 10. Er ritt durch die Flammen und erweckte die Jungfrau.

IV. By adding the suffix –**heit** to adjectives abstract feminine nouns are formed, for example: **blind** *blind* — **die Blindheit** *blindness*. Form nouns from:

1. berühmt, 2. dumm, 3. dunkel, 4. frei, 5. gewiß, 6. gesund, 7. klar, 8. klug, 9. krank, 10. schön, 11. sicher, 12. wahr, 13. weis(e), 14. zufrieden.

V. Study the word group:

> kennen
> erkennen   bekannt, unbekannt
> die Kenntnis   der Bekannte

VI. Translate:

1. How would it be if we made a trip together? 2. That would be splendid if I only had the time. 3. If I had more money, I should accompany you. 4. I could go with you if my uncle had sent (**schicken**) me money. 5. If he were here now, he would help you. 6. He would have sent you money if you had written him a letter. 7. If only I were not so stupid! Would that I had written! 8. It looks as if I were very stupid, doesn't it? 9. I should give you what you need (**brauchen**) if I had enough. 10. If your uncle came tomorrow, we could all go

together. 11. He would come tomorrow if it were possible. 12. But it looks as if he were not coming, doesn't it? 13. If we had time, we should visit many old cities. 14. Then you would have the best opportunity to visit the famous museums. 15. If my friends knew how interesting these cities are, they would all come. — a. If he is ill, he stays at home. b. If he were ill, he would stay at home. c. If he has money, he goes with us. d. If he had money, he would go with us. e. If I write him a letter, he comes. f. If I wrote him a letter, he would come.

22

ZWEIUNDZWANZIGSTE AUFGABE _____

Heidelberg

Ein Freund aus Heidelberg hatte Paul gebeten, er **solle** ihm schreiben, wann er mit seinem Onkel dahinkommen **werde**. Er **möchte** das Vergnügen haben, sie mit seiner Heimatstadt bekannt zu machen. Der Onkel sagte, das **sei** wirklich nett von dem Freunde;
5 Paul **solle** ihm recht herzlich für die Einladung danken. Zwar glaubte der Onkel, sie **würden** sich nur einige Stunden da aufhalten, weil die Stadt dem Fremden wohl wenig **biete.** Aber Paul erwiderte darauf, er **kenne** die Stadt zwar nicht, aber man **höre** doch so oft den Namen; eine solche alte Stadt **würde** immer interessant sein,
10 und wer alles sehen **wolle, müsse** sich wenigstens einen Monat da aufhalten. Und Paul hatte recht.

Zuerst zeigte ihnen der Freund die Universität mit dem berühmten Karzer. Auf die Frage, ob das ein wirkliches Gefängnis **sei,** antwortete der Führer, daß Studenten manchmal das Vergnü-
15 gen **hätten,** hier allein zu wohnen. Später wurden sie auf das Schloß geführt, wo man ihnen erklärte, welche Rolle es in der Geschichte gespielt **hätte.** Der Onkel meinte, es **sei** eine der schönsten Ruinen, die er je gesehen **hätte.**

Das Interessanteste in Heidelberg **seien** die Studenten, meinte
20 der Freund. Jetzt **sei** die Stadt noch ziemlich ruhig, denn die Studenten **hätten** Ferien, aber in kurzer Zeit, wenn die Vorlesungen **anfingen, würde** es ganz anders aussehen. Da **könnte** man überall frohe Gesichter sehen und lustige Lieder hören. Doch das Studentenleben richtig kennenzulernen, — dazu **brauche** man wohl mehr
25 als einen Tag.

Heidelberg: Karzer in der
Alten Universität

*Städt. Verkehrsamt Hei-
delberg*

Heidelberg mit Schloß   *Deutsche Zentrale für Fremdenverkehr*

GRAMMAR _____

Indirect Discourse.

1. Indirect Discourse.

The *Indirect Discourse* reports the words or thoughts of another and is used after verbs of saying, thinking, believing, etc. If the verb of the principal clause is in the present tense, the indirect statement is frequently given in the indicative, but after all other tenses the subjunctive is ordinarily used.

NOTE: After verbs implying certainty or when the speaker wishes to emphasize his agreement with the quoted statement, the indicative is used:

> Ich weiß, daß er kommt.
> *I know that he is coming.*
>
> Ich glaubte, daß er recht hatte.
> *I thought that he was right.*

2. Indirect Statement introduced by *daß*.

An indirect statement may be introduced by **daß**, making it a dependent clause requiring the transposed order, or it may be given without **daß** in the normal order.

> Er sagte, **daß** das Haus alt sei.   *He said that the*
> *or*   *house was old.*
> Er sagte, das Haus sei alt.

3. Indirect Statement introduced by *ob*.

Indirect questions are introduced by **ob** (*whether, if*) or by an interrogative pronoun or adverb (**wer, wie, wo,** etc.). The rules for indirect statements apply to indirect questions.

> Ich fragte, ob der Mann zu Hause sei.
> *I asked if the man were at home.*
>
> Ich fragte ihn, wohin er gehe.
> *I asked him where he was going.*

4. Subjunctive in Indirect Statement.

The tense of the subjunctive in the indirect statement is shown in the following table.

Tense of the Direct Statement	Tense of the Indirect Statement
Present	1) Present Subjunctive 2) Past Subjunctive
Past Perfect Past Perfect	1) Perfect Subjunctive 2) Past Perfect Subjunctive
Future	1) Future Subjunctive 2) Present Conditional
Future Perfect	1) Future Perfect Subjunctive 2) Past Conditional

General Rules:

1. The No. 1 forms in the table above are generally preferred but must not be used when they have the same form as the corresponding indicative.

2. The No. 2 forms may always be used.

3. The tense of the indirect statement depends on the tense of the (assumed) direct statement. It is not affected by the tense of the main verb.

Assumed Direct Statement	Indirect Statement
Ich bin krank.	Er sagte, Er hat gesagt, daß er krank sei. Er hatte gesagt,

Note that the past indicative of the direct statement is never rendered by the past subjunctive but by the perfect or past perfect subjunctive.

> Er war hier. Man sagt, er sei (wäre) hier gewesen.

5. Imperative in Indirect Discourse.

The imperative is expressed in the indirect discourse by using **sollen** or **müssen** with the infinitive of the verb:

> Der Lehrer sagte zum Schüler: „Gehen Sie nach Hause!"
> Der Lehrer sagte, daß der Schüler nach Hause gehen solle.

A subjunctive in the direct statement is retained without change, except for the personal pronoun, in the indirect statement:

> Mein Freund sagte: „Ich wäre gern gegangen."
> Mein Freund sagte, daß er gern gegangen wäre.

EXERCISES — SERIES A

I. Change the reading selection to direct discourse.

II. Change the following sentences to indirect discourse with 1) **Er sagte,** 2) **Er sagte, daß.**

1. Es ist eine schöne Stadt. 2. Wir haben kein Geld. 3. Er hat das Buch gelesen. 4. Ich bin in Berlin gewesen. 5. Er war heute nicht hier. 6. Sie hatte kein Geld. 7. Sie besuchte eine Freundin. 8. Wir werden das Buch kaufen. 9. Hilf mir mein Buch finden! 10. Bauen Sie ein neues Haus!

III. Change the following sentences to indirect discourse with **Er fragte.**

1. Kennen Sie die Stadt? 2. Was hat er dir gesagt? 3. Warum geht er nicht nach Hause? 4. Werden die Studenten kommen? 5. Wie lange ist er geblieben? 6. Wird er den Freund besuchen? 7. Hat er dem Manne geholfen? 8. Wie lange bleiben Sie hier? 9. Wann warst du in der Stadt? 10. Ist er nach Hause gegangen?

IV. Read the following sentences with **Es sieht aus, als ob.**

1. Er ist nicht hier. 2. Es wird regnen. 3. Sie kommt nicht. 4. Er ist ausgegangen. 5. Sie hat nicht gearbeitet. 6. Sie sind hier geblieben.

V. Change the following sentences to indirect discourse:

1. Kommen Sie schnell! 2. Schreiben Sie einen Brief! 3. Helfen Sie mir! 4. Arbeiten Sie fleißig! 5. Geben Sie mir Ihr Buch!

VI. Answer in complete sentences:

1. Was sollte Paul dem Freunde schreiben? 2. Was möchte der Freund tun? 3. Wofür sollte Paul ihm danken? 4. Kannte Paul die Stadt Heidelberg? 5. Was für Städte sind interessant? 6. Was bedeutet das Wort Karzer? 7. Wer muß manchmal im Karzer sitzen? 8. Was dachte der Onkel vom Schlosse? 9. Warum ist die Stadt so ruhig? 10. Warum sind die Studenten nicht hier?

VOCABULARY

ganz anders quite different

der Karzer – university prison

die Heimatstadt ⸚e native city

das Gefängnis –ses –se prison
das Studen'tenleben student life

sich auf-halten hielt sich auf sich aufgehalten er hält sich auf stay
bereiten prepare
dahin-kommen kam dahin ist dahingekommen come there
halten hielt gehalten er hält stop

darauf to that
nett nice, kind
wirklich real(ly)

CONVERSATION

Das Frühstück	Breakfast
1. Karl, wir müssen aufstehen. Der Wecker hat geklingelt.	1. Karl, we must get up. The alarm clock has rung.
2. Ja, die Mutter deckt den Tisch. An jeden Platz stellt sie einen Teller und eine Tasse mit Untertasse.	2. Yes, mother is setting the table. At each place she puts a plate, and a cup and saucer.
3. Neben jeden Teller legt sie eine Serviette, ein Messer und einen Löffel.	3. Beside each plate she lays a napkin, a knife and a spoon.
4. Warum keine Gabel?	4. Why no fork?
5. Zum Frühstück gibt es kein Fleisch und kein Gemüse, und man braucht keine Gabel.	5. For breakfast we have no meat and no vegetables, and we don't need a fork.
6. Was ißt man in Deutschland zum Frühstück?	6. What does one eat for breakfast in Germany?
7. Gewöhnlich ißt man nur Brötchen mit Butter und Honig oder Marmelade.	7. Usually one eats only rolls with butter and honey or jam.
8. Was für „breakfast cereals" gibt es denn in Deutschland?	8. What kind of breakfast cereals do they have in Germany?
9. „Breakfast cereals" gibt es	9. They have no breakfast ce-

nicht. Man hat in Deutschland nicht einmal ein Wort dafür.

10. Am besten schmeckt am Morgen der Kaffee, aber heiß muß er sein, und nicht zu schwach.

reals. In German, there isn't even a word for them.

10. Coffee tastes best in the morning, but it has to be hot and not too weak.

LESESTUCK

Siegfried und Kriemhild

Eine der schönsten Dichtungen aus dem deutschen Mittelalter ist wohl das Nibelungenlied, das am Anfang des dreizehnten Jahrhunderts geschrieben wurde. In diesem Liede
5 wird uns die Geschichte von Siegfried und Kriemhild erzählt.

Vor vielen, vielen Jahren lebte in der Stadt Worms am Rhein eine edle Königstochter, die hieß Kriemhild. Ihr Bruder Gun-
10 ther war König der Burgunder. Kriemhild hatte einmal einen seltsamen Traum, von dem sie ihrer Mutter erzählte: „Mir träumte, ich hätte einen schönen jungen Falken, der mir sehr lieb war. Als der Falke eines Tages in
15 die Luft flog, hätten ihn zwei Adler angegriffen und zerrissen. Das machte mich sehr traurig, und ich meinte, mein Herz müßte vor Leid brechen." Darauf antwortete ihre Mutter, der Falke sei ein kühner Held, durch den sie große
20 Freude aber auch bitteres Herzeleid erfahren werde, denn er werde wohl wie der Falke von seinen Feinden zerrissen werden. Kriemhild erklärte dann, daß sie nie einen Mann lieben würde und darum auch durch keinen Helden
25 unglücklich werden könnte.

Da hörte Siegfried, der edelste und herrlichste aller deutschen Helden, der im Kampf mit dem Drachen den Nibelungenschatz gewonnen hatte, von der schönen Jungfrau zu
30 Worms und beschloß, um sie zu werben. Als

die Dichtung *poem*

das Mittelalter *Middle Ages*
das Nibelungenlied *Lay of the Nibelungs*

die Königstochter *princess*

die Burgun'der *Burgundians*

träumen *dream*

der Adler *eagle*   angegriffen *attacked*

das Leid *grief, sorrow*

kühn *bold*

das Herzeleid *heartache*

der Nibelungenschatz *Nibelung treasure*

werben *court, woo*

er mit seinen Rittern vor der Burg der Bur=
gunder erschien, erkannte ihn keiner. Nur
Hagen, der mächtigste Vasall des Königs Gun=
ther, meinte, der Ritter könne niemand anders

5 sein als Siegfried, der kühne Held, der den
Drachen getötet und sich in seinem Blute ge=
badet hätte. Dann erzählte er dem König von
der unsichtbarmachenden Tarnkappe, dem wun=
derbaren Ring der Nibelungen und dem reichen

10 Schatz an Gold und Edelsteinen.
Nun wurde Siegfried von König Gun=
ther freundlich empfangen. Er blieb ein ganzes
Jahr auf der Burg, ohne die schöne Jungfrau
auch nur ein einziges Mal zu sehen. Diese aber

15 sah ihm oft von ihrem Fenster heimlich zu,
bewunderte seine Kraft und Gewandtheit bei
den Kampfspielen und verliebte sich in ihn.
Bei einem großen Fest auf der Burg erschien
Kriemhild unter den Frauen, und sie wurden

20 einander vorgestellt. Siegfried, der so lange
gewartet hatte, liebte die schöne Prinzessin so=
fort. Er ging zum König und bat, er möchte
ihm die Hand seiner Schwester geben. Gun=
ther versprach ihm, er könne seine Schwester

25 heiraten, wenn er ihm helfen wolle, die stolze
Brunhild in ritterlichem Kampfspiel zu besie=
gen und ihre Hand zu gewinnen; dann könne
die Hochzeit Siegfrieds mit Kriemhild gleich
nach der Rückkehr aus Brunhilds Reich statt=

30 finden. Brunhild aber verlangte, daß der Rit=
ter, der sie gewinnen wollte, sie erst in drei
Kampfspielen besiegen müsse, und schon man=
chen jungen Ritter, der sie gern zur Frau
gehabt hätte, hatte sie schnell besiegt. Und

35 Siegfried zog mit Gunther und seinen Rittern
nach dem fernen Norden. Mit Hilfe der Tarn=
kappe kämpfte er in unsichtbarer Gestalt an
Gunthers Seite und gewann die drei Spiele.
Brunhild mußte sich für besiegt erklären und

40 wurde im Triumph nach Worms geführt, wo
nun eine doppelte Hochzeit gefeiert wurde.

---

der Vasall' *vassal*
niemand anders *no one else*

unsichtbarmachend *making invisible*

bewundern *admire* die Gewandtheit *adroitness, skill, agility* das Kampfspiel *contest, tournament* das Fest *festival*

ritterlich *knightly, chivalrous*

die Hochzeit *wedding*
die Rückkehr *return*
verlangen *demand*

zog (ziehen) *marched, went along*

das Spiel *game, contest*

der Triumph' *triumph*
doppelt *double*

Brunhild konnte aber nie recht glücklich
sein. Sie hatte eine dunkle Ahnung, daß man
ihr irgendwie ein Unrecht getan hätte. Da er=
hob sich eines Tages ein Streit zwischen den
5 zwei Königinnen, und Kriemhild vergaß sich
so weit, daß sie das unglückliche Geheimnis
verriet, indem sie Brunhild erklärte, daß Sieg=
fried und nicht Gunther sie im Kampfspiel
besiegt hätte. Darüber wurde Brunhild so zor=
10 nig, daß sie beschloß, an Siegfried Rache zu
nehmen, und Hagen versprach, er würde ihr
helfen.

Am nächsten Tage, als alle Ritter auf der
Jagd waren, stieß Hagen dem unglücklichen
15 Siegfried den Speer in den Rücken an der
Stelle, wo ihm das Lindenblatt zwischen die
Schultern gefallen war. Den Leichnam aber
brachte man in der Nacht nach der Stadt und
legte ihn vor Kriemhilds Kammertür.

20 So endet der erste Teil des Nibelungen=
liedes. Im zweiten Teil wird von der blutigen
Rache Kriemhilds und dem Untergang König
Gunthers und aller seiner Vasallen berichtet.

die Ahnung *foreboding, suspicion*
irgendwie *somehow* das Unrecht *wrong, injustice*

die Königin *queen*
das Geheimnis *secret*

die Rache *revenge*

unglücklich *unfortunate*

der Leichnam *corpse*

die Kammertür *chamber door*
enden *to end*
blutig *bloody*
der Untergang *destruction*

EXERCISES — SERIES B

I. Questions:

1. Wessen Geschichte wird uns im Nibelungenlied erzählt?
2. Was für einen Traum hatte Kriemhild einmal? 3. Was sagte die
Mutter von dem Falken? 4. Was wollte Kriemhild tun, um nicht unglücklich zu werden? 5. Wer erkannte Siegfried, als er in Worms erschien? 6. Was meinte Hagen von dem Ritter? 7. Wovon erzählte
Hagen dem König? 8. Wie oft hat Siegfried Kriemhild im ersten Jahr
gesehen? 9. Wo wurden sie einander vorgestellt? 10. Um was bat
Siegfried den König? 11. Was wünschte der König von Siegfried?
12. Was verlangte Brunhild von dem Helden, der sie gewinnen wollte?
13. Was für eine dunkle Ahnung hatte Brunhild? 14. Welches Geheimnis hat Kriemhild verraten? 15. Was hat Hagen Brunhild versprochen?

II. Read the following with 1) **Er sagte,** 2) **Er sagte, daß:**

1. Er hat das Nibelungenlied gelesen. 2. Sie hatte einen seltsamen Traum. 3. Der Falke ist ein kühner Held. 4. Keiner erkannte ihn. 5. „Helfen Sie mir!" 6. Er blieb ein ganzes Jahr. 7. Sie sah ihm oft heimlich zu. 8. Man hatte ihr unrecht getan. 9. Das Blatt war ihm zwischen die Schultern gefallen. 10. Man brachte den Leichnam in der Nacht in die Stadt.

III. Find the synonyms of the words in the following 2 lists and use them in sentences:

1. denken	1. niemand
2. fertig	2. froh sein
3. bekommen	3. erwidern
4. sich freuen	4. bemerken
5. keiner	5. nötig haben
6. sehen	6. bereit
7. antworten	7. anfangen
8. schließen	8. meinen
9. brauchen	9. zumachen
10. beginnen	10. erhalten

IV. Many adjectives are formed by adding the suffix –ig to nouns, for example: **die Macht** *might* — **mächtig** *mighty*. (̈ indicates umlaut.) Form adjectives from:

1. der Berg, 2. das Blut, 3. der Durst, 4. das Eis, 5. das Feu(e)r, 6. die Freud(e), 7. die Gewalt (*power*), 8. der Hunger, 9. die Kraft ̈, 10. die Luft, 11. die Lust, 12. der Mut, 13. die Ros(e), 14. die Ruh(e), 15. die Sonn(e), 16. die Tat ̈, 17. der Wind, 18. der Zorn (*anger*).

V. Study the word group:

sehen, sah, gesehen

das Gesicht *face*   durchsichtig *transparent*

sichtbar *visible*   ansehen *look at*

aussehen *look, appear*

VI. Translate:

1. Paul asked his uncle whether he would like to visit Heidelberg. 2. His uncle asked him whether he knew the city very well. 3. Paul said he had never been there, but he knew that it was interesting.

4. He said his friends had often spoken of the city. 5. He wrote to his friend that they were coming to visit him. 6. His friend asked when they were coming because he wanted to meet them. 7. He answered they would arrive in the morning, but they would stay only a few hours. 8. Paul told his uncle there was a famous castle in the city. 9. He thought such an old city must be very interesting. 10. He said he would like to stay there at least a month. 11. His friend said if he wanted to see everything he would have to stay a long time. 12. They heard that the university was one of the oldest in Germany. 13. They asked their friend if he would not be so kind [as] to show them the castle. 14. He explained to them what role the castle had played in history. 15. They thought (**meinen**) it was one of the most beautiful castles which they had seen. — a. I know that he is at home. b. I thought he was not at home. c. He asked whether I was at home. e. He said they had had nothing to eat. f. *Change to indirect discourse:* Help me. Give us a book. Write her a letter.

23

DREIUNDZWANZIGSTE AUFGABE _____

Ein Brief nach Hause

Den 30. Oktober 1954

Liebe Eltern!

Schon vor einigen Tagen hätte ich Euch schreiben sollen, aber Ihr wißt ja, wie es auf einer solchen Reise geht.

In Nürnberg und Heidelberg haben wir nicht so lange bleiben dürfen, wie wir wollten. Wir haben dem Onkel versprechen müssen, ihn so bald wie möglich nach Berlin zu bringen. Sonst hätten wir natürlich viel mehr sehen können. Darum werden wir auch nur zwei Tage am Rhein zubringen können. Aber wenn wir auch nicht alles haben sehen können, so ist es doch herrlich gewesen.

Auch die Stadt Mainz haben wir nicht so gut kennengelernt, wie wir möchten, denn wir wollen heute schon die schöne Rheinreise machen. Von Mainz bis Köln soll die schönste Strecke sein. Wie Ihr euch denken könnt, freuen wir uns sehr auf den Rhein mit seinen malerischen Ruinen und alten Sagen.

Heute morgen hättet Ihr den Onkel sehen sollen. Wir wollten eben in den Zug einsteigen, da meinte er, er hätte seine Brille irgendwo liegen lassen. Er suchte überall, und wir haben ihm suchen helfen. Endlich fand er sie selbst, und wißt Ihr wo? In seiner eigenen Tasche, wo sie sein sollte.

Ich wollte, Ihr könntet die Rheinreise mit uns machen. Hoffentlich werdet Ihr bald das Vergnügen haben. Nun muß ich aber eilen.

Mit herzlichem Gruß
Euer
Paul

Mainz: Dom   *Deutsche Zentrale für Fremdenverkehr*

GRAMMAR

Modal Auxiliaries.

1. Modal Auxiliaries.

The *Modal Auxiliaries* are irregular in the singular of the present tense. Otherwise they are inflected like the weak verbs. (See Table, p. 346 f.)

2. Infinitive with *zu*.

The modal auxiliaries and the verbs **hören, sehen, helfen, lernen, lassen** are followed by the infinitive without **zu**:

> Er muß gehen; sie können kommen.

3. Omission of Verb after Modal Auxiliaries.

After the modal auxiliaries the verb expressing motion is frequently omitted:

> Ich muß nach Hause; er wollte in die Stadt.

4. Double Infinitive.

In the perfect tenses, when used with a dependent infinitive, the perfect participle of the modals (and of the verbs **hören, sehen, helfen, lernen, lassen**) is replaced by a form identical with the infinitive:

> Er hat es gekonnt. But: Er hat es tun können.

In the subordinate clause with a compound tense, the auxiliary precedes the " double infinitive ":

> Er sagte, daß er nicht habe kommen können.

5. Idiomatic Uses of Modal Auxiliaries.

The use of the modals must be learned by practice. Some of the idiomatic uses are given here:

dürfen	Darf ich fragen?	*May I ask?*
	Ich darf nicht bleiben.	*I must not stay.*
können	Das kann sein.	*That may be.*
	Er kann gut Deutsch.	*He knows German well.*
mögen	Ich möchte schlafen.	*I should like to sleep.*
	Ich mag das nicht.	*I don't care for that.*
	Er mag nicht gehen.	*He doesn't like to go.*
müssen	Ich muß nach Hause.	*I have to go home.*
	Er mußte arbeiten.	*He had to work.*
sollen	Wir sollen hier bleiben.	*We are to stay here.*
	Er soll reich sein.	*He is said to be rich.*
wollen	Er wollte eben gehen.	*He was just about to go.*
	Er will hier gewesen sein.	*He claims to have been here.*
	Ich will heute gehen.	*I intend to go today.*
	Wir wollen gehen.	*Let us go.*

Compare the following:

Er **hätte** es **tun können.**	*He could have done it.*
Er **hätte** es **tun sollen.**	*He ought to have done it.*

EXERCISES — SERIES A _____

I. Conjugate the following sentences in the present, perfect, and future tenses:

1. Ich kann Deutsch lesen. 2. Ich will nicht mitgehen. 3. Ich mag das Buch nicht. 4. Ich höre den Vogel singen. 5. Ich sehe den Mann kommen. 6. Ich will das Buch nicht. 7. Ich muß den Brief schreiben. 8. Ich darf nicht Englisch sprechen. 9. Ich soll den Freund besuchen. 10. Ich helfe ihm die Brille suchen. 11. Ich lasse den Arzt kommen. 12. Ich kann gut Deutsch.

II. Conjugate the following sentences in the past and perfect tenses:

1. Ich kenne den jungen Herrn. 2. Ich weiß, wo er wohnt. 3. Ich denke an meine Mutter. 4. Ich bringe es meiner Schwester. 5. Ich helfe meinem Bruder. 6. Ich fange an, das Buch zu lesen.

III. Supply the missing words:

1. Er geht — Hause. 2. — Sommer regnet es. 3. Es freut — sehr. 4. Sie kam — Morgen. 5. Denken Sie — mich! 6. Fühlen Sie — wohl? 7. Sie sitzen um — Tisch. 8. Er wohnt auf — Lande. 9. Es tut — leid. 10. Es gelingt —. 11. Wir warten — Sie. 12. — Januar ist es kalt. 13. Wie geht es — Mutter? 14. Er saß an — Tisch. 15. — Tage scheint die Sonne.

IV. Form sentences in the perfect tense. EXAMPLE: hören — **Ich habe die Frau singen hören.**

1. müssen, 2. dürfen, 3. können, 4. mögen, 5. sollen, 6. wollen, 7. sehen, 8. lassen.

V. Answer in complete sentences:

1. In welcher Stadt befinden sich die Freunde? 2. In welcher Stadt befinden wir uns? 3. Warum durfte Paul nicht lange in Heidelberg bleiben? 4. Was hat er dem Onkel versprechen müssen? 5. Wie lange wollen sie am Rhein bleiben? 6. Welches soll die schönste Strecke sein? 7. Worauf freuen sie sich? 8. Hatte der Onkel wirklich seine Brille verloren? 9. Wer hat dem Onkel suchen helfen? 10. Wo hat der Onkel endlich die Brille gefunden?

VOCABULARY

wenn . . . auch, so . . . doch even if . . ., nevertheless
wir freuen uns auf den Rhein we are looking forward (with pleasure) to the Rhine
wir wollten eben einsteigen we were about to get in
ich wollte I wish

die Rheinreise –n Rhine journey

hinaus-gehen ging hinaus ist hinausgegangen go out
mit-nehmen nahm mit mitgenommen er nimmt mit take along

irgendwo somewhere
malerisch picturesque

CONVERSATION

Die Oper	The opera
1. Möchten Sie heute abend ins Kino, ins Theater oder in die Oper?	1. Would you like to go to the movies, the theater, or the opera this evening?
2. Am liebsten möchte ich in die Oper. Deutschland ist doch das Land der Musik, nicht wahr?	2. I should like best to go to the opera. Germany is the land of music, isn't it?
3. Haben Sie Wagner gern? Ich höre, *Lohengrin* wird gegeben.	3. Do you like Wagner? I hear *Lohengrin* is being performed.
4. Ich kenne nur *Lohengrin* und *Tannhäuser*.	4. I know only *Lohengrin* and *Tannhäuser*.
5. Dann müssen Sie nächste Woche *Die Meistersinger* mit mir hören.	5. Then you must hear *Die Meistersinger* with me next week.
6. Und wann wird *Der Ring der Nibelungen* gegeben?	6. And when will *The Ring of the Nibelungen* be performed?
7. In der nächsten Woche soll der ganze *Ring* aufgeführt werden.	7. Next week the whole *Ring* is to be presented.
8. Zur Vorbereitung möchte ich jedesmal den Text der Oper lesen.	8. In preparation, I should like to read the libretto of the opera each time.
9. Gut, die Texte habe ich alle zu Hause.	9. Good, I have all the librettos at home.
10. Dann sollten wir gleich anrufen und die Karten bestellen.	10. Then we should telephone at once and order the tickets.

LESESTÜCK

Lohengrin

Als König Parzival einst mit seinen Rittern im hohen Saale der Gralsburg versammelt war, da erschien am Becher des heiligen Grals der Befehl, Lohengrin, Parzivals Sohn,

5 solle nach Brabant ziehen und der Herzogstochter Elsa von Brabant aus der Not helfen. Da trat der hübsche, junge Ritter vor seinen Vater und sprach, er sei bereit und wolle alles

einst once upon a time

der Saal hall   die Gralsburg castle of the Holy Grail
der Becher cup, goblet, chalice

der Gral the Grail   der Befehl command
die Herzogstochter duke's daughter
die Not need, distress

tun, was in seiner Macht stehe, um seine Pflicht
zu erfüllen. Er verließ die Burg, eilte an das
Ufer und stieg in einen Kahn, der von einem
schönen, weißen Schwan gezogen wurde. Er
5 fuhr über die See, dann den Rhein hinauf
nach der Stadt Brabant.

    Als die Herzogstochter Elsa hörte, daß
ein stattlicher, junger Ritter den Rhein herauf-
gefahren und soeben in der Burg erschienen
10 sei, befahl sie, daß man ihn sofort vor sie
bringen solle. Lohengrin trat vor sie und sagte,
er sei auf Befehl des heiligen Grals gekommen,
um sie zu beschützen und ihr Land von ihrem
Feinde zu befreien. Da erzählte ihm Elsa, daß
15 der stolze Herzog Telramund, der ihr Land
angegriffen und alle Macht an sich genommen
hatte, von ihr verlange, sie solle ihm ihre Hand
schenken, aber sie liebe ihn nicht und wolle
keinen Feind ihres Volkes zum Manne neh-
20 men. Nun habe sich der Herzog an den Kaiser
gewandt, und dieser habe kurz befohlen, sie
müsse Telramund heiraten, falls sich innerhalb
eines Monats kein Ritter finden sollte, der für
sie den Kampf aufnehmen wolle.

25   Als Ritter des heiligen Grals mußte
Lohengrin natürlich das Recht beschützen und
erklärte sich bereit, für die schöne Jungfrau
gegen den mächtigen Telramund zu kämpfen.
Einen besseren Kämpfer hätte Elsa sich wohl
30 kaum wünschen können, und sie ließ dem Kaiser
sagen, ein edler Ritter habe sich gefunden, der
ihre Rechte verteidigen und sie beschützen würde.
Am Hofe des Kaisers zu Aachen sollte nun in
drei Tagen der Kampf stattfinden.

35   Auf stattlichem Roß erschien der stolze
Herzog Telramund von seinen Freunden mit
lautem Jubel begrüßt, denn sie meinten, niemand würde ihn besiegen können. Der Kaiser
selbst gab das Zeichen, und ein heftiger Kampf
40 begann. So gewaltig schlug Telramund mit

---

die Macht *power, might*
erfüllen *fulfill*
der Kahn *boat*
der Schwan *swan*

herauf-fahren *sail up*
soe'ben *just*

falls *in case*   sich finden sollte
    should be found

aufnehmen *take up*

der Kämpfer *combatant, cham-*
    pion
sie . . . sagen *she informed the*
    Emperor

verteidigen *defend*

das Roß *horse*

dem Schwerte auf Lohengrin, daß dieser gewiß
das Leben verloren hätte, wäre er nicht jünger
und schneller gewesen als sein Feind. Lange
dauerte der Streit, aber endlich gelang es
5 Lohengrin, den stolzen Gegner von seinem
Rosse zu werfen. Damit war der Streit ent=
schieden, und Elsas Kämpfer hatte den Sieg
gewonnen. Der Kaiser ließ Lohengrin vor sich
kommen und sprach zu ihm: „Das war ein
10 Kampf, wie man ihn selten sah. Dein ist der
Sieg und dein sei auch Elsa von Brabant.“

der Gegner *opponent*

der Kaiser ... kommen *sent for
L. to appear before him*

wie man ihn selten sah *such as
one didn't see often*

So wurde die schöne Elsa Lohengrins
Frau. Vor der Hochzeit verlangte er aber von
ihr, sie müsse ihm versprechen, niemals nach
seinem Namen und seiner Herkunft zu fragen,
5 denn an dem Tage, wo sie diese Frage stelle,
müsse er von ihr gehen, und sie würde ihn
niemals wiedersehen.

Nun lebten sie viele Jahre glücklich zu=
sammen. Manchmal aber war Elsa traurig,
10 wenn sie daran dachte, daß sie nicht recht
wußte, wer ihr Gatte war, und daß sie nicht
danach fragen durfte. Da geschah es, daß sie
einmal bei einem Feste hörte, wie eine der
Frauen zu ihrer Nachbarin sagte, Lohengrin
15 sei wohl edel und ein großer Held, es sei aber
schade, daß niemand recht wisse, wer er sei und
woher er käme. Das könnte einmal für die
Kinder ein Unglück sein. Diese Worte hatte
Elsa anhören müssen. Traurig eilte sie auf ihre
20 Kammer, warf sich aufs Bett und weinte
bittere Tränen.

Als Lohengrin zu ihr kam, erzählte sie
ihm, was geschehen war, und bat ihn, er
möchte ihr einen einzigen Wunsch erfüllen. Er
25 hätte ihr gern jeden Wunsch erfüllen mögen
und bat, sie möchte ihm doch den Grund ihrer
Trauer sagen. Darauf stellte sie dann die ver=
botene Frage, aus welchem Lande er sei und
von welchem Geschlecht er käme.

30 Da erschrak der tapfere Ritter Lohengrin,
und in tiefer Trauer sprach er: „Elsa, das
hättest du nicht fragen dürfen. Du hast doch
versprochen, mich niemals nach meinem Namen
oder meiner Herkunft zu fragen. Jetzt kann ich
35 nicht länger hier bleiben und muß fort in die
ferne Heimat. Meine Heimat aber, das mögen
alle nun erfahren, ist die Burg des heiligen
Grals, und ich bin der Sohn Parzivals,
des Königs vom heiligen Gral." Und er küßte
40 zum Abschied seine zwei lieblichen Kinder und

---

niemals *never*

die Herkunft *origin*

wo *on which*

wieder-sehen *see again*

der Gatte *husband*

die Nachbarin *neighbor*

einmal *once, some day*

an-hören *listen to*
die Kammer *chamber*
die Träne *tear*

der Wunsch *wish*

der Grund *reason, cause*
die Trauer *sorrow, mourning*
verboten *forbidden*

das Geschlecht *lineage, race*

küssen *kiss*

die unglückliche Elsa und schritt aus der Burg.   schritt *strode*
Er stieg in den Kahn, der vom weißen Schwan
gezogen auf ihn wartete und fuhr den Rhein   hinunter-fahren *sail down*
hinunter und über die See in die Heimat.
5   Diese schöne alte Legende hat Richard   die Legen'de *legend*
Wagner in seiner Oper „Lohengrin" ver=
wendet.

EXERCISES — SERIES B

I. Questions:

1. Welcher Befehl erschien am Becher des heiligen Grals? 2. Wem hat Parzival aus der Not helfen wollen? 3. War Lohengrin bereit, seine Pflicht zu tun? 4. Wohin mußte er fahren? 5. Was verlangte Herzog Telramund von Elsa? 6. Warum hat Elsa ihn nicht zum Manne nehmen wollen? 7. Welche Pflicht hatte Lohengrin als Ritter des heiligen Grals? 8. Was hätte Elsa sich nicht wünschen können? 9. Glaubten die Freunde Telramunds, daß jemand ihn besiegen könne? 10. War Lohengrin älter als sein Gegner? 11. Was verlangte Lohengrin von Elsa nach dem Kampf? 12. Wonach hat Elsa nicht fragen dürfen? 13. Was hat Elsa bei einem Fest hören müssen? 14. Was geschah, als Elsa die verbotene Frage stellte? 15. Was sagte Lohengrin dann zu Elsa?

II. Read in the past and perfect tenses:

1. Der weiße Schwan kann den Kahn ziehen. 2. Der Ritter will gegen ihre Feinde kämpfen. 3. Als Ritter des heiligen Grals soll er das Recht beschützen. 4. Elsa muß versprechen, Lohengrin nicht nach seiner Herkunft zu fragen. 5. Sie darf die verbotene Frage nicht stellen.

III. Many adjectives are formed by adding the suffix −lich to nouns (see English −ly in friend*ly*), for example: **der Feind** *enemy* — **feindlich** *hostile.* (⸗ indicates umlaut.) Form adjectives from:

1. die Angst ⸗, 2. der Bruder ⸗, 3. der Freund, 4. die Gefahr ⸗ (*danger*), 5. das Glück, 6. der Haß ⸗ (*hatred*), 7. das Herz, 8. das Jahr ⸗, 9. der Mensch, 10. der Monat, 11. die Mutter ⸗, 12. die Nacht ⸗, 13. der Schmerz (*pain*), 14. der Tag ⸗, 15. der Vater ⸗.

IV. Review of idiomatic expressions. Use in sentences:

1. noch einmal, 2. gern haben, 3. im Sommer, 4. es gefällt mir, 5. nach Hause, 6. warten auf, 7. denken an, 8. mitten in, 9. diesmal, 10. so bald.

V. Study the word groups:

lang	halten, hielt, gehalten
entlang *along*	der Halt *hold, support*
die Länge *length*	behalten *keep*
lange *a long time*	enthalten *contain*
langsam *slow*	der Inhalt *contents*
verlangen *long for, desire*	aufhalten *keep*
	unterhal'ten *entertain*
	sich unterhal'ten *converse*
	die Unterhal'tung *conversation, entertainment*

VI. Translate:

1. May I ask whether you can go with us? 2. Father says I may go, but I do not care to. 3. I should like to go tomorrow, but I must stay at home today. 4. I have always wanted to see that city, but I shall have to stay here. 5. You ought to come with us. You must not work so much. 6. Perhaps you will be permitted to go next week. 7. I am sorry that we could not stay in Heidelberg as long as we wanted to. 8. If we had stayed longer, we could have seen much more. 9. It was too bad that Karl had to stay at home. 10. He should have taken the trip with his friends. 11. He could have learned much more than at home. 12. I have never been able to understand why you don't speak German. 13. When I was young, I always wanted to learn it, but I could not. 14. If you could live in Germany a year, you would learn it. 15. I have often heard you say that. — a. He is said to have much money. b. I was about to go when you came. c. Do you know German? d. He claims to be your best friend. e. I don't care to work, but I have to. f. We are to help him this evening.

Burg am schönen Rhein   *Dr. Wolff & Tritschler*

24

VIERUNDZWANZIGSTE AUFGABE

Die Rheinreise

Früh am nächsten Morgen standen unsere Freunde am Landungsplatz. Da lag schon der kleine Dampfer und wartete auf sie. Sie ließen das Gepäck auf den Dampfer bringen und suchten sich Plätze oben auf dem Deck. Trotz der frühen Stunde herrschte überall geschäftiges Leben; auch der Dampfer bewegte sich hin und her, als wolle er abfahren. Bald war alles fertig, und nun glitten sie langsam auf den breiten Fluß hinaus und das schöne Rheintal hinab. Daß der Rhein wegen seiner malerischen Burgen und Ruinen berühmt war, wußten sie natürlich, nun aber sollten sie das alles sehen.

Ein deutscher Student, der die Fahrt schon öfters gemacht hatte, unterhielt sich mit unsern Freunden. Er erklärte die große Bedeutung des Flusses für den Handel Deutschlands. Dann nannte er die Namen der verschiedenen Schlösser, an denen sie vorbei-fuhren, und erzählte ihnen die alten Sagen, von denen ihnen wenige 5 bekannt waren. Paul und Karl hörten dem Gespräch mit Interesse zu, aber während der Fahrt standen sie immer wieder auf und gingen von einer Seite zur andern, denn jeden Augenblick gab es etwas Neues zu sehen.

Am besten hat ihnen der Loreleifelsen gefallen. Als sie daran 10 vorbeifuhren, sangen alle Leute auf dem Dampfer das bekannte Lied „Ich weiß nicht, was soll es bedeuten."

Den ganzen Tag haben sie auf der interessanten Fahrt zuge-bracht. Als sie gegen Abend in Köln ankamen, dankten sie dem Studenten für die angenehme Unterhaltung. Er half ihnen mit 15 ihrem Gepäck; dann wünschte er ihnen viel Vergnügen und nahm Abschied.

Der berühmte Loreleifelsen   *Deutsche Zentrale für Fremdenverkehr*

GRAMMAR

Nominative, Genitive, Dative and Accusative Cases.

1. Nominative Case.

The *Nominative* is the case of

1. the subject:

> Der Schüler ist fleißig.

2. the predicate noun after the verbs **sein, werden, bleiben, heißen**:

> Der Fluß heißt **der Rhein.**

2. Genitive Case.

The *Genitive* is used

1. to express possession:

> Das ist der Apfel **des Kindes.**

2. with prepositions (**außerhalb, innerhalb, statt, anstatt, trotz, während, wegen**):

> trotz **des Regens**   während **des Sommers**

3. adverbially, to express indefinite time and customary action:

> **Eines Tages** ging er fort.
> **Nachts** schlafe ich.
> **Abends** studieren wir.

3. Dative Case.

The *Dative* is used

1. as the indirect object:

> Er schreibt **dem Freunde** den Brief.

2. with prepositions (**aus, bei, mit, nach, seit, von, zu** always; **an, auf, hinter, in, neben, über, unter, vor, zwischen** when they answer the question **wo?** *in what place?*).

> **hinter** dem Hause
> **auf** dem Stuhl

3. with adjectives (**bekannt, ähnlich, angenehm, fremd, nahe,** etc.):

> Er ist mir **bekannt,** nicht fremd.

4. with the verbs **danken, folgen, gefallen, gehören, helfen,** and others:

> Das Buch **gehört** mir.   Das **gefällt** ihm nicht.

4. Accusative Case.

The *Accusative* is used

1. as the direct object:

> Er schreibt **einen Brief.**

2. with prepositions (**bis, durch, für, gegen, ohne, um, wider** always; **an, auf, hinter, in, neben, über, unter, vor, zwischen** when they answer the question **wohin?** *to what place?*).

> **durch** das Feld
> **neben** die Gabel

3. adverbially, to express definite time, extent of time, weight, and measure:

> Er kommt **den ersten Mai** und bleibt **den ganzen Monat.**
> Das Fleisch wiegt **ein halbes Pfund.**

5. Nouns expressing Weight and Measure.

Nouns expressing weight and measure (except feminines in –e) are used in the singular after numerals. The noun expressing the substance is in apposition:

> Er bestellt **zwei Pfund Fleisch.**
> Er trinkt **zwei Glas frisches Wasser.** (*cf.* drei Tassen Tee)

6. Names of Months, Cities, and States.

Names of months, cities, and states are in apposition, as in the expressions:

> im Monat Juni, die Stadt Berlin, der Staat Minnesota

EXERCISES — SERIES A _____

I. Supply the proper articles, prepositions, and endings:

1. Während — letzt– Woche macht– er ein– Reise — Weimar. 2. Der alt– Lehrer sitzt — — Tisch und liest — — Buch. 3. — — Kreide schrieb — Arzt das Rezept — — Tür. 4. Der klein– Bauer legte — Tür auf — Wagen und fuhr — — Stadt. 5. Er nahm — schwer– Tür auf — Rücken und trug sie — — Haus. 6. Er fährt — — alt– Arzt zu sein– krank– Frau.

II. Supply the definite article and endings:

1. Ich danke — Freund für — Hilfe. 2. Wir bleiben — ganz— Tag. 3. Er kommt — erst— Mai. 4. Das schön— Lied gefiel — Onkel.

5. Er ist sein— klein— Bruder ähnlich. 6. Er hilft — Mutter und — Vater. 7. Ein— Tag— kam er nach Hause. 8. Wir blieben einig— Woche— da. 9. Er studiert jed— Abend drei Stunde—. 10. Er blieb — ganz— Jahr in Berlin.

III. Give the antonyms of the following words:

1. schwer, 2. reich, 3. leer, 4. richtig, 5. gerade, 6. links, 7. hoch, 8. naß, 9. früh, 10. froh, 11. etwas, 12. viel, 13. leben, 14. reden, 15. anfangen.

IV. Read the following sentences in the imperfect and perfect tenses:

1. Ich kann nicht schreiben. 2. Sie kennt mich nicht. 3. Er hilft seiner Mutter. 4. Ich höre ihn kommen. 5. Wir denken oft an Sie. 6. Er weiß, wo ich wohne. 7. Wir wollen zu Hause bleiben. 8. Ich bringe es Ihnen. 9. Ich helfe ihm das Buch suchen. 10. Sie muß in die Stadt gehen.

V. Answer in complete sentences:

1. Wo wartete der Dampfer auf sie? 2. Was machten sie mit dem Gepäck? 3. Was macht den Rhein so berühmt? 4. Mit wem haben sie sich auf dem Dampfer unterhalten? 5. Was erzählte ihnen der deutsche Student? 6. Waren ihnen die alten Sagen alle bekannt? 7. Warum standen Paul und Karl immer wieder auf? 8. Was hat ihnen am besten gefallen? 9. Wer hat das Lied „die Lorelei" geschrieben? 10. Wann sind sie in der Stadt Köln angekommen?

ALLERLEI

Die Lorelei

Ich weiß nicht, was soll es bedeuten,
Daß ich so traurig bin;
Ein Märchen aus alten Zeiten,
Das kommt mir nicht aus dem Sinn.

Die Luft ist kühl und es dunkelt,
Und ruhig fließt der Rhein;
Der Gipfel des Berges funkelt
Im Abendsonnenschein.

Die schönste Jungfrau sitzet
Dort oben wunderbar;
Ihr gold'nes Geschmeide blitzet,
Sie kämmt ihr goldenes Haar.

Sie kämmt es mit goldenem Kamme
Und singt ein Lied dabei;
Das hat eine wundersame,
Gewaltige Melodei.

Den Schiffer im kleinen Schiffe
Ergreift es mit wildem Weh;
Er schaut nicht die Felsenriffe,
Er schaut nur hinauf in die Höh'!

Ich glaube, die Wellen verschlingen
Am Ende Schiffer und Kahn;
Und das hat mit ihrem Singen
Die Lorelei getan.

— Heine

VOCABULARY

zwei Glas Wasser two glasses of water
im Monat Juni in the month of June
die Stadt Berlin the city of Berlin
auf Besuch on a visit
er schaut in die Höh' he gazes up(ward)

der Abendsonnenschein evening
  sunshine
der Dampfer – steamer
der Kamm ⁔e comb
der Landungsplatz ⁔e landing pier
der Lorelei'felsen Lorelei Rock
der Schiffer – boatman
der Sinn –e mind, thought

das Deck –e deck
das Felsenriff –e rocky reef
das Geschmeide jewelry
das Märchen – fairy tale
das Pfund –e pound
das Rheintal Rhine valley
das Weh woe, grief

die Lorelei' Lorelei
die Melodei' = **Melodie'** –n melody
die Welle –n wave

dunkeln grow dark
funkeln sparkle
herrschen prevail
hinaus-gleiten **glitt hinaus** **ist hinausgeglitten** glide out
verschlingen **verschlang** **verschlungen** swallow
vorbei-fahren **fuhr vorbei** **ist vorbeigefahren** **er fährt vorbei** ride past

anstatt' instead of
statt instead of
während during
wenige few
wundersam wonderful

CONVERSATION

Ein deutscher Brief	A German letter
1. Guten Morgen, Fritz. Warum so traurig? Was fehlt dir denn?	1. Good morning, Fritz. Why so sad? What is the matter with you anyway?
2. Ach, ich muß meinem alten Lehrer einen Brief schreiben.	2. Oh, I must write my old teacher a letter.
3. Das ist doch nicht so schwer.	3. That surely isn't so difficult.

4. Aber ich habe noch nie einen deutschen Brief geschrieben.

5. Gut, ich will dir helfen. Oben rechts schreibt man den Ort und das Datum.

6. Ich schreibe also: Heidelberg, den 10. Mai 1954.

7. Dann schreibt man die Anrede: Sehr geehrter Herr Lehrer! (Sehr verehrte gnädige Frau!).

8. Wenn man an Verwandte oder Bekannte schreibt, so sagt man einfach: Liebe Eltern!, Lieber Bruder Kurt!, Liebe Ilse!, nicht wahr?

9. Man schließt den Brief mit der Formel: Hochachtungsvoll, Ergebenst, oder: Mit besten Grüßen, Ihr ergebener Schüler, Dein treuer Freund, Herzliche Grüße, usw.

10. Auf den Umschlag schreibt man die Adresse, klebt die Briefmarke auf und steckt den Brief in den Briefkasten.

4. But I have never ever written a German letter.

5. Good, I will help you. In the upper right-hand corner you write the place and date.

6. Well, then, I write: Heidelberg, May 10, 1954.

7. Then you write the salutation: Dear Sir, (Dear Madam,).

8. When you write to relatives or acquaintances you simply say: Dear parents, Dear brother Kurt, Dear Ilse, don't you?

9. You conclude the letter with the expression: Respectfully yours, Faithfully yours, or: With best regards, Your faithful pupil, Your faithful friend, Cordial greetings, etc.

10. On the envelope you write the address, paste the stamp, and put the letter into the mailbox.

LESESTÜCK

Als ich das erste Mal auf dem Dampfwagen saß

Mein Pate, der gute Jochem — er ruhe in Frieden! war ein Mann, der alles glaubte, nur nicht das Natürliche. Das wenige von Menschenwerken, was er verstehen konnte, kam
5 seiner Meinung nach vom Himmel; das viele, was er nicht verstehen konnte, war ihm Hexerei und Teufelszeug.

Aber trotz der hohen Meinung, die mein Pate vom Luzifer, Beelzebub (was weiß ich,

der Dampfwagen *steam car, locomotive, railroad train*

der Pate *godfather*   er ruhe in Frieden! *may he rest in peace!*

das Menschenwerk *man's work*

die Meinung *opinion*

die Hexerei' *witchcraft*

das Teufelszeug *devil's work*

trotz *in spite of*

wie sie alle heißen) zu haben schien, war er doch
ein gescheiter Mann.

    Mein Pate machte jedes Jahr einmal die
Reise nach der Kirche in Mariaschutz am Sem=
5 mering. Als ich schon gut laufen konnte (ich
und das Zicklein waren die einzigen Wesen, die
mein Vater nicht fangen konnte, wenn er uns
mit dem Stock nachlief), wollte der Pate mich
einmal nach Mariaschutz mitnehmen.

10   „Meinetwegen," sagte mein Vater, „da
kann der Junge auch die neue Eisenbahn sehen,
die sie über den Semmering jetzt gebaut haben.
Das Loch durch den Berg soll schon fertig sein."

    „Behüt' uns der Herr," rief der Pate,
15 „daß wir das Teufelszeug ansehen! 's ist alles
Hexerei, 's ist alles nicht wahr."

    „Kann auch sein," sagte mein Vater und
ging davon.

    Der Pate und ich machten uns auf den
20 Weg. Wir gingen über das Gebirge, um ja
dem Tale nicht zu nahe zu kommen, in welchem
nach dem Reden der Leute der Teufelswagen
hin und her fuhr. Als wir aber auf dem hohen
Berge standen und in das Tal schauten, sahen
25 wir eine scharfe Linie entlang einen braunen
Wurm kriechen, der Tabak rauchte.

    „Da ist schon so was!" schrie mein Pate,
„spring, Jung'!" Und wir liefen die andere
Seite des Berges hinunter.

30   Gegen Abend kamen wir ins Tal, doch —
entweder der Pate wußte den Weg nicht, oder
es hatte ihn die Neugierde, die ihm zuweilen
Mühe machte, überlistet, oder wir waren auf
eine „Irrwurzen" getreten, — anstatt in Ma=
35 riaschutz zu sein, standen wir vor einem großen
Schutthaufen, und hinter demselben war ein
kohlschwarzes Loch in den Berg hinein.

    Das Loch war so groß, daß darin ein
Haus hätte stehen können; und da ging eine
40 Straße mit zwei eisernen Leisten gerade in den
Berg hinein.

Glossary (right margin):

gescheit' *clever, smart*

laufen *run, walk*

das Zicklein *kid being, creature*   das Wesen *being, creature*

nachlief (nach-laufen) *ran after*

die Eisenbahn *railroad*

der Semmering *mountain in Austria*

behüt' uns der Herr! *God forbid!*

ging davon (davon-gehen) *walked away*

der Teufelswagen *devil's wagon*

eine scharfe Li'nie entlang *along a sharp line*
kriechen *creep*

da ist so was *there is something of the sort*   schrie (schreien) *cried*   springen *run* liefen ...hinunter (hinunter-laufen) *ran down*

die Neugierde *curiosity*   die ihm ...machte *which sometimes gave him trouble*   überlisten *outwit*
die Irrwurz(en) *madwort*   anstatt ...zu sein *instead of being*

kohlschwarz *coal-black*   in den Berg hinein *into the mountain*

die Leiste *strip, band*

Mein Pate stand lange schweigend da und
schüttelte den Kopf. Endlich murmelte er: *murmeln* mumble
„Jetzt stehen wir da. Das wird die neue Land=   das wird . . . sein *that is probably the new highway*
straße sein. Aber ich glaub's nicht, daß sie da
5 hineinfahren." Ein kalter Wind kam aus dem   hinein-fahren *ride in(to)*
Loche. In der Ferne stand an der eisernen
Straße ein kleines Haus; davor war eine hohe,
eiserne Stange; auf dieser hingen zwei rote   die Stange *pole*
Kugeln. Plötzlich klirrte es an der Stange,
10 und eine der Kugeln ging, wie von Geister=   die Geisterhand *ghostly hand*
hand gezogen, in die Höhe. Wir erschraken   in die Höhe *up*
sehr. Daß es hier nicht mit rechten Dingen   daß es hier . . . zuging *that there was something uncanny here*
zuging, war leicht zu merken. Doch standen wir   merken *notice, see*
wie festgewurzelt.   festgewurzelt *rooted to the spot*

15   „Pate Jochem," sagte ich leise, „hört Ihr
nicht so ein Brummen in der Erde?" „Ja frei=   das Brummen *rumbling*   freilich *to be sure, you are right*
lich, Jung'," erwiderte er, „es donnert etwas!
Es ist ein Erdbeben!" Auf der eisernen Straße   das Erdbeben *earthquake*
kam ein kohlschwarzes Wesen heran. Es schien   kam heran (heran-kommen) *came toward, approached*
20 zuerst stillzustehen, wurde aber immer größer   still-stehen *stand still*
und kam immer näher mit mächtigem Schnau=   das Schnauben *puffing*
ben und stieß aus dem Rachen kohlschwarzen   stieß aus (aus-stoßen) *emit*   der Rachen *throat*
Rauch aus. Und hinterher —   der Rauch *smoke*   hinterher' *along behind*

     „Lieber Himmel!" rief mein Pate, „da
25 hängen ja ganze Häuser daran!" Und wirklich,
wenn wir sonst gedacht hatten, ein solcher Zug   sonst *formerly*
hätte kleine Wagen, worauf die Reisenden sitzen   der Wagen *(railroad) car*
könnten, so sahen wir nun ein ganzes Dorf
heranrollen mit vielen Fenstern, und aus den   heran-rollen *roll up*
30 Fenstern schauten lebendige Menschen, und   leben'dig *living, alive*
schrecklich schnell ging's. „Das bringt kein
Herrgott mehr zum Stehen!" fiel's mir noch   der Herrgott *Lord God*
ein. Da hob der Pate die beiden Hände und
rief: „Herrgott, jetzt fahren sie richtig ins   richtig *really*
35 Loch!"

     Und schon war das Ungeheuer mit seinen   das Ungeheuer *monster*
hundert Rädern in der Tiefe. Das Ende des   das Rad *wheel*   die Tiefe *depth*
letzten Wagens schrumpfte zusammen; nur ein   zusammen-schrumpfen *shrivel up*
kleines Licht sah man noch eine Weile, dann
40 war alles verschwunden. Nur der Boden

dröhnte, und aus dem Loche stieg still und langsam der Rauch.　　　　*dröhnen thunder, rumble*

Mein Pate sah mich an und fragte: „Hast du's auch gesehen, Jung'?"

5　„Ich hab's auch gesehen."

„Dann kann's keine Hexerei gewesen sein," murmelte mein Pate.

Wir gingen auf der Landstraße den Berg hinauf. Tief unter unsern Füßen im Berge

10　ging der Dampfwagen. „Die sind hin!" sagte　　*die sind hin! they are done for!* mein Pate und meinte die Reisenden in dem Zuge. „Die Leute sind selber ins Grab ge=　　*das Grab grave* sprungen!"

Beim Wirtshause auf dem Semmering

15　hielten wir, um auszuruhen. Ich hatte Hun= ger und hätte gern etwas gegessen. Mein Pate aber sagte: „Mir ist aller Appetit vergangen; gescheite Leute essen nicht viel, und ich bin heute etwas gescheiter geworden."

20　Als wir dann auf der anderen Seite den Berg hinuntergingen, da sahen wir tief unter uns unsern Zug gehen, klein wie ein Wurm, über hohe Brücken, an wilden Felsenwänden　　*die Brücke bridge* entlang, bei einem Loch hinein, beim anderen

25　hinaus, ganz wunderbar. „Wer hätte das ge= glaubt?" murmelte mein Pate.

　　　　　　　　　　(Schluß folgt)　　*Schluß folgt conclusion follows, to be concluded*

EXERCISES — SERIES B

I. Questions:

1. Was kam nach Jochems Meinung vom Himmel? 2. Wie oft ging der Pate nach Mariaschutz? 3. Was war über den Semmering gebaut worden? 4. Was glaubte der Pate von der Eisenbahn? 5. Warum ging der Pate über das Gebirge? 6. Was sahen sie, als sie auf dem hohen Berge standen? 7. Wie groß war das Loch in dem Berge? 8. Was glaubte der Pate nicht? 9. Wie hatten sie sich den Zug gedacht? 10. Wohin fuhr der Zug? 11. Was fragte der Pate den Jungen, als der Zug verschwunden war? 12. Was sagte der Pate von den Reisenden? 13. Warum wäre der Junge gern ins Wirtshaus gegan-

gen? 14. Was sagte der Pate von gescheiten Leuten? 15. Wo sahen sie den Zug wieder?

II. Supply the necessary endings:

1. Das Kind ist d– alt– Onkel ähnlich. 2. Er geht jed– Morgen und jed– Abend dahin. 3. Trotz d– Regen– gehen sie über den Berg. 4. Der Junge folgt d– alt– Onkel. 5. Sie wollten d– tief– Tal nicht nahe kommen. 6. Der Pate glaubte d– Leute– nicht. 7. Der Junge dachte nur an d– neu– Eisenbahn. 8. Sie warteten d– ganz– Tag auf den Zug. 9. Der Zug hat d– Junge– gefallen. 10. Der Junge konnte d– arm– Onkel nicht helfen.

III. Abstract feminine nouns are formed by adding the suffix **–keit** to adjectives ending in **–ig, –lich** and **–sam,** for example: **tätig — die Tätigkeit** *activity.* Form nouns from:

1. ähnlich, 2. einsam, 3. ewig (*eternal*), 4. freundlich, 5. fröhlich, 6. häßlich (*ugly*), 7. heimlich (*secret*), 8. langsam, 9. lustig, 10. möglich, 11. natürlich, 12. notwendig (*necessary*), 13. nützlich, 14. richtig, 15. tätig (*active*), 16. traurig, 17. wichtig, 18. wirklich.

IV. Review of idiomatic expressions. Use in sentences:

1. zu Hause, 2. nach Hause, 3. gern, lieber, am liebsten, 4. am Morgen, 5. zu Fuß, 6. auf einmal, 7. Wie geht es —? 8. Was fehlt —? 9. möchte, 10. Es tut — leid.

V. Study the word group:

sitzen, saß, gesessen

besitzen *possess*	der Besitz *possession*
setzen *set*	der Sitz *seat*
fortsetzen *continue*	die Fortsetzung *continuation*
übersetzen *translate*	die Übersetzung *translation*
das Gesetz *law*	der Satz *sentence*

VI. Translate:

1. One day in June they arrived in the city of New York. 2. The next day they went on the ship which was to carry them to England. 3. The following day they became acquainted with many people on the ship. 4. During the journey they spoke German every day. 5. For breakfast each one drank a glass of cold water and two cups of coffee.

6. In the forenoon they took a walk in spite of the wind and rain. 7. During the afternoon they read a book or wrote letters. 8. In the evening they played and danced and told stories. 9. After a few days they came to London where they stayed only one day. 10. Then they went to Berlin where they intended to stay a month. 11. In winter they will have to study at the university. 12. In summer they want to travel from one city to another. 13. Many of the cities are already known to them, but all are strange to me. 14. They know that the Rhine is famous for (**wegen**) its beautiful castles. 15. They like the Rhine trip best, for every moment there is something new to see. — a. Please think of us. b. I ask you to help me. c. Is he waiting for me? d. He was about to go to the country. e. He asks for bread and thanks you for it. f. There is always much to learn.

Der Dom in Köln   *Deutsche Zentrale für Fremdenverkehr*

25

FÜNFUNDZWANZIGSTE AUFGABE

Ein Brief

Berlin, den 10. November 1954

Sehr geehrter Herr Lehrer!

Ihren letzten Brief habe ich schon vor einer Woche erhalten, aber aus verschiedenen Gründen habe ich ihn nicht früher beantworten können. Hauptsächlich wollte ich Ihnen von der Reise erzählen, die Karl und ich mit meinem Onkel gemacht haben.

Eines schönen Tages hat uns der Onkel überrascht. Er hat uns gebeten, wir möchten ihn auf einer kurzen Reise begleiten, und wir haben die Einladung mit großer Freude angenommen. Erst gestern abend sind wir wieder nach Berlin zurückgekehrt. Wir haben leider nur wenige Städte besuchen können, denn der Onkel hatte wenig Zeit. Aber nächsten Sommer, wenn meine Eltern nach Deutschland kommen, werden wir eine längere Reise unternehmen. Am besten hat uns der Rhein gefallen, mit seinen vielen Weinbergen, seinen malerischen Ruinen und schönen Städten. Hauptsächlich hat uns Köln mit seinem gewaltigen Dom interessiert.

Aber Sie kennen das alles ja besser als ich, also brauche ich es nicht weiter zu beschreiben.

Nun sind wir erst einen Monat hier, und was haben wir in der kurzen Zeit nicht alles gesehen und gelernt! In der deutschen Sprache machen wir gute Fortschritte. Das ist auch sehr nötig, denn nächste Woche fangen die Vorlesungen an der Universität an. Dann werden wir wohl sehr fleißig sein müssen, aber wir freuen uns darauf.

Mit freundlichen Grüßen verbleibe ich

Ihr ergebener Schüler

Paul

Blick von einer malerischen
Ruine am Rhein

Deutsche Zentrale für Fremdenverkehr

GRAMMAR _____
Tenses; The Article.

In general, the tenses are used in German as they are in English. The following peculiarities should be noted:

1. Present Tense.
The *Present Tense* is used

1. sometimes for the future:

> Er kommt morgen früh.

2. to express that which has been and still is (usually with an adverb of time as **schon** or a prepositional phrase with **seit**):

Er ist **schon** eine Stunde hier. *He has been here an hour.*
Er wohnt **seit** zehn Jahren hier. *He has been living here for ten years.*

2. Past Tense.
The *Past Tense* is used

1. to express that which had been and still was:

> Er war schon eine Stunde hier, als ich kam.
> *He had been here an hour when I came.*

2. in narrating connected past events or actions:

> Er stand auf, nahm seinen Hut und ging hinaus.
> *He stood up, took his hat and went out.*

3. Perfect Tense.
The *Perfect Tense* is used

1. to express an act or event completed in the past:

> Er hat die Zeitung schon gelesen.
> *He has already read the paper.*

2. in stating isolated past events or actions:

> Er ist gestern in der Stadt gewesen.
> *He was in the city yesterday.*

4. Lack of Progressive and Emphatic Forms.
German has no special progressive and emphatic tense forms:

> er sagt *he says, he is saying, he does say*
> er sagte *he said, he was saying, he did say*
> sagt er? *is he saying? does he say?*

5. Definite Article.

The *Definite Article* is used

1. with names of seasons, months, days of the week:

> im Winter, im Juni, am Montag

2. with proper names modified by an adjective:

> der kleine Fritz, das schöne Heidelberg

3. with abstract nouns and generic terms:

> Das Leben ist kurz.   Das Gold ist gelb.

4. for the possessive adjective in referring to parts of the body or clothing:

> Er steckt die Hand in die Tasche.

6. Indefinite Article.

The *Indefinite Article* is omitted before a predicate noun denoting calling, profession, or nationality:

> Sein Bruder ist Arzt.   Er ist Amerikaner.

Either article, like other limiting words, is repeated before each of two or more nouns:

> Der Vater und die Mutter sind hier.

EXERCISES — SERIES A

I. Read the following sentences in the present, imperfect, and pluperfect tenses:

1. Er (nehmen) das Buch und (geben) es mir. 2. Er (bleiben) hier und (helfen) mir. 3. Er (kennen) den Mann und (wissen), wo er wohnt. 4. Er (verstehen) Deutsch und (sprechen) es auch. 5. Er (halten) den Brief in der Hand und (lesen) ihn. 6. Er (treten) in das Zimmer und (bringen) die Zeitung. 7. Er (einschlafen) und das Buch (fallen) ihm aus der Hand. 8. Er (denken) oft an uns, er (vergessen) uns nicht. 9. Er (hereinkommen) und (sich setzen) an den Tisch. 10. Er (aufmachen) die Tür und (hinausgehen).

II. Form sentences in the third person singular and plural, in the imperfect and pluperfect tenses. EXAMPLE: gehen — er ging in die Stadt; er war in die Stadt gegangen.

1. stehen, 2. essen, 3. tragen, 4. anfangen, 5. erhalten, 6. ver-

lieren, 7. kaufen, 8. helfen, 9. denken, 10. ankommen, 11. aufmachen, 12. zurückkommen.

III. Write the following sentences in the passive voice:

1. Sie schrieben einen Brief. 2. Sie hat das Buch mitgenommen. 3. Er hatte den Arzt gerufen. 4. Wir brachten das Geld nach Hause. 5. Der Lehrer hat eine Geschichte erzählt. 6. Der Bauer wird sein Pferd finden.

IV. Write the principal parts of these verbs:

1. denken, 2. bringen, 3. kennen, 4. wissen, 5. sein, 6. haben, 7. werden, 8. essen, 9. vergessen, 10. aufstehen, 11. sich setzen, 12. einschlafen.

VOCABULARY

wir sind erst einen Monat hier we have been here only a month
er wohnt seit zehn Jahren hier he has been living here for ten years
zwei Jahre lang for two years

der Nebel fog, mist
der Weinberg –e vineyard

verbleiben verblieb ist verblieben remain
zurück-kehren (ist) return

hauptsächlich chiefly
weiter further

CONVERSATION

Radio und Fernsehapparat

1. Na, was sehe ich denn da? Ist das nicht ein neues Radio?

2. Jawohl, das hat mir mein Onkel zum Geburtstag geschenkt.

3. Ist das Radio nicht eine wundervolle Erfindung? Da sitzt man gemütlich zu Hause, stellt den Apparat an und hört ein Programm aus Boston, Chicago oder San Francisco.

4. Dieser Apparat hat auch

Radio and television

1. Well, what do I see there? Isn't that a new radio?

2. Yes indeed. My uncle gave me that for my birthday.

3. Isn't the radio a marvelous invention? There you sit comfortably at home, turn on the set, and listen to a program from Boston, Chicago, or San Francisco.

4. This set has short-wave recep-

Kurzwellenempfang. Da hört man sogar die Sender aus Europa und Asien.

5. Einfach großartig! Aber noch schöner ist es, wenn man zu gleicher Zeit hören und sehen kann, wie auf dem Fernsehapparat.

6. Ja, ich wollte, wir hätten auch einen solchen Apparat, aber sie sind so schrecklich teuer.

7. Alle meine Nachbarn besitzen einen, und wir werden häufig eingeladen, wenn etwas Wichtiges übertragen werden soll.

8. Haben Sie schon einmal ein Fußballspiel auf dem Fernsehapparat gesehen?

9. Ja, letzten Herbst habe ich fast jeden Samstag ein Fußballspiel gesehen.

10. Schön ist das. Da braucht man nicht draußen in der Kälte zu sitzen, und der Ansager erklärt alles so deutlich. Nebenbei gibt er auch die neuesten Nachrichten und den Wetterbericht.

tion, too. With it you can even hear stations in Europe and Asia.

5. Simply marvelous. But it's even better, if you can hear and see at the same time, as you can on a television set.

6. Yes, I wish we had one of those sets too, but they are so frightfully expensive.

7. All my neighbors own one, and we are often invited whenever there is something important to be shown.

8. Have you ever seen a football game on television?

9. Yes, last fall I saw a football game almost every Saturday.

10. That's nice. You don't have to sit outdoors in the cold, and the announcer explains everything so clearly. And besides, he gives you the latest news and the weather report.

LESESTÜCK

Als ich das erste Mal auf dem Dampfwagen saß

(Fortsetzung)

die Fortsetzung *continuation*

Als wir nach Mariaschutz kamen, war es schon dunkel. Wir gingen in die Kirche, wo das rote Licht brannte, und beteten. Dann aßen wir im Wirtshause und gingen zu Bett.

beten *pray*

5   Wir lagen schon eine Weile. Ich konnte lange kein Auge schließen, meinte aber, daß der Pate schon eingeschlafen sei. Da machte dieser

plötzlich den Mund auf und sagte: „Schläfst du
schon, Jung'?"

„Nein," antwortete ich.

„Mich reitet der Teufel," flüsterte er, „'s
5 gibt mir keine Ruh', 's ist schrecklich, Jung'."

> mich reitet der Teufel *the devil is tempting me*   flüstern *whisper*

„Was denn, Pate?" fragte ich.

„'s ist Unsinn. Was meinst, weil wir
schon so nah dabei sind, versuchen wir's?"

> versuchen wir's? *shall we try it?*

Da ich ihn nicht verstand, gab ich keine
10 Antwort.

„Was kann uns geschehen?" fuhr der Pate
fort; „wenn's die anderen tun, warum nicht
auch wir?"

„Er spricht im Traum," dachte ich bei
15 mir selber.

„Da werden sie einmal schauen," fuhr er
fort, „wenn wir nach Hause kommen und
sagen, daß wir auf dem Dampfwagen gefahren
sind!"

> da werden sie einmal schauen *then they will open their eyes*

20 Ich war sogleich bereit.

Als wir uns am nächsten Tag auf den
Weg nach Hause machten, da sagte der Pate,
er wolle nur den Bahnhof sehen, und wir
gingen dahin.

> gingen dahin (dahin-gehen) *went there*

25 Beim Bahnhof sahen wir das Loch von
der anderen Seite. War auch kohlschwarz. —
Ein Zug sollte bald kommen. Mein Pate
sprach mit dem Beamten, gleich hinter dem
Berg, wo das Loch aufhört, wollten wir wieder
30 absteigen.

> der Beamte *official*

> ab-steigen *get off*

„Gleich hinter dem Berg, wo das Loch
aufhört, hält der Zug nicht," sagte der Beamte
lachend.

„Aber wenn wir da absteigen wollen!"
35 meinte der gute Jochem.

„Ihr müßt bis Spital fahren. Kostet für
zwei Personen zweiunddreißig Kreuzer." Der
Pate bezahlte und steckte die Fahrkarten in die
Tasche.

> der Kreuzer *farthing (small coin)*

40 Da kam aus dem nächsten unteren Loch
der Zug, und ich glaubte schon, das gewal=

tige Ding wolle nicht halten. Plötzlich stand es
still.

Wie ein Huhn, dem man das Gehirn aus
dem Kopfe geschnitten, so stand der Pate da,
5 und so stand ich da. Da schob der Beamte den
Paten in einen Wagen und mich nach. In
demselben Augenblick läutete die Glocke, und
ich hörte noch wie der in den Wagen stolpernde
Pate murmelte: „Das ist meine Totenglocke."
10 Jetzt sahen wir's aber: im Wagen waren
Bänke, gerade wie in einer Kirche; und als
wir aus dem Fenster schauten, da schrie mein
Pate: „Da draußen fliegt ja eine Mauer vor=
bei!"

15 Jetzt wurde es dunkel und wir sahen, daß
an der Wand unseres Wagens eine Lampe
brannte. Draußen in der Nacht rauschte es,
als wären wir von gewaltigen Wasserfällen
umgeben. Wir reisten unter der Erde.

20 Der Pate murmelte: „Welch ein Unsinn!
Warum bin ich so dumm gewesen!"

Da wurde es plötzlich wieder hell; draußen
flog die Mauer, flogen die Bäume vorbei, und
wir fuhren im grünen Tale. Mein Pate sagte:
25 „Du, Jung'! Das war nicht so schön, aber
jetzt — jetzt fängt's an, mir zu gefallen. Nicht
wahr, der Dampfwagen ist was Schönes! Da
ist ja schon Spital! Und wir sind erst eine
Viertelstunde gefahren. Ich denk', Jung', wir
30 bleiben noch sitzen."

Mir war's recht. Ich betrachtete den Zug,
und ich schaute aus dem Fenster, um die flie=
genden Bäume und Felder zu sehen. Und mein
Pate rief: „Ja, die Leute sind gescheit! Und zu
35 Hause werden sie Augen machen! Hätte ich das
Geld, ich ließe mich, wie ich jetzt sitze, auf unsern
Berg hinauffahren!"

„Murten!" rief der Beamte. Der Wagen
stand. Wir stiegen aus. An der Tür mußten
40 wir dem Beamten die Fahrkarten geben, die
wir beim Einsteigen bekommen hatten. „Halt!"

---

das Huhn *hen, chicken* das
Gehirn *brain*

schob (schieben) *shoved*

läuten *ring*　　die Glocke *bell*

die Totenglocke *death knell*

rauschen *roar*

der Wasserfall *waterfall*

umgeben *surrounded*

was Schönes! *that's something!*

wir bleiben noch sitzen *we'll just
keep our seats*

Augen machen *open their eyes*

ich ließe mich . . . hinauffahren
I would have myself driven up

rief er, „diese Karten gelten nur bis Spital.
Da müßt Ihr wieder bezahlen, und zwar das
Doppelte für zwei Personen!"

5 Ich sah meinen Paten an, mein Pate
mich. „Jung'," sagte dieser endlich mit sehr
trauriger Stimme, „hast du noch Geld bei
dir?"

„Ich habe kein Geld bei mir," schluchzte
ich.

10 „Ich habe auch keins mehr," murmelte
der gute Jochem.

Wir wurden in ein Zimmer geschoben.
Dort mußten wir allerlei Fragen beantworten.
Dann mußten wir zeigen, was wir in den
15 Taschen hatten. Ein blaues Taschentuch, das
für uns beide war, ein kleiner Sack mit Tabak,
ein Messer, ein hartes Stück Brot und endlich
der leere Geldbeutel. Wir durften die Sachen
wieder in die Taschen stecken, wurden aber
20 stundenlang auf dem Bahnhofe behalten und
mußten immer wieder Fragen beantworten.

Endlich, als es schon anfing, dunkel zu
werden, durften wir gehen, um nun in kohl-
schwarzer Nacht über Berg und Tal den Weg
25 nach Hause zu finden.

Als wir durch die Tür des Bahnhofs
schlichen, murmelte mein Pate: „Beim Dampfwagen da, — 's ist doch der Teufel dabei!"

---

gelten *be valid, be good only*

das Doppelte *twice as much*

ich habe ... mir *I have no
money with me* schluchzen
sob

ich habe auch keins mehr *I
haven't any more either*

beantworten *answer*

der Geldbeutel *purse*

behalten *keep*

Das eigene Herz

Willst du dich selber erkennen,
so sieh, wie die andern es treiben;
Willst du die andern verstehn,
blick' in dein eigenes Herz.
— Schiller

treiben *carry on*

blick' *gaze, look*

Freund und Feind

5   Teuer ist mir der Freund,
doch auch den Feind kann ich nützen;
Zeigt mir der Freund, was ich kann,
lehrt mich der Feind, was ich soll.
— Schiller

nützen *use*

EXERCISES — SERIES B

I. Questions:

1. Sind sie am Abend sofort eingeschlafen? 2. Was wollte der Pate versuchen? 3. Warum gab der Junge keine Antwort? 4. Wozu war er sogleich bereit? 5. Was sagte der Pate am nächsten Morgen? 6. Warum konnte man nicht gleich hinter dem Berge aussteigen? 7. Wie stand der Pate da, als der Zug ankam? 8. Was murmelte der Pate, als die Glocke läutete? 9. Was hörten sie draußen in der Nacht? 10. Wann fing es an, dem Paten zu gefallen? 11. Warum sind sie nicht in Spital ausgestiegen? 12. Was würde der Pate tun, wenn er das Geld hätte? 13. Was sagte der Beamte, als sie ausstiegen? 14. Was fragte der Pate den Jungen? 15. Was sagte der gescheite Jochem, als sie aus dem Bahnhof kamen?

II. Form sentences with **schon** and **seit** in the present and past tense. Example: Ich sitze **schon** eine Stunde hier. Ich sitze **seit** einer Stunde hier.

1. zu Hause sein, 2. in der Stadt wohnen, 3. im Garten arbeiten, 4. im Bette schlafen, 5. auf dem Tische liegen, 6. im Zuge fahren, 7. Deutsch studieren, 8. dem Freunde helfen, 9. das Buch suchen, 10. die Stadt kennen.

III. A great many feminine nouns end in –e.

(a) Added to adjectives the suffix –e forms abstract nouns, with umlaut where possible, for example: **lang** — **die Länge** *length*. Form nouns from:

1. breit, 2. eng, 3. fern, 4. groß, 5. hart, 6. kalt, 7. kurz, 8. scharf, 9. schwach, 10. schwer, 11. stark, 12. tief, 13. treu, 14. warm; *but note:* hoch — die Höhe.

(b) Added to verb stems the suffix –e forms nouns usually denoting the result of the action indicated in the verb, for example: **pflanzen** — **die Pflanze** *plant*. Form nouns from the stems of:

1. bitten, 2. decken, 3. eilen, 4. fragen, 5. lehren, 6. lieben, 7. reden, 8. reisen, 9. ruhen, 10. wetten.

IV. Review of idiomatic expressions. Use in sentences:

1. halten für, 2. gar nicht, 3. gar nichts (— niemand, — kein), 4. nicht mehr, 5. noch nicht, 6. noch nie, 7. vor zwei Jahren, 8. immer + *comparative*, 9. nichts ist zu + *infinitive*, 10. um . . . zu.

V. Study the following word group:

ziehen, zog, gezogen

anziehen *put on*	der Zug *train, draught*
ausziehen *take off*	der Anzug (*man's*) *suit*
erziehen *educate*	die Erziehung *education*
	der Zügel *rein*

VI. Translate:

1. How long has your friend been living in Berlin? 2. He has been living here for several weeks. 3. He has seen much and has become acquainted (**kennenlernen**) with many Germans. 4. He goes to the university to hear lectures every day, doesn't he? 5. Yes, he says he wants to be a physician. 6. His younger brother, little Fritz, wants to be a lawyer (**Rechtsanwalt**). 7. Yesterday he and his friends visited the city of Potsdam. 8. One day his uncle who lives in Minnesota surprised him. 9. Paul did not know that his uncle had been in Germany a week. 10. He had not expected him before (**erst**) next month. 11. His uncle came in the morning and stayed a whole week.

12. He had never been in Germany, and he asked Paul to accompany him on a trip. 13. They visited many German cities and saw much [that was] interesting. 14. Only yesterday he went back to Berlin, where he intended to stay a few days. 15. He said there are people in Berlin who have not yet seen the sun. — a. How long have you been here? b. Have you been waiting long for me? c. I have been here for ten minutes. d. They have been sitting here since ten o'clock. e. I had been there an hour when you came. f. When we arrived he had gone home.

Rothenburg o.T.   *Landesbildstelle Württemberg*

REFERENCE GRAMMAR

REFERENCE GRAMMAR —————————————

The Article

1. The Definite Article.

The *Definite Article* agrees with its noun in gender, number, and case.

	Masc.	Fem.	Neut.	All Genders
	SINGULAR			PLURAL
Nom.	der	die	das	die
Gen.	des	der	des	der
Dat.	dem	der	dem	den
Acc.	den	die	das	die

2. Use of Definite Article.

The definite article is used more frequently in German than in English. It is used:

1. With the names of the seasons, months, and days of the week:

> im (= in **dem**) Winter, im Juni, am Montag

2. With proper names modified by an adjective:

> **der** kleine Fritz, **das** schöne Heidelberg

3. With abstract nouns and generic terms:

> **Die** Liebe ist blind. **Der** Mensch muß sterben.

4. For the possessive adjective in referring to parts of the body or clothing:

> Er steckt **die** Hand in **die** Tasche.

5. With nouns of measure, weight, or time, where the indefinite article is used in English:

> Es kostet zwanzig Pfennig **das** Pfund.
> Er kommt zweimal **die** Woche.

6. With infinitives used as nouns:

> **Das** Rauchen ist verboten.

7. In many expressions:

> in **der** Schule *in school*   in **die** Schule *to school*
> in **der** Stadt *in town*   in **die** Stadt *to town*

3. Contraction of the Definite Article with Prepositions.

The definite article is frequently contracted with prepositions in the dative and accusative singular: an dem — **am,** in dem — **im,** an das — **ans,** in das — **ins,** etc.

4. *Der*-words.

Like the definite article are declined the **der**-words: **dieser, jener, jeder, mancher, solcher, welcher.**

	SINGULAR			PLURAL
	Masc.	*Fem.*	*Neut.*	*All Genders*
Nom.	dieser	diese	dieses	diese
Gen.	dieses	dieser	dieses	dieser
Dat.	diesem	dieser	diesem	diesen
Acc.	diesen	diese	dieses	diese

5. Indefinite Article.

The *Indefinite Article* agrees with its noun in gender and case. It has no plural.

	SINGULAR		
	Masc.	*Fem.*	*Neut.*
Nom.	ein	eine	ein
Gen.	eines	einer	eines
Dat.	einem	einer	einem
Acc.	einen	eine	ein

The indefinite article is omitted before a predicate noun denoting calling, profession, or nationality:

> Sein Bruder ist Arzt. Er ist Amerikaner.

6. *Ein*-words.

Like the indefinite article are declined the **ein**-words: **kein** and the possessive adjectives **mein, dein, sein, ihr, sein, unser, euer, ihr, Ihr.**

	SINGULAR			PLURAL
	Masc.	*Fem.*	*Neut.*	*All Genders*
Nom.	mein	meine	mein	meine
Gen.	meines	meiner	meines	meiner
Dat.	meinem	meiner	meinem	meinen
Acc.	meinen	meine	mein	meine

(The **ein**-words have the same declension as the **der**-words except in three cases: nom. sing. masculine and nom. and acc. sing. neuter.)

1. **Unser** and **euer** usually drop the –e of the stem or the –e of the inflectional endings:

> unserm, unsrem; euren, euern, eures

2. The **ein**-words may be used as pronouns and are then declined like **dieser** (§ **4**).

Haben Sie ein Messer? Ich habe kein(e)s. Dies ist mein Stuhl, das ist seiner.

7. Use of Article.

Note the use of the article in the following expressions:

> die ganze Nacht *all night, the whole night*
> eine halbe Stunde *half an hour*
> ein solches Buch *such a book*
> ein so großes Buch *so large a book*

The Noun

8. Gender.

There are three genders in German, masculine, feminine, and neuter. Names of males are usually masculine, names of females feminine, but names of animals and things may be masculine, feminine, or neuter. The following rules will be found helpful, but the best rule is: *Learn the definite article with each noun.*

1. Masculine are:

The names of males, seasons, months, days, points of the compass:

> **der** Vater, **der** Winter, **der** April, **der** Montag, **der** Westen

Nouns ending in –en (except infinitives used as nouns, § **8,** 3), and nouns in –er denoting agency:

> **der** Garten, **der** Lehrer

2. Feminine are:

The names of females and most abstract nouns:

> **die** Mutter, **die** Freude

All nouns ending in **–ei, –heit, –keit, –schaft, –ung, –in** and most nouns in **–e**:

> **die** Wahrheit, **die** Möglichkeit, **die** Freundschaft, **die** Bedeutung,
> **die** Freundin, **die** Blume, **die** Freude

3. Neuter are:

Diminutives in **–chen** and **–lein**:

> **das** Mädchen, **das** Fräulein, **das** Vögelein

Infinitives used as nouns:

> **das** Lesen, **das** Essen, **das** Rauchen

Declension of Nouns

9. Principal Parts.

The *Principal Parts* of a noun are the nominative and genitive singular and the nominative plural. These cases show whether the noun belongs to the *Strong*, the *Weak*, or the *Mixed* declension.

10. General Rules.

1. Feminine nouns retain the same form throughout the singular.

2. The dative plural of all nouns ends in **–n**.

3. The nominative, genitive, and accusative plural have the same form.

4. All nouns of one syllable add an ending to form the plural.

5. Compound nouns have the gender and declension of their last part:

> der Handschuh, *pl.* die Handschuhe

11. The Declensions.

1. The *Strong Declension* has three classes:

Class I adds no plural ending: der Vater, die Väter.
Class II adds **–e**:   der Sohn, die Söhne.
Class III adds **–er**:   der Mann, die Männer.

The genitive singular ending of strong masculine and neuter nouns is **–(e)s**.

2. The *Weak Declension* has the ending –(e)n throughout the plural. Weak masculines add –(e)n to the nominative singular to form all other cases, singular and plural:

<blockquote>die Frau, die Frauen; der Knabe, des Knaben, die Knaben</blockquote>

3. The *Mixed Declension* has the genitive singular in –(e)s, like the strong declension, and –(e)n in the plural, like the weak declension:

<blockquote>das Auge, des Auges, die Augen</blockquote>

12. Strong Declension, Class I.

SINGULAR

Nom.	der Vater	der Maler	die Mutter	das Mädchen
Gen.	des Vaters	des Malers	der Mutter	des Mädchens
Dat.	dem Vater	dem Maler	der Mutter	dem Mädchen
Acc.	den Vater	den Maler	die Mutter	das Mädchen

PLURAL

Nom.	die Väter	die Maler	die Mütter	die Mädchen
Gen.	der Väter	der Maler	der Mütter	der Mädchen
Dat.	den Vätern	den Malern	den Müttern	den Mädchen
Acc.	die Väter	die Maler	die Mütter	die Mädchen

1. The genitive singular of masculines and neuters ends in –s.

2. **Umlaut:** Many masculines, all feminines, no neuters.

3. To this class belong:
   a. Masculines and neuters in –el, –en, –er.
   b. Two feminines: **Mutter** and **Tochter**.
   c. Diminutives in –chen and **lein**.
   d. Neuters with the prefix **Ge–** and the ending –e.

4. Common nouns of this class are
   with **Umlaut:**

der Apfel	der Bruder	der Garten	der Ofen
der Vater	der Vogel	die Mutter	die Tochter

without **Umlaut:**

der Dichter	der Diener	der Fehler	der Finger
der Himmel	der Lehrer	der Maler	der Morgen
der Onkel	der Schüler	der Sommer	der Winter
das Fenster	das Feuer	das Gebäude	das Gemüse
das Mädchen	das Messer	das Wasser	das Zimmer

5. A few masculine nouns ending in –**e** (sometimes –**en**) in the nominative singular have the ending –**ens** in the genitive singular and –**en** in all the remaining cases:

der Name, des Namens, dem Namen, den Namen, die Namen, etc.

Such nouns are:

der Friede, der Gedanke, der Wille

13. Strong Declension, Class II.

SINGULAR

Nom.	der	Fuß	der	Arm	die	Hand	das	Jahr
Gen.	des	Fußes	des	Armes	der	Hand	des	Jahres
Dat.	dem	Fuße	dem	Arme	der	Hand	dem	Jahre
Acc.	den	Fuß	den	Arm	die	Hand	das	Jahr

PLURAL

Nom.	die	Füße	die	Arme	die	Hände	die	Jahre
Gen.	der	Füße	der	Arme	der	Hände	der	Jahre
Dat.	den	Füßen	den	Armen	den	Händen	den	Jahren
Acc.	die	Füße	die	Arme	die	Hände	die	Jahre

1. Monosyllables generally take –**es** in the genitive and –**e** in the dative. Polysyllables take –**s** in the genitive:

der Abend, des Abends, dem Abend

2. In colloquial speech the –**e** of the dative is usually omitted, unless the following word begins with a consonant.

3. **Umlaut:** Many masculines, all feminines, no neuters.

4. To this class belong:
   a. Many masculines, feminines, and neuters of one syllable.
   b. Some masculines and neuters of more than one syllable.

5. Common nouns of this class are
with **Umlaut**:

der Anfang	der Arzt	der Ball	der Baum
der Fuß	der Hut	der Kopf	der Platz
der Sohn	der Stuhl	der Zahn	die Wand
die Hand	die Kuh	die Maus	die Nacht
die Stadt			

without **Umlaut**:

der Abend	der Arm	der Berg	der Bleistift
der Brief	der Feind	der Fisch	der Freund
der Frühling	der Hund	der König	der Monat
der Ring	der Schuh	der Stein	der Tag
der Teil	der Tisch	der Weg	das Haar
das Bein	das Brot	das Gedicht	das Tier
das Jahr	das Papier	das Pferd	

14. Strong Declension, Class III.

SINGULAR

Nom.	der	Mann	das	Buch	das	Haus
Gen.	des	Mannes	des	Buches	des	Hauses
Dat.	dem	Manne	dem	Buche	dem	Hause
Acc.	den	Mann	das	Buch	das	Haus

PLURAL

Nom.	die	Männer	die	Bücher	die	Häuser
Gen.	der	Männer	der	Bücher	der	Häuser
Dat.	den	Männern	den	Büchern	den	Häusern
Acc.	die	Männer	die	Bücher	die	Häuser

1. The genitive and the dative endings are the same as in Class II, (§ **13**, 1, 2).

2. **Umlaut**: All nouns.

3. To this class belong:
   a. The most common monosyllabic neuters.
   b. A few masculines of one syllable.
   c. All nouns with the suffix –**tum**.
   d. There are no feminines in this class.

4. Common nouns of this class are:

der Mann	der Wald	das Blatt	das Dach
das Bild	das Buch	das Glas	das Haus
das Ei	das Feld	das Land	das Licht
das Kind	das Kleid	das Nest	das Wort
das Lied	das Loch		

NOTE: **das Wort** has two plural forms:
die Wörter — disconnected words, as in the list above
die Worte — connected words, as in a sentence

15. Weak Declension.

SINGULAR

Nom.	die Frau	die Schule	der Mensch	der Knabe
Gen.	der Frau	der Schule	des Menschen	des Knaben
Dat.	der Frau	der Schule	dem Menschen	dem Knaben
Acc.	die Frau	die Schule	den Menschen	den Knaben

PLURAL

Nom.	die Frauen	die Schulen	die Menschen	die Knaben
Gen.	der Frauen	der Schulen	der Menschen	der Knaben
Dat.	den Frauen	den Schulen	den Menschen	den Knaben
Acc.	die Frauen	die Schulen	die Menschen	die Knaben

1. Feminines have one form throughout the singular and one form throughout the plural. Masculines add –(e)n to the nominative singular to form all the remaining cases.

2. **Umlaut:** None.

3. Feminines with the ending –in double the final –n and add –en to form the plural:

die Freundin, die Freundinnen

der Herr adds in the singular the ending –n, in the plural –en:

der Herr, des Herrn, die Herren

4. To this declension belong:
   a. All polysyllabic feminines except **Mutter** and **Tochter.**
   b. All monosyllabic feminines not in Class II of the strong declension.

c. A number of masculines denoting living beings:

der Mensch, der Ochs

d. Most foreign masculines denoting living beings:

der Student, der Philosoph

e. There are no neuters in this declension.

5. Common nouns of this declension are:

die Antwort	die Arbeit	die Aufgabe	die Blume	die Decke
die Erde	die Erzählung	die Familie	die Farbe	die Feder
die Frage	die Frau	die Freude	die Freundin	die Geschichte
die Katze	die Kirche	die Klasse	die Küche	die Lehrerin
die Lippe	die Minute	die Nase	die Reise	die Sache
die Schule	die Schülerin	die Schwester	die Seite	die Sonne
die Stimme	die Straße	die Stunde	die Tante	die Tasche
die Tür	die Uhr	die Welt	die Woche	die Wohnung
der Knabe	der Mensch	der Neffe	der Student	die Zeit

NOTE: Some nouns of foreign origin form their plurals in –s: **das Auto, das Café, das Hotel, das Restaurant, das Sofa.**

16. Mixed Declension.

SINGULAR

Nom.	der Vetter	der Staat	das Auge	das Ohr
Gen.	des Vetters	des Staates	des Auges	des Ohres
Dat.	dem Vetter	dem Staat(e)	dem Auge	dem Ohr(e)
Acc.	den Vetter	den Staat	das Auge	das Ohr

PLURAL

Nom.	die Vettern	die Staaten	die Augen	die Ohren
Gen.	der Vettern	der Staaten	der Augen	der Ohren
Dat.	den Vettern	den Staaten	den Augen	den Ohren
Acc.	die Vettern	die Staaten	die Augen	die Ohren

1. The genitive and dative endings are the same as in Class II of the strong declension (§ **13,** 1, 2).

2. **Umlaut:** None.

3. To this declension belong:

a. A few masculines and neuters:

der Bauer	der Doktor	der Professor	der Staat	der Vetter
das Auge	das Bett	das Ende	das Ohr	

b. Foreign nouns in **–um:**

> das Museum, *pl.* Museen

c. **das Herz** is irregular in the singular:

> das Herz, des Herzens, dem Herzen, das Herz, die Herzen

d. There are no feminines in this declension.

17. Proper Names.

1. Names of persons and places add **–s** to form the genitive singular:

> Karls Brief, Goethes Faust, Englands Königin

Names ending in a sibilant (**s, sch, ß, x, z**) generally indicate the genitive by the apostrophe:

> Fritz' Bücher

Some names may add **–ens:**

> Hansens, Maxens

2. A proper name preceded by an adjective requires the definite article and adds no ending in the genitive:

> der kleine Karl, des kleinen Karl; ein Drama des jungen Lessing

If a name is preceded by a title without the article, the name is inflected; but the title is inflected, if the definite article precedes:

> Kaiser Karls Land, das Land des Kaisers Karl

3. Names of places ending in a sibilant substitute for the genitive the dative with **von:**

> die Straßen **von** Paris

4. For the genitive of neuter names of places **von** with the dative is often used:

> die Häuser Weimars — die Häuser **von** Weimar

5. Names of countries are neuter. Exceptions are **die Schweiz —** *Switzerland,* **die Türkei —** *Turkey,* **die Vereinigten Staaten —** *United States,* which always require the definite article:

> die Berge **der** Schweiz

The Adjective

18. Declension of Adjectives.

Adjectives are declined when they precede the noun they modify and when used as nouns:

An adjective preceded by an inflected form of an article or of a pronominal adjective has a weak ending, −e or −en; otherwise a strong ending.

19. Strong Declension.

When an adjective stands alone before a noun or when preceded by an **ein**-word which lacks the case ending, it must indicate the gender, number, and case of the noun by taking the strong endings. The strong endings are those of **dieser** (§ 4).

SINGULAR

Nom.	guter	Mann	gute	Frau	gutes	Kind
Gen.	guten	Mannes	guter	Frau	guten	Kindes
Dat.	gutem	Manne	guter	Frau	gutem	Kinde
Acc.	guten	Mann	gute	Frau	gutes	Kind

PLURAL

Nom.	gute	Männer	gute	Frauen	gute	Kinder
Gen.	guter	Männer	guter	Frauen	guter	Kinder
Dat.	guten	Männern	guten	Frauen	guten	Kindern
Acc.	gute	Männer	gute	Frauen	gute	Kinder

In the genitive singular before strong masculine and neuter nouns the adjective takes the ending −en to avoid the repetition of the −es.

Table of Strong Endings

	SINGULAR			PLURAL
	Masc.	*Fem.*	*Neut.*	*All Genders*
Nom.	−er	−e	−es	−e
Gen.	−en	−er	−en	−er
Dat.	−em	−er	−em	−en
Acc.	−en	−e	−es	−e

20. Weak Declension.

When an adjective is preceded by a **der**-word or an **ein**-word which indicates the gender, number, and case of the noun modified, it takes the weak endings: –e in the nominative singular of all genders and the accusative singular feminine and neuter, and –en in all other cases.

SINGULAR

	Masc.	*Fem.*	*Neut.*
Nom.	der gute Mann	diese gute Frau	jenes gute Kind
Gen.	des guten Mannes	dieser guten Frau	jenes guten Kindes
Dat.	dem guten Manne	dieser guten Frau	jenem guten Kinde
Acc.	den guten Mann	diese gute Frau	jenes gute Kind

PLURAL

	Masc.	*Fem.*	*Neut.*
Nom.	die guten Männer	diese guten Frauen	jene guten Kinder
Gen.	der guten Männer	dieser guten Frauen	jener guten Kinder
Dat.	den guten Männern	diesen guten Frauen	jenen guten Kindern
Acc.	die guten Männer	diese guten Frauen	jene guten Kinder

Table of Weak Endings

	SINGULAR			PLURAL
	Masc.	*Fem.*	*Neut.*	*All Genders*
Nom.	–e	–e	–e	–en
Gen.	–en	–en	–en	–en
Dat.	–en	–en	–en	–en
Acc.	–en	–e	–e	–en

21. Adjective Endings.

An adjective preceded by an **ein**-word (**ein, kein,** or a possessive adjective) has the weak endings except in the nominative singular masculine and the nominative and accusative singular neuter. In *these three cases* the adjective must take the strong ending, because the **ein**-word has no ending to show the gender of the noun modified.

SINGULAR

	Masc.	Fem.	Neut.
Nom.	ein guter Mann	keine gute Frau	sein gutes Kind
Gen.	eines guten Mannes	keiner guten Frau	seines guten Kindes
Dat.	einem guten Manne	keiner guten Frau	seinem guten Kinde
Acc.	einen guten Mann	keine gute Frau	sein gutes Kind

NOTE: In the plural the adjective has the weak endings, since the **ein**-words have the same endings in the plural as the **der**-words. **Ein** has no plural.

When the preceding article or pronominal adjective is:

1. *strong*   the adjective is weak: **der gute Freund, seine guten Freunde**
2. *without case ending*   strong: **mein guter Freund, kein gutes Buch**
3. *absent*   strong: **guter Freund, gute Freunde**

22. General Rules.

1. Predicate adjectives are uninflected:

Der Mann ist gut; die Frau ist gut; das Kind ist gut; die Kinder sind gut.

2. Two or more adjectives modifying a noun have the same endings:

Der gute alte Freund ist hier. Das ist mein guter alter Freund.

3. Adjectives ending in –e drop the –e before the inflectional endings:

Das Kind ist müde; ein müdes Kind.

4. Adjectives ending in –el, –en, –er often omit the –e of the suffix before the endings:

Die goldne Uhr; mein teurer Freund.

5. The adjective **hoch** drops the **c** before inflectional endings:

Der Baum ist hoch; der hohe Baum, ein hoher Baum.

6. Adjectives used as nouns are capitalized, but follow the adjective declension. In the masculine and feminine, singular and plural they refer to persons, in the neuter singular to an abstract quality:

der Deutsche, ein Deutscher, das Neue

7. Adjectives used substantively after the neuter pronouns **etwas** *something*, **nichts** *nothing*, **viel** *much*, **wenig** *little* are capitalized and take the strong neuter ending:

etwas Gutes, nichts Neues

8. After **einige** *some*, **mehrere** *several*, **viele** *many*, **wenige** *few* the adjective takes the strong endings in the nominative and accusative plural; after **alle** *all* the adjective is weak:

viele gute Bücher, alle guten Bücher

9. After the uninflected pronominal forms **viel** *much*, **wenig** *little*, **manch** *many a*, **solch** *such a*, **etwas** *some* the adjective takes the strong endings:

viel kaltes Wasser, manch gutes Buch

10. The demonstrative adjective **derselbe** *the same* declines both parts, the first like the definite article, the second like the weak adjective:

derselbe, desselben, demselben, etc.

11. Adjectives can be used as adverbs. The adverb is not declined:

Der Vogel ist schön; er singt schön.

Comparison of Adjectives

23. The Comparative.

The comparative is formed by adding –**er,** the superlative by adding –**st** to the stem of the adjective:

POSITIVE	COMPARATIVE	SUPERLATIVE	
klein	kleiner	der kleinste	am kleinsten
schön	schöner	der schönste	am schönsten

Fritz ist klein, Karl ist kleiner, aber Paul ist der kleinste.
Am Sonntag war das Wetter schön, gestern war es schöner, heute ist es am schönsten.

24. Umlaut in Comparison of Adjectives.

A number of very common adjectives take **Umlaut** in the comparative and superlative:

Positive	Comparative	Superlative	
alt	älter	der älteste	am ältesten
arm	ärmer	der ärmste	am ärmsten
hart	härter	der härteste	am härtesten
jung	jünger	der jüngste	am jüngsten
kalt	kälter	der kälteste	am kältesten
klug	klüger	der klügste	am klügsten
krank	kränker	der kränkste	am kränksten
kurz	kürzer	der kürzeste	am kürzesten
lang	länger	der längste	am längsten
scharf	schärfer	der schärfste	am schärfsten
schwach	schwächer	der schwächste	am schwächsten
stark	stärker	der stärkste	am stärksten
warm	wärmer	der wärmste	am wärmsten

Adjectives ending in **-d, -t,** or a sibilant (**s, ß, sch, z**) add **-est** to form the superlative:

der äl**test**e, der kür**zest**e

25. Irregular Comparison of Adjectives.

The following have irregular forms:

Positive	Comparative	Superlative	
groß	größer	der größte	am größten
gut	besser	der beste	am besten
hoch	höher	der höchste	am höchsten
nah	näher	der nächste	am nächsten
viel	mehr	der meiste	am meisten
wenig	weniger	der wenigste	am wenigsten
	minder	der mindeste	am mindesten

26. Declension of Comparative and Superlative.

The comparative and superlative are declined like the positive:

Der alte Mann, der ältere Mann, der älteste Mann.
Ein gutes Buch, kein besseres Buch, sein bestes Buch.

27. Superlative.

In the predicate the superlative has two forms:

1. When used as a predicate adjective, it stands in the dative with **am:**

Im Juni sind die Tage **am** längsten. *In June the days are longest.*

2. When used as a modifier of a predicate noun, expressed or understood, it is generally preceded by the definite article and declined like the positive:

> Sein Haus ist das schönste in der Stadt.

28. *als* and *wie*.

In making comparisons **wie** is used after the positive and **als** after the comparative:

> Er ist **so groß wie** ich, aber ich bin **größer als** Sie.
> Wir bleiben **so lange wie** er, aber Sie bleiben **länger als** wir.

29. Comparison of Adverbs.

1. The comparison of the adverb is like that of the adjective.

2. The relative superlative is expressed by **am** with the dative:

> Dieser Knabe schläft am längsten.

3. The absolute superlative, which indicates a high degree without making an actual comparison, is expressed by the positive with an adverb **höchst, äußerst, sehr,** or by **aufs** with the superlative:

> Er kam äußerst spät. *He came exceedingly late.*
> Sie sang aufs beste. *She sang extremely well.*

30. Irregular Comparison of Adverbs.

The following adverbs have irregular forms:

bald	eher	am ehesten
gern	lieber	am liebsten
wohl	besser	am besten

The Pronoun

31. Personal Pronouns.

SINGULAR

	1st Person	*2nd Person*		*3rd Person*		
Nom.	ich	du	Sie	er	sie	es
Gen.	meiner	deiner	Ihrer	seiner	ihrer	seiner
Dat.	mir	dir	Ihnen	ihm	ihr	ihm
Acc.	mich	dich	Sie	ihn	sie	es

PLURAL

Nom.	wir	ihr	Sie	sie
Gen.	unser	euer	Ihrer	ihrer
Dat.	uns	euch	Ihnen	ihnen
Acc.	uns	euch	Sie	sie

1. **Du** and **ihr** are the pronouns of familiar address and are used only in speaking to close relatives, intimate friends, children, and animals. **Sie** is the usual form of address for both the singular and the plural. **Sie** is always capitalized, and its verb has the form of the third personal plural.

2. The third person of the personal pronoun agrees in gender and number with the noun to which it refers:

Wo ist **der** Vogel?	**Er** sitzt auf dem Baum.
Wo ist **die** Uhr?	**Sie** steht auf dem Tisch.
Wo hängt **das** Bild?	**Es** hängt an der Wand.

3. **Es** is often used to introduce the real subject, which follows the verb and determines its number:

Es war einmal ein Mann.	Es waren einmal zwei Kinder.
Es kommt jemand.	Es kamen zwei Männer.

4. *It is I, it is you, etc.*, are expressed in German by:

ich bin es, Sie sind es

5. The personal pronoun referring to an inanimate object and governed by a preposition is replaced by an adverb compound of **da–** (**dar–** before vowels) with the preposition such as: **damit, davon, darauf, darin**:

Was ist im Garten?	Es sind Blumen **darin**.
Was legt er auf den Tisch?	Er legt ein Buch **darauf**.

Similarly compounds with **hin** and **her** such as **hinauf, hinein, dahin, daher** are used with verbs indicating motion to or from the speaker.

Hin indicates motion away from, **her** motion toward the speaker:

Steigt er auf den Berg?	Ja, er steigt **hinauf**.
Wer fällt in das Wasser?	Niemand fällt **hinein**.
Wer geht auf das Land?	Ich gehe **dahin**.
Kommen Sie von der Stadt?	Ja, ich komme **daher**.

32. Reflexive Pronoun.

The *Reflexive Pronoun* has the same forms as the personal pronoun, except in the third person where **sich** is used for the dative and accusative singular and plural.

	Singular			Plural		
	1st	*2nd*	*3rd*	*1st*	*2nd*	*3rd*
Dat.	mir	dir	sich	uns	euch	sich
Acc.	mich	dich	sich	uns	euch	sich

Ich wasche mich und er wäscht sich. *I wash myself and he washes himself.*
Ich helfe mir, sie helfen sich. *I help myself, they help themselves.*

NOTE: The reflexive of the formal pronoun **Sie** is **sich**; it is not capitalized.

Many verbs which are reflexive in German are not reflexive in English:

Wie befinden Sie sich? *How are you?*
Ich erinnere mich. *I remember.*
Sie freut sich. *She rejoices.*

33. Reciprocal Pronoun.

The *Reciprocal Pronoun* is **einander** *each other, one another*. The reflexive pronoun is often used in this sense.

Wir helfen einander. *We help each other.*
Wir sehen uns bald wieder. *We shall soon see each other again.*

34. Intensive Pronoun.

The *Intensive Pronoun* **selbst** or **selber** is used with a noun or pronoun for emphasis:

Ich war selbst da. *I was there myself.*
Er hat den Brief selbst geschrieben. *He wrote the letter himself.*

When used before a noun or pronoun **selbst** means *even:*

Selbst der Lehrer weiß es nicht. *Even the teacher does not know it.*

The Possessives

35. Adjectives Used as Possessives.

When used as adjectives the possessives agree with the noun they modify in number, gender, and case, and are declined like the **ein**-words (§ 6).

36. Possessives Used as Pronouns.

When used as pronouns, usually with the noun understood, the possessive may be declined with or without the definite article.

1. If used alone they have the ending of **dieser** (§ **4**):

> Sein Garten ist größer als meiner.
> Sein Haus ist so groß wie unsres.

	SINGULAR			PLURAL
	Masc.	*Fem.*	*Neut.*	*All Genders*
Nom.	meiner	seine	unsres	Ihre
Gen.	meines	seiner	unsres	Ihrer
Dat.	meinem	seiner	unsrem	Ihren
Acc.	meinen	seine	unsres	Ihre

NOTE: **unser** and **euer** may drop the –e of the stem or the –e of the inflectional ending: **unsrem, unserm; unsren, unsern; eures, eurem.**

2. If used with the article they are declined like a weak adjective and may take either of two forms:

> der (die, das) meine *or* der (die, das) meinige
> der (die, das) unsre *or* der (die, das) unsrige

Wessen Hut ist das? Es ist meiner, der meine, *or* der meinige. Ich wohne in meinem Hause, er wohnt in seinem, dem seinen, *or* dem seinigen.

3. The pronouns **eines, keines, deines,** and **seines** frequently drop the –e of the ending: **eins, keins, deins, seins.**

4. As predicate adjectives, the possessives are usually not declined. The possessive **ihr, (Ihr),** however, is always inflected:

> Dieses Buch ist **sein**; jenes Buch ist **ihres (Ihres)**.

5. Instead of the possessive adjective the definite article is frequently used when the ownership is clear; for example, in referring to parts of the body or clothing. Frequently a dative of the reflexive pronoun is added:

> Er steckt die Hand in **die** Tasche. *He puts his hand into his pocket.*
> Ich wasche mir **die** Hände. *I wash my hands.*

6. The expression *of mine, of yours* is rendered in German by the personal pronoun with **von**:

> *He is a friend of mine, of yours.* Er ist ein Freund **von** mir, von Ihnen.

The Demonstrative Pronoun

37. Demonstrative Pronouns.

The *demonstratives* are:

der *that, that one, he (who),* **dieser** *this, this one, the latter*
jener *that, that one, the former,* **solcher** *such, such a*
derjenige *the one, he,* **derselbe** *the same*

38. Demonstrative Adjective *der.*

Der as a demonstrative adjective is declined like the definite article from which it is distinguished by a stronger emphasis:

Den Mann kenne ich nicht.

39. *Der* Used as Pronoun.

Der as a pronoun is declined as follows:

	SINGULAR			PLURAL
	Masc.	*Fem.*	*Neut.*	*All Genders*
Nom.	der	die	das	die
Gen.	**dessen**	**deren**	**dessen**	**deren, derer**
Dat.	dem	der	dem	**denen**
Acc.	den	die	das	die

1. The demonstrative agrees in gender and number with the noun to which it refers.

2. The genitive plural **derer** is used only before a relative:

Er ist ein Freund **derer**, die ihm helfen.

3. The genitive of **der, die, das** is preferred to the possessives to avoid ambiguity:

Er kam mit dem Lehrer und **dessen** Bruder.

40. *Dieser* and *jener.*

Dieser and jener are declined like the demonstrative adjective dieser. (§ **4.**)

41. *Dies, das.*

When referring to a noun in the predicate *this, these,* and *that, those* are expressed by **dies** and **das** regardless of the number or gender of the noun:

> Dies ist mein Buch, **das** sind Ihre Bücher.
> Dies ist eine Uhr; **das** ist seine.

Es is used similarly:

> Wer ist es? **Es** ist der Lehrer.

42. *Derselbe* and *derjenige*.

Derselbe and **derjenige** decline both components: **der** is declined like the definite article, the second part like a weak adjective:

	SINGULAR			PLURAL
	Masc.	*Fem.*	*Neut.*	*All Genders*
Nom.	derselbe	dieselbe	dasselbe	dieselben
Gen.	desselben	derselben	desselben	derselben
Dat.	demselben	derselben	demselben	denselben
Acc.	denselben	dieselbe	dasselbe	dieselben

43. *Solch.*

Solch, when used alone or after **ein** or **kein,** is inflected like an adjective; when followed by **ein** it remains undeclined:

> ein solches Buch, solch ein Buch

Instead of **solch ein, so ein** is frequently used in conversation:

> so ein Tisch, so eine Aufgabe

44. *Da*(*r*) + **Preposition.**

The demonstrative pronoun referring to an inanimate object and governed by a preposition is generally replaced by a compound of **da–** (**dar–** before vowels) with the preposition.

> **Davon** weiß ich nichts. **Damit** kann man schreiben. (See § **31,** 5.)

The Relative Pronoun

45. Relative Pronouns.

The *Relative Pronouns* are **der** and **welcher** *who, which, that.* **Der** and **welcher** have the same meaning and may be used interchangeably, but **der** is much more common. The relative **der** is declined like the demonstrative pronoun **der,** but has only the one form **deren** in the genitive plural.

	SINGULAR			PLURAL
	Masc.	*Fem.*	*Neut.*	*All Genders*
Nom.	der	die	das	die
Gen.	dessen	deren	dessen	deren
Dat.	dem	der	dem	denen
Acc.	den	die	das	die

Welcher is declined like **dieser**; for the genitive, which is lacking, the forms of **der** are used.

	SINGULAR			PLURAL
	Masc.	*Fem.*	*Neut.*	*All Genders*
Nom.	welcher	welche	welches	welche
Gen.	dessen	deren	dessen	deren
Dat.	welchem	welcher	welchem	welchen
Acc.	welchen	welche	welches	welche

1. The relative pronoun agrees in gender and number with the noun to which it refers. The case is determined by its function in the sentence:

> Ist das der Freund, mit dem er kam?

2. The relative pronoun is *never omitted* in German:

> Das ist der Mann, **den** ich sah. *That is the man I saw.*

3. Relative clauses are set off by commas:

> Der Mann, der heute hier war, ist mein Lehrer.

4. Relative clauses are dependent; the verb stands at the end:

> Das ist der Freund, der mir gestern in der Stadt ein Buch kaufte.

46. *Wer* and *was.*

Wer *he who, whoever* and **was** *that which, whatever* may be used as compound relatives without an antecedent:

> Wer das sagt, ist kein Freund von mir.
> Was ich tun kann, tue ich gern.

1. **Wer** never has an antecedent. **Was** may have as its antecedent a neuter demonstrative or indefinite pronoun or a neuter adjective used as a noun:

> Das, was er sagt, ist wahr. Das ist alles, was ich weiß.
> Ich gebe das Beste, was ich habe.

47. *Wo(r)* + Preposition.

The relative pronoun referring to an inanimate object and governed by a preposition may be replaced by a compound of **wo–** (**wor–** before vowels) with the preposition:

> Das ist die Feder, womit *or* mit der er schreibt.
> Das ist das Bild, wovon *or* von dem sie sprechen.

Other adverbs similarly used are **wo, als, woher, wohin:**

Das Haus, wo er wohnt; in der Zeit, als er hier war; die Stadt, wohin er ging.

The Interrogative Pronoun

48. Interrogative Pronouns.

The interrogatives are **wer** *who,* **was** *what,* **welcher** *which, which one,* **was für ein** *what kind of.*

1. **Wer** and **was** are declined like the relatives **wer** and **was.**

Nom.	wer	was
Gen.	wessen	wessen
Dat.	wem	—
Acc.	wen	was

2. **Wer** refers to persons, **was** to things.

3. After **wer** all verbs, except **sein,** are used in the singular:

> Wer kommt?
> Wer ist das?
> Wer sind die Herren?

4. The interrogative **was** is not used in the dative or accusative after prepositions, but is replaced by **wo–** (**wor–** before vowels) contracted with the preposition: **wovon? womit? woran?,** etc.

> Womit schreiben Sie?
> Woran denken Sie?
> Wovon sprechen Sie?

Note: With verbs of *coming* and *going,* use **woher** and **wohin** respectively:

> Woher kommen Sie? *or* Wo kommen Sie her?
> Wohin gehen Sie? *or* Wo gehen Sie hin?

49. *welcher* and *was für ein.*

The interrogatives **welcher** and **was für ein** may be used as adjectives or as pronouns: **welcher** is declined like **dieser** (§ 4).

Was für ein declines only **ein.** As an adjective, **ein** agrees in gender and case with the noun following:

> Was für ein Buch ist das?
> Mit was für einer Feder schreibt sie?
> Was für einen Hut wünschen Sie?

In the plural and before nouns denoting material the **ein** is omitted:

> Was für Bücher sind das?
> Was für Papier ist das?

As a pronoun **einer** is declined like **dieser** (§ 4):

> Ich habe keinen Bleistift, haben Sie einen?
> Hier sind viele Bücher, was für eines wünschen Sie?

The Indefinite Pronoun

50. Most Common Indefinite Pronouns.

The most common indefinite pronouns are the following:

1. **Man** *one, they, people* is used only in the nominative. The other cases are supplied by forms of **einer:**

> man sagt *one says, they say, it is said*

2. **Jemand** *somebody, some one,* **niemand** *nobody, no one,* **jedermann** *everybody* add **–s** to form the genitive. **Jemand** and **niemand** may form the dative singular in **–em** and the accusative in **–en,** but the uninflected form is more common.

3. **Etwas** and **nichts** are invariable and are frequently used before neuter adjectives:

> etwas Schönes, nichts Neues

4. The following list illustrates the use of other indefinites.

     a. **all, alle** *all:*

> all mein Geld *all my money,* alle sind hier *all are here*

     alles *everything:*

> Ich gebe ihm alles, was ich habe. *I give him all I have.*

     b. **ander–** *other:*

> der andre *the other,* ein andrer *another*

     c. **beides** *both things,* **beide** *both:*

> die beiden Freunde *both friends*

After the definite article or a pronominal adjective **beide** may be used for *two* (when there are but two).

> die beiden Freunde *the two friends*, alle beide *both*

d. **ein bißchen** *a bit, a little:*

> ein bißchen Brot *a bit of bread*

e. **ein paar** *a few:*

> Er schreibt nur ein paar Zeilen. *He writes only a few lines.*

f. **mancher,** inflected — *some, certain:*

> Manche Schüler lernen fleißig. *Some students study diligently.*

manch, uninflected before **ein** or an adjective means *many a:*

> manch ein guter Mann, manch guter Mann, *or* mancher gute Mann *many a good man*

g. **viel** *much:*

> Er hat viel Arbeit. *He has much work.*

viele *many:*

> Viele Schüler sind in der Schule. *Many pupils are in school.*

h. **wenig** *little:*

> Ich habe wenig Geld. *I have little money.*

wenige *few:*

> Nur wenige sind gekommen. *Only few came.*

Numerals

51. The Cardinals.

1	eins	11	elf	21	einundzwanzig
2	zwei	12	zwölf	22	zweiundzwanzig
3	drei	13	dreizehn	30	dreißig
4	vier	14	vierzehn	40	vierzig
5	fünf	15	fünfzehn	50	fünfzig
6	sechs	16	sechzehn	60	sechzig
7	sieben	17	siebzehn	70	siebzig
8	acht	18	achtzehn	80	achtzig
9	neun	19	neunzehn	90	neunzig
10	zehn	20	zwanzig	100	hundert

101	hunderteins	1 000	tausend
102	hundertzwei	10 000	zehntausend
200	zweihundert	100 000	hunderttausend
		1 000 000	eine Million

1. The units precede the tens: **sechsundvierzig; dreiundachtzig.**

2. Note the spelling of **dreißig, sechzehn, sechzig, siebzehn, siebzig.**

3. English *billion* is expressed in German by **eine Milliarde; eine Billion** is *a million millions.*

4. The cardinals, with the exception of **eins,** are not inflected. **Eins** is declined:

a. When followed by a noun, like the definite article:

Er hat nur einen Bruder.

b. When preceded by the definite article or a pronominal adjective, like a weak adjective:

das eine Kind, dieses eine Buch

c. When used as a pronoun, like **dieser** (§ **4**):

Einer meiner Freunde ist hier.
Hat er keinen Bruder? Ja, er hat einen.
Hat er kein Buch? Ja, er hat eins.

d. In counting, the form **eins** is used.

52. Common Arithmetical Expressions.

$5 + 8 = 13$ fünf und (plus) acht ist dreizehn.
$7 - 3 = 4$ sieben weniger (minus) drei ist vier.
$6 \times 9 = 54$ sechs mal neun ist vierundfünfzig.
$12 : 4 = 3$ zwölf (geteilt) durch vier ist drei.

53. Multiplicative Adverbs.

These are formed by adding **–mal** to the cardinals:

einmal *once,* sechsmal *six times*

54. Variatives.

Variatives are formed by adding **–erlei** to the cardinals:

zweierlei *two kinds of,* **vielerlei** *many kinds of,* **allerlei** *all kinds of*

55. The Ordinals.

The ordinals are formed by adding –t to the cardinal from 2 to 19 and –st from 20 on. After the definite article the forms are:

der zweite, der vierte, der zwanzigste. Der erste, der dritte, der achte are irregular.

der erste	der elfte
der zweite	der zwölfte
der dritte	der zwanzigste
der vierte	der einundzwanzigste
der fünfte	der zweiundzwanzigste
der sechste	der dreißigste
der sieb(en)te	der sechzigste
der achte	der hundertste
der neunte	der hunderterste
der zehnte	der tausendste

1. Ordinals are declined like adjectives:

> der erste Tag, mein erstes Buch, die sechste Aufgabe

2. Fractional numerals are formed by adding –el to the ordinal:

> ein Drittel, ein Viertel, ein Zehntel

EXCEPTION: die Hälfte *half*, eine halbe Stunde *half an hour*

3. The ordinal adverbs **erstens, zweitens, drittens,** etc. are formed from the ordinal by adding the suffix –ens.

4. Dates are expressed as follows:

> Der wievielte ist heute? *What day of the month is this?*
> Heute ist der neunte April. *Today is the ninth of April.*
> Den wievielten haben wir morgen? *What day of the month is tomorrow?*
> Morgen ist der 10. April. *Tomorrow is the tenth of April.*
> Er kam am vierten Juni. *Or:* Er kam den vierten Juni. *He came on the fourth of June.*
> Berlin, den 6. Mai 1955. *In letters the date is given in the accusative.*

In 1955 is expressed by:

> 1955 *or* im Jahre 1955

Prepositions

56. Prepositions with Dative.

aus	bei	nach	von
außer	mit	seit	zu

aus *out of, of, from:*

Er kommt aus dem Hause. *He comes out of the house.* (motion)
Der Tisch ist aus Holz. *The table is of wood.* (material)
Das kommt aus Deutschland. *That comes from Germany.* (origin)
Er tut es aus Angst. *He does it from fear.* (motive)

außer *except, besides:*

Es war niemand da außer ihm. *No one was there except him.*
Zehn waren da außer mir. *Ten were there besides me.*

bei *beside, near to, at, with:*

Bei dem Hause steht ein Baum. *Beside the house stands a tree.*
Bei wem wohnt er? *With whom does he live?* (*At whose house?*)
Ich habe kein Geld bei mir. *I have no money with me.*

NOTE: **bei dem Onkel** means *at the home of the uncle,*
        mit dem Onkel means *in company with the uncle.*

mit *with, along with:*

Er schreibt mit der Feder. *He writes with his pen.* (instrument)
Er geht mit dem Freunde. *He goes with his friend.* (in company with)

nach *after, to, toward:*

Der Herbst kommt nach dem Sommer. *Autumn comes after summer.* (time)
Er reist nach Deutschland. *He is going to Germany.* (*to* with name of country)

seit *since:*

seit der Zeit *since that time*
Seit zwei Tagen ist er hier. *For two days he has been here.*

Note the use of the present tense in this sentence; see p. 286, 1., 2.

von *from, of, by:*

Er kommt von der Stadt. *He comes from the city.*
Er sprach von Ihnen. *He spoke of you.*
einer von ihnen *one of them*
Der Brief wurde von ihm geschrieben. *The letter was written by him.* (agency)

NOTE: Er ist ein Freund von mir, von ihm, etc. *He is a friend of mine, of his,* *etc.*

zu *to, at:*

Ich gehe zu ihm. *I am going to him.*
Der Dom zu Berlin. *The cathedral at Berlin.*
zu Weihnachten *at Christmas*

NOTE: **Nach** and **zu. Zu** is generally used with persons; **nach** with places, and always with names of cities and countries.

BUT: Wir gehen zur Schule, zur Kirche, zur Stadt,
  nach der Schule, nach der Kirche, nach der Stadt,
  in die Schule, in die Kirche, in die Stadt.

57. Prepositions with Accusative.

durch für gegen ohne um wider

durch *through:*

Sie gingen durch den Wald. *They went through the forest.* (transition)
durch den Wind *by the wind* (means)

für *for, on behalf of:*

Er kauft es für die Mutter. *He buys it for his mother.*
Er tut es für mich. *He does it for me.*

gegen *against:*

Er schwimmt gegen den Strom. *He swims against the stream.*
Was haben Sie dagegen? *What have you against it?*

ohne *without:*

Er geht ohne mich. *He goes without me.*

um *around, at:*

Sie sitzen um den Tisch. *They sit around the table.* (place)
um ein Uhr *at one o'clock;* um diese Zeit *at this time* (time)

wider *against:*

wider meinen Wunsch *against my wish*

58. Prepositions with Dative or Accusative.

an hinter neben unter zwischen
auf in über vor

These nine prepositions govern the accusative when motion toward a place is indicated; they govern the dative when position or action in a place or time 'when' is indicated.
The accusative answers the question **wohin** *whither, where to?*
The dative answers the question **wo** *where, in what place,* or **wann** *when?*

an *at, to, on:*

>Er steht an dem Fenster. *He stands at the window.*
>Er geht an das Fenster. *He goes to the window.*
>Das Bild hängt an der Wand. *The picture hangs on the wall.*

auf *on, upon:*

>Das Buch liegt auf dem Tische. *The book lies on the table.*
>Ich lege es auf den Stuhl. *I lay it on the chair.*

>NOTE: **auf** means *on top of, on the upper surface of*
>   **an** denotes close contact, being attached to

hinter *behind:*

>Der Garten ist hinter dem Hause. *The garden is behind the house.*
>Stellen Sie den Stuhl hinter den Tisch! *Put the chair behind the table.*

in *in, into:*

>Er ist in dem Hause. *He is in the house.*
>Er geht in das Haus. *He goes into the house.*

in of time, with dative only:

>im Sommer *in summer*, in einer Stunde *in one hour*

neben *beside, by:*

>Er sitzt neben mir. *He sits beside me.*
>Er setzt sich neben mich. *He sits down beside me.*

über *over, across:*

>Das Bild hängt über dem Tisch. *The picture hangs over the table.*
>Er hängt das Bild über den Tisch. *He hangs the picture over the table.*

about, concerning, with accusative only:

>Sie sprechen über die Reise. *They are talking about the journey.*

unter *under, among:*

>Das Papier liegt unter dem Buche. *The paper lies under the book.*
>Ich lege das Papier unter das Buch. *I put the paper under the book.*
>unter den Büchern auf dem Tische *among the books on the table*

vor *before, in front of:*

>Er steht vor der Klasse. *He is standing in front of the class.*
>Kommen Sie vor die Klasse! *Come before the class.*

of time, *ago,* with dative only:

>Er kam vor zwei Tagen. *He came two days ago.*

zwischen *between:*

> Der Stuhl steht zwischen der Tür und dem Fenster. *The chair stands between the door and the window.*
> Er stellt ihn zwischen die Tür und das Fenster. *He puts it between the door and the window.*

59. Prepositions with Genitive.

anstatt, statt	*instead of*
außerhalb	*outside of*
innerhalb	*inside of*
oberhalb	*above*
unterhalb	*below*
diesseits	*on this side of*
jenseits	*on that side of*
trotz	*in spite of*
während	*during*
wegen	*on account of*
um . . . willen	*for the sake of*

EXAMPLES: außerhalb des Hauses *outside of the house*
diesseits des Flusses *on this side of the river*
trotz des Regens *in spite of the rain*
um des Vaters willen *for the father's sake*

wegen and **um . . . willen** form compounds with the genitive of the personal pronouns:

> meinetwegen, seinetwegen *on my (his) account,* um meinetwillen, um Ihretwillen *for my (your) sake*

Conjunctions

60. Co-ordinating Conjunctions.

Co-ordinating conjunctions connect words or clauses of equal rank. They do not affect the word order.

aber	*but*	oder	*or*
allein	*but, however*	sondern	*but*
denn	*for*	und	*and*

allein is infrequent; it is used to qualify a preceding statement:

> Er hat viel Geld, allein er hilft uns nicht. *He has much money, but he does not help us.*

aber may be used after a positive or a negative statement. It usually introduces the clause, but it may follow later in the sentence, (as *however* may in English):

> Er könnte es tun, er will es aber nicht. *He could do it, but he does not want to.*

sondern is used only after a negative and excludes the preceding statement:

> Er kommt nicht, sondern er bleibt zu Hause. *He is not coming, but he is staying at home.*

Many adverbs are used as co-ordinating conjunctions; they are always followed by the inverted word order. Such adverbs are:

also *therefore, then:*

> Er hat kein Geld, also kann er nichts kaufen.

darum *therefore:*

> Er hat fleißig studiert, darum kann er die Aufgabe.

sonst *otherwise, else:*

> Wir müssen eilen, sonst kommen wir zu spät.

trotzdem *nevertheless:*

> Er arbeitet fleißig, trotzdem ist er arm.

61. Subordinating Conjunctions.

Subordinating Conjunctions introduce dependent clauses. They are followed by the transposed word order which places the inflected verb at the end of the clause.

als *when*	obgleich *although*
als ob, als wenn *as if*	seit, seitdem *since*
bis *until*	sobald *as soon as*
da *as, since*	solang *as long as*
damit *in order that*	während *while*
daß *that*	wann *when*
ehe *before*	weil *because*
indem *while*	wenn *if, when, whenever*
nachdem *after*	wie *as, how*
ob *whether, if*	wo *where*

Use of **als, wenn, wann,** see p. 223, **5**.

Wenn may be omitted, in which case the order is inverted:

> Wenn er heute kommt, werde ich mit ihm sprechen.
> Kommt er heute, so werde ich mit ihm sprechen.

Als ob, als wenn *as if* take the subjunctive:

> Er sieht aus, als ob er krank wäre. *He looks as though he were ill.*

Ob and **wenn** may be omitted. The order then is inverted:

> Er sieht aus, als wäre er krank.

The Verb

62. Strong and Weak Conjugations.

There are two conjugations of the verb, the *Strong* and the *Weak*. *Strong Verbs* form the past tense by changing the stem vowel without adding an ending, and the perfect participle by prefixing **ge–** and adding **–en** to the stem:

> sehen, sah, gesehen

Weak verbs form the past tense by adding **–te** to the stem, and the perfect participle by prefixing **ge–** and adding **–t**:

> machen, machte, gemacht

Irregular Weak Verbs have the endings of the weak verb in the past tense and also change the stem vowel:

> kennen, kannte, gekannt

63. Stem of Verb.

The *Stem* of a verb is found by dropping the ending **–en** of the present infinitive:

> sagen, sag–; sprechen, sprech–

64. Principal Parts.

The *Principal Parts* of a verb are the present infinitive, the first person singular of the past, and the perfect participle:

> sagen, sagte, gesagt; sehen, sah, gesehen

65. Simple and Compound Tenses.

The present and past are called simple tenses. The other tenses are called compound tenses, since they are formed with the aid of an auxiliary.

66. Auxiliary Verbs.

Haben, sein, and **werden** are called auxiliary verbs of tense, because they aid other verbs in the formation of their compound tenses.

Haben and **sein** are used to form the perfect tenses.

Haben is used with all transitive, all reflexive, and most intransitive verbs.

> er hat gelesen, er hat sich gesetzt, er hat geschlafen

Sein is used with intransitives that indicate motion to a place or change of condition, and with **sein** and **bleiben:**

> er ist gekommen, er ist gestorben, er ist geblieben

Werden is used to form the future tense and the passive voice:

> er wird sehen, er wird gesehen haben, er wurde gesehen

NOTE: In the perfect tenses of the passive the form **worden** is used for **geworden:**

> er ist gesehen worden

67. Compound Tenses.

The compound tenses are formed as follows:

Perfect: Present of the auxiliary (**sein** *or* **haben**) plus the perfect participle of the verb.

Pluperfect: Past of the auxiliary plus the perfect participle of the verb.

Future: Present of **werden** plus the present infinitive of the verb.

Future Perfect: Present of **werden** plus the perfect infinitive of the verb.

Present Conditional: Past subjunctive of **werden** plus the present infinitive of the verb.

Perfect Conditional: Past subjunctive of **werden** plus the perfect infinitive of the verb.

68. Present Indicative.

The *Present Indicative* is formed by adding the following endings to the stem: **–e, –st, –t, –en, –t, –en.** The only verbs which do not follow this rule are **sein** (p. 337), the modal auxiliaries (p. 346), and **wissen** (p. 346).

69. Past Indicative.

The *Past Indicative* of weak verbs adds to the past suffix **–te** the

following personal endings: –, –st, –, –n, –t, –n. The past endings
of strong verbs are the same as those of the weak.

PRESENT TENSE		PAST TENSE	
Weak	*Strong*	*Weak*	*Strong*
1. sage	singe	sag–te	sang
2. sagst	singst	sag–te–st	sangst
3. sagt	singt	sag–te	sang
1. sagen	singen	sag–te–n	sangen
2. sagt	singt	sag–te–t	sangt
3. sagen	singen	sag–te–n	sangen

70. Connecting Vowel –e.

Verbs whose stem ends in –d or –t, or in –m or –n preceded by a
consonant other than –l, –r, –m, –n require an –e– before the endings –st and –t (that is, in the second and third person singular
and the second person plural of the present tense), and also before
the personal endings of the past tense. (See conjugation table,
p. 345):

> du arbeitest, er findet, ihr öffnet, *but* er lernt, er kommt

Verbs whose stem ends in a sibilant (**s, ß, z, tz**) usually drop the
s of the ending –st:

> du sitzt, du ißt

71. Vowel Change in Present of Strong Verbs.

In the second and third person singular present tense the stem
vowel **a** is changed to **ä** (**au** to **äu**),

> ich falle, du fällst, er fällt

short **e** is changed to **i**,

> ich helfe, du hilfst, er hilft

long **e** is changed to **ie, i**,

> ich sehe, du siehst, er sieht
> ich gebe, du gibst, er gibt

BUT NOTE: ich gehe, du gehst, er geht
ich stehe, du stehst, er steht

72. Imperative.

The *Imperative* has the endings −e for the singular and −t for the plural of the familiar address, and −en for the formal address:

sage! sagt! sagen Sie!

In the formal address the pronoun always follows the verb. Strong verbs frequently drop the −e in the singular of the familiar address:

gehe! *or* geh! bleibe! *or* bleib!

Verbs which change **e** to **i** or **ie** in the singular present indicative have the same change in the familiar form of the imperative and do not add −**e**:

nimm! hilf! lies!

The infinitive and the perfect participle are sometimes used for the imperative:

aufstehen! aufgestanden! *get up!*

73. Infinitive.

The *Infinitive* ends in −**en,** except **sein, tun,** and verbs in −**eln,** −**ern:**
sagen, sehen, handeln, wandern.
The infinitive is used without **zu:**

1. When used as a noun:

das Lesen *reading*, das Rauchen *smoking*

2. After the modal auxiliaries:

Er muß jetzt gehen.

3. After the verbs **hören, sehen, helfen, lehren, lernen, lassen:**

Ich höre ihn singen. Ich lasse den Arzt kommen. *I have the doctor come.*

4. After **bleiben,** and certain verbs of motion, such as **gehen, fahren:**

er bleibt sitzen *he remains sitting*

The infinitive is used with **zu** after all other verbs, after nouns, adjectives, and prepositions:

Er versprach, heute zu kommen. *He promised to come today.*
Es ist Zeit, nach Hause zu gehen. *It is time to go home.*
Es ist schwer zu lernen. *It is difficult to learn.*
Er ging fort, ohne ein Wort zu sagen. *He went away without saying a word.*

The infinitive with **um . . . zu** expresses purpose:

Wir gehen in die Schule, um Deutsch zu lernen. *We go to school to learn German.*

After the verb **sein** the infinitive frequently has a passive meaning:

Er ist nicht zu sehen. *He is not to be seen.*

In separable verbs **zu** stands between the prefix and the verb:

anzufangen, auszugehen

74. Present Participle.

The *Present Participle* is formed by adding **–d** to the infinitive:

fliegend, schlafend

Used as an adjective it follows the adjective declensions:

das schlafende Kind, ihr schlafendes Kind

75. Perfect Participle.

The *Perfect Participle* has the prefix **ge–** and the ending **–t** (**–et**) in weak verbs, and **–en** in strong verbs:

gesagt, gesehen

The prefix **ge–** is omitted in inseparable verbs and verbs ending in **–ieren:**

versprechen, versprochen; studieren, studiert

In separable verbs the prefix **ge–** stands between the prefix and the verb:

angefangen

The perfect participle is declined like an adjective:

das gestohlene Pferd, ein gestohlenes Pferd

After **kommen** the perfect participle expresses the manner of coming:

Er kam gelaufen. *He came running.*

haben

PRINCIPAL PARTS: **haben, hatte, gehabt** (*have*)

INDICATIVE	SUBJUNCTIVE	INDICATIVE	SUBJUNCTIVE
	Present		*Past*
ich habe	habe	hatte	hätte
du hast	habest	hattest	hättest
er hat	habe	hatte	hätte
wir haben	haben	hatten	hätten
ihr habt	habet	hattet	hättet
sie haben	haben	hatten	hätten

	Perfect			*Pluperfect*	
ich habe		habe		hatte		hätte	
du hast		habest		hattest		hättest	
er hat	gehabt	habe	gehabt	hatte	gehabt	hätte	gehabt
wir haben		haben		hatten		hätten	
ihr habt		habet		hattet		hättet	
sie haben		haben		hatten		hätten	

	Future			*Future Perfect*	
ich werde		ich werde		werde		werde	
du wirst		du werdest		wirst		werdest	
er wird	haben	er werde	haben	wird	gehabt werde	gehabt
wir werden		wir werden		werden	haben werden	haben
ihr werdet		ihr werdet		werdet		werdet	
sie werden		sie werden		werden		werden	

CONDITIONAL

	Present		*Perfect*	
ich würde		würde		
du würdest		würdest		
er würde	haben	würde	gehabt	
wir würden		würden	haben	
ihr würdet		würdet		
sie würden		würden		

IMPERATIVE

habe! habt! haben Sie!

INFINITIVES

Present	*Perfect*
haben	gehabt haben

PARTICIPLES

habend	gehabt

sein

PRINCIPAL PARTS: **sein, war, gewesen** (*be*)

INDICATIVE	SUBJUNCTIVE	INDICATIVE	SUBJUNCTIVE
Present		*Past*	
ich bin	sei	war	wäre
du bist	seiest	warst	wärest
er ist	sei	war	wäre
wir sind	seien	waren	wären
ihr seid	seiet	wart	wäret
sie sind	seien	waren	wären

INDICATIVE	SUBJUNCTIVE	INDICATIVE	SUBJUNCTIVE
Perfect		*Pluperfect*	
ich bin	sei	war	wäre
du bist	seiest	warst	wärest
er ist	sei	war	wäre
wir sind } gewesen	seien } gewesen	waren } gewesen	wären } gewesen
ihr seid	seiet	wart	wäret
sie sind	seien	waren	wären

INDICATIVE	SUBJUNCTIVE	INDICATIVE	SUBJUNCTIVE
Future		*Future Perfect*	
ich werde	werde	werde	werde
du wirst	werdest	wirst	werdest
er wird } sein	werde } sein	wird } gewesen sein	werde } gewesen sein
wir werden	werden	werden	werden
ihr werdet	werdet	werdet	werdet
sie werden	werden	werden	werden

CONDITIONAL

Present	*Perfect*
ich würde	würde
du würdest	würdest
er würde } sein	würde } gewesen sein
wir würden	würden
ihr würdet	würdet
sie würden	würden

IMPERATIVE

sei! seid! seien Sie!

INFINITIVES

Present	*Perfect*
sein	gewesen sein

PARTICIPLES

seiend	gewesen

werden

PRINCIPAL PARTS: **werden, wurde, geworden** (*become*)

INDICATIVE	SUBJUNCTIVE	INDICATIVE	SUBJUNCTIVE
	Present		*Past*
ich werde	werde	wurde	würde
du wirst	werdest	wurdest	würdest
er wird	werde	wurde	würde
wir werden	werden	wurden	würden
ihr werdet	werdet	wurdet	würdet
sie werden	werden	wurden	würden

	Perfect			*Pluperfect*	
ich bin	sei		war	wäre	
du bist	seiest		warst	wärest	
er ist	sei		war	wäre	ge-
wir sind	geworden	seien	geworden	waren	geworden	wären	worden
ihr seid	seiet		wart	wäret	
sie sind	seien		waren	wären	

	Future			*Future Perfect*	
ich werde	werde		werde	werde	
du wirst	werdest		wirst	werdest	
er wird	werde		wird	geworden werde	ge-
wir werden	werden	werden	werden	werden	sein werden	worden sein
ihr werdet	werdet		werdet	werdet	
sie werden	werden		werden	werden	

CONDITIONAL		IMPERATIVE

werde! werdet! werden Sie!

	Present		*Perfect*	
ich würde		würde		
du würdest		würdest		
er würde		würde		ge-
wir würden	werden	würden	werden	worden
ihr würdet		würdet		sein
sie würden		würden		

INFINITIVES

Present	*Perfect*
werden	geworden sein

PARTICIPLES

werdend	geworden

Weak Verb

PRINCIPAL PARTS: **sagen, sagte, gesagt** (*say*)

INDICATIVE	SUBJUNCTIVE	INDICATIVE	SUBJUNCTIVE
Present		*Past*	
ich sage	sage	sagte	sagte
du sagst	sagest	sagtest	sagtest
er sagt	sage	sagte	sagte
wir sagen	sagen	sagten	sagten
ihr sagt	saget	sagtet	sagtet
sie sagen	sagen	sagten	sagten

Perfect			*Pluperfect*		
ich habe	habe		hatte	hätte	
du hast	habest		hattest	hättest	
er hat	habe		hatte	hätte	
wir haben	haben	gesagt	hatten	hätten	gesagt
ihr habt	habet		hattet	hättet	
sie haben	haben		hatten	hätten	

(Perfect indicative and subjunctive: **gesagt**)

Future			*Future Perfect*		
ich werde	werde		werde	werde	
du wirst	werdest		wirst	werdest	
er wird	werde	sagen	wird	gesagt	werde	gesagt
wir werden	werden		werden	haben	werden	haben
ihr werdet	werdet		werdet	werdet	
sie werden	werden		werden	werden	

CONDITIONAL   IMPERATIVE

Present		*Perfect*		IMPERATIVE
ich würde		würde		sage! sagt! sagen Sie!
du würdest		würdest		**INFINITIVES**
er würde	sagen	würde	gesagt	*Present* *Perfect*
wir würden		würden	haben	sagen gesagt haben
ihr würdet		würdet		**PARTICIPLES**
sie würden		würden		sagend gesagt

Strong Verb *(conjugated with* **haben***)*

PRINCIPAL PARTS: **sehen, sah, gesehen** *(see)*

INDICATIVE   SUBJUNCTIVE   INDICATIVE   SUBJUNCTIVE

Present   *Past*

ich sehe	sehe	sah	sähe
du siehst	sehest	sahst	sähest
er sieht	sehe	sah	sähe
wir sehen	sehen	sahen	sähen
ihr seht	sehet	saht	sähet
sie sehen	sehen	sahen	sähen

Perfect   *Pluperfect*

ich habe	habe	hatte	hätte
du hast	habest	hattest	hättest
er hat } gesehen	habe } gesehen	hatte } gesehen	hätte } gesehen
wir haben	haben	hatten	hätten
ihr habt	habet	hattet	hättet
sie haben	haben	hatten	hätten

Future   *Future Perfect*

ich werde	werde	werde	werde
du wirst	werdest	wirst	werdest
er wird } sehen	werde } sehen	wird gesehen werde gesehen	werde gesehen
wir werden	werden	werden haben werden haben	werden haben
ihr werdet	werdet	werdet	werdet
sie werden	werden	werden	werden

CONDITIONAL   IMPERATIVE

sieh! seht! sehen Sie!

Present   *Perfect*

ich würde	würde	
du würdest	würdest	
er würde } sehen	würde } gesehen	
wir würden	würden haben	
ihr würdet	würdet	
sie würden	würden	

INFINITIVES

Present   *Perfect*

sehen   gesehen haben

PARTICIPLES

sehend   gesehen

Strong Verb (*conjugated with* **sein**)

PRINCIPAL PARTS: **kommen, kam, gekommen** (*come*)

INDICATIVE	SUBJUNCTIVE	INDICATIVE	SUBJUNCTIVE
Present		*Past*	
ich komme	komme	kam	käme
du kommst	kommest	kamst	kämest
er kommt	komme	kam	käme
wir kommen	kommen	kamen	kämen
ihr kommt	kommet	kamt	kämet
sie kommen	kommen	kamen	kämen

Perfect		*Pluperfect*	
ich bin	sei	war	wäre
du bist	seiest	warst	wärest
er ist · ge-	sei · ge-	war · gekommen	wäre · ge-
wir sind · kommen	seien · kommen	waren	wären · kommen
ihr seid	seiet	wart	wäret
sie sind	seien	waren	wären

Future		*Future Perfect*	
ich werde	werde	werde	werde
du wirst	werdest	wirst	werdest
er wird · kom-	werde · kom-	wird · ge-kommen sein	werde · ge-kommen sein
wir werden · men	werden · men	werden	werden
ihr werdet	werdet	werdet	werdet
sie werden	werden	werden	werden

CONDITIONAL		IMPERATIVE	

komme! kommt! kommen Sie!

Present	*Perfect*
ich würde	würde
du würdest	würdest · ge-
er würde · kom-	würde · kom-
wir würden · men	würden · men
ihr würdet	würdet · sein
sie würden	würden

INFINITIVES

Present	*Perfect*
kommen	gekommen sein

PARTICIPLES

kommend	gekommen

Passive Voice

sehen (*see*)

INDICATIVE	SUBJUNCTIVE		INDICATIVE	SUBJUNCTIVE	
Present			*Past*		
ich werde	werde		wurde	würde	
du wirst	werdest		wurdest	würdest	
er wird	werde		wurde	würde	
wir werden	werden	gesehen	wurden	würden	gesehen
ihr werdet	werdet		wurdet	würdet	
sie werden	werden		wurden	würden	

(Present: ich werde ... sie werden } gesehen; werde ... werden } gesehen)
(Past: wurde ... wurden } gesehen; würde ... würden } gesehen)

Perfect			*Pluperfect*		
ich bin	sei		war	wäre	
du bist	seiest		warst	wärest	
er ist	sei		war	wäre	
wir sind	seien		waren	wären	
ihr seid	seiet		wart	wäret	
sie sind	seien		waren	wären	

(Perfect: ich bin ... sie sind } gesehen worden; sei ... seien } gesehen worden)
(Pluperfect: war ... waren } gesehen worden; wäre ... wären } gesehen worden)

Future			*Future Perfect*		
ich werde	werde		werde	werde	
du wirst	werdest		wirst	werdest	
er wird	werde		wird	werde	
wir werden	werden		werden	werden	
ihr werdet	werdet		werdet	werdet	
sie werden	werden		werden	werden	

(Future: ich werde ... sie werden } gesehen werden; werde ... werden } gesehen werden)
(Future Perfect: werde ... werden } gesehen worden sein; werde ... werden } gesehen worden sein)

CONDITIONAL

Present		*Perfect*	
ich würde		würde	
du würdest		würdest	
er würde	ge-sehen werden	würde	ge-sehen worden sein
wir würden		würden	
ihr würdet		würdet	
sie würden		würden	

IMPERATIVE

werde gesehen! werdet gesehen!
werden Sie gesehen!

INFINITIVES

Present	*Perfect*
gesehen werden	gesehen worden sein

PARTICIPLES

– – –   gesehen worden

Inseparable and Separable Verbs

PRINCIPAL PARTS:

versprechen, versprach, ver- sprochen (*promise*)	anfangen, fing an, angefangen (*begin*)
Indicative	*Indicative*

	versprechen		anfangen
Pres.	ich verspreche	*Pres.*	ich fange an
	du versprichst		du fängst an
	er verspricht		er fängt an
Past	ich versprach	*Past*	ich fing an
Perf.	ich habe versprochen	*Perf.*	ich habe angefangen
Pluperf.	ich hatte versprochen	*Pluperf.*	ich hatte angefangen
Fut.	ich werde versprechen	*Fut.*	ich werde anfangen
Fut. Perf.	ich werde versprochen haben	*Fut. Perf.*	ich werde angefangen haben

	Subjunctive		*Subjunctive*
Pres.	ich verspreche	*Pres.*	ich fange an
	du versprechest		du fangest an
	er verspreche		er fange an
Past	ich verspräche	*Past*	ich finge an
Perf.	ich habe versprochen	*Perf.*	ich habe angefangen
Pluperf.	ich hätte versprochen	*Pluperf.*	ich hätte angefangen
Fut.	ich werde versprechen	*Fut.*	ich werde anfangen
Fut. Perf.	ich werde versprochen haben	*Fut. Perf.*	ich werde angefangen haben

	Conditional		*Conditional*
Pres.	ich würde versprechen	*Pres.*	ich würde anfangen
Perf.	ich würde versprochen haben	*Perf.*	ich würde angefangen haben

Imperative	*Imperative*
versprich!	fange an!
versprecht!	fangt an!
versprechen Sie!	fangen Sie an!

	Infinitives		*Infinitives*
Pres.	versprechen	*Pres.*	anfangen
Perf.	versprochen haben	*Perf.*	angefangen haben

	Participles		*Participles*
Pres.	versprechend	*Pres.*	anfangend
Perf.	versprochen	*Perf.*	angefangen

Reflexive Verb

PRINCIPAL PARTS: **sich freuen, freute sich, sich gefreut** (*rejoice*)

INDICATIVE	SUBJUNCTIVE	INDICATIVE	SUBJUNCTIVE
Present		*Past*	
ich freue mich	ich freue mich	ich freute mich	ich freute mich
du freust dich	du freuest dich	du freutest dich	du freutest dich
er freut sich	er freue sich	er freute sich	er freute sich
wir freuen uns	wir freuen uns	wir freuten uns	wir freuten uns
ihr freut euch	ihr freuet euch	ihr freutet euch	ihr freutet euch
sie freuen sich	sie freuen sich	sie freuten sich	sie freuten sich

Perfect		*Pluperfect*	
ich habe mich	ich habe mich	ich hatte mich	ich hätte mich
du hast dich	du habest dich	du hattest dich	du hättest dich
er hat sich	er habe sich	er hatte sich	er hätte sich
wir haben uns	wir haben uns	wir hatten uns	wir hätten uns
ihr habt euch	ihr habet euch	ihr hattet euch	ihr hättet euch
sie haben sich	sie haben sich	sie hatten sich	sie hätten sich
gefreut	gefreut	gefreut	gefreut

Future		*Future Perfect*	
ich werde mich	ich werde mich	ich werde mich	ich werde mich
du wirst dich	du werdest dich	du wirst dich	du werdest dich
er wird sich	er werde sich	er wird sich	er werde sich
wir werden uns	wir werden uns	wir werden uns	wir werden uns
ihr werdet euch	ihr werdet euch	ihr werdet euch	ihr werdet euch
sie werden sich	sie werden sich	sie werden sich	sie werden sich
freuen	freuen	gefreut haben	gefreut haben

CONDITIONAL		IMPERATIVE

Present	*Perfect*
ich würde mich	ich würde mich
du würdest dich	du würdest dich
er würde sich	er würde sich
wir würden uns	wir würden uns
ihr würdet euch	ihr würdet euch
sie würden sich	sie würden sich
freuen	gefreut haben

freue dich! freut euch! freuen Sie sich!

INFINITIVES

Present	*Perfect*
sich freuen	sich gefreut haben

PARTICIPLES

sich freuend   sich gefreut

Strong Verbs with Vowel Change in the Present Singular (§71)

PRESENT INDICATIVE

fall	*run*	*speak*	*see*	*give*	*take*
1. falle	1. laufe	1. spreche	1. sehe	1. gebe	1. nehme
2. fällst	2. läufst	2. sprichst	2. siehst	2. gibst	2. nimmst
3. fällt	3. läuft	3. spricht	3. sieht	3. gibt	3. nimmt
1. fallen	1. laufen	1. sprechen	1. sehen	1. geben	1. nehmen
2. fallt	2. lauft	2. sprecht	2. seht	2. gebt	2. nehmt
3. fallen	3. laufen	3. sprechen	3. sehen	3. geben	3. nehmen

IMPERATIVE (§ 72)

falle!	laufe!	sprich!	sieh!	gib!	nimm!
fallt!	lauft!	sprecht!	seht!	gebt!	nehmt!
fallen Sie!	laufen Sie!	sprechen Sie!	sehen Sie!	geben Sie!	nehmen Sie!

Weak Verbs with the Connective Vowel −e (§70)

PRESENT INDICATIVE

talk	*wait*	*breathe*	*ring*	*wander*
1. rede	1. warte	1. atme	1. klingle	1. wandre
2. redest	2. wartest	2. atmest	2. klingelst	2. wanderst
3. redet	3. wartet	3. atmet	3. klingelt	3. wandert
1. reden	1. warten	1. atmen	1. klingeln	1. wandern
2. redet	2. wartet	2. atmet	2. klingelt	2. wandert
3. reden	3. warten	3. atmen	3. klingeln	3. wandern

PAST INDICATIVE

talk	*wait*	*breathe*	*ring*	*wander*
1. redete	1. wartete	1. atmete	1. klingelte	1. wanderte
2. redetest	2. wartetest	2. atmetest	2. klingeltest	2. wandertest
3. redete	3. wartete	3. atmete	3. klingelte	3. wanderte
1. redeten	1. warteten	1. atmeten	1. klingelten	1. wanderten
2. redetet	2. wartetet	2. atmetet	2. klingeltet	2. wandertet
3. redeten	3. warteten	3. atmeten	3. klingelten	3. wanderten

PAST PARTICIPLE

geredet	gewartet	geatmet	geklingelt	gewandert

The Modal Auxiliaries

dürfen *may,* **können** *can,* **mögen** *may,* **müssen** *must,* **sollen** *shall,*
wollen *will,* and the verb **wissen** *know*

INDICATIVE

Present

darf	kann	mag	muß	soll	will	weiß
darfst	kannst	magst	mußt	sollst	willst	weißt
darf	kann	mag	muß	soll	will	weiß
dürfen	können	mögen	müssen	sollen	wollen	wissen
dürft	könnt	mögt	müßt	sollt	wollt	wißt
dürfen	können	mögen	müssen	sollen	wollen	wissen

Past

durfte	konnte	mochte	mußte	sollte	wollte	wußte
durftest	konntest	mochtest	mußtest	solltest	wolltest	wußtest
durfte	konnte	mochte	mußte	sollte	wollte	wußte
usw.	usw.	usw.	usw.	usw.	usw.	usw.

Perfect

habe
hast
hat
usw. } gedurft, gekonnt, gemocht, gemußt, gesollt, gewollt } gewußt

Pluperfect

hatte
hattest
hatte
usw. } gedurft, gekonnt, gemocht, gemußt, gesollt, gewollt } gewußt

Future

werde
wirst
wird
usw. } dürfen, können, mögen, müssen, sollen, wollen, wissen,

Future Perfect

werde
wirst
wird
usw. } gedurft haben, gekonnt haben, usw.

INFINITIVES

Pres. dürfen	können	mögen	müssen	sollen	wollen
Perf. gedurft haben	gekonnt haben	gemocht haben	gemußt haben	gesollt haben	gewollt haben

PARTICIPLES

dürfend	könnend	mögend	müssend	sollend	wollend
gedurft	gekonnt	gemocht	gemußt	gesollt	gewollt

The Modal Auxiliaries (*Continued*)

SUBJUNCTIVE

Present

dürfe	könne	möge	müsse	solle	wolle
dürfest	könnest	mögest	müssest	sollest	wollest
dürfe	könne	möge	müsse	solle	wolle
dürfen	können	mögen	müssen	sollen	wollen
dürfet	könnet	möget	müsset	sollet	wollet
dürfen	können	mögen	müssen	sollen	wollen

Past

dürfte	könnte	möchte	müßte	sollte	wollte
dürftest	könntest	möchtest	müßtest	solltest	wolltest
dürfte	könnte	möchte	müßte	sollte	wollte
usw.	usw.	usw.	usw.	usw.	usw.

Perfect	*Pluperfect*
habe habest } gedurft, gekonnt, gemocht, habe } gemußt, gesollt, gewollt usw.	hätte hättest } gedurft, gekonnt, gemocht, hätte } gemußt, gesollt, gewollt usw.

Future	*Future Perfect*
werde werdest } dürfen, können, mögen, werde } müssen, sollen, wollen usw.	werde werdest } gedurft haben, werde } gekonnt haben, usw. usw.

CONDITIONAL

Present	*Perfect*
würde würdest } dürfen, können, mögen, würde } müssen, sollen, wollen usw.	würde würdest } gedurft haben, würde } gekonnt haben, usw. usw.

Strong Verbs

Pres. Inf.	Past	Perfect Part.	3rd Pers. Sing.	Past Subj.	Meaning
backen *	buk	gebacken	er bäckt	büke	*bake*
befehlen	befahl	befohlen	er befiehlt	beföhle	*command*
beginnen	begann	begonnen	er beginnt	begönne	*begin*
beißen	biß	gebissen	er beißt	bisse	*bite*
bieten	bot	geboten	er bietet	böte	*offer*
binden	band	gebunden	er bindet	bände	*bind*
bitten	bat	gebeten	er bittet	bäte	*beg, ask*
bleiben	blieb	ist geblieben	er bleibt	bliebe	*remain*
braten	briet	gebraten	er brät	briete	*roast*
brechen	brach	gebrochen	er bricht	bräche	*break*
erschrecken	erschrak	ist erschrocken	er erschrickt	erschräke	*be frightened*
essen	aß	gegessen	er ißt	äße	*eat*
fahren	fuhr	ist gefahren	er fährt	führe	*go, drive*
fallen	fiel	ist gefallen	er fällt	fiele	*fall*
fangen	fing	gefangen	er fängt	finge	*catch*
finden	fand	gefunden	er findet	fände	*find*
fliegen	flog	ist geflogen	er fliegt	flöge	*fly*
fließen	floß	ist geflossen	er fließt	flösse	*flow*
fressen	fraß	gefressen	er frißt	fräße	*eat* (of animals)
frieren	fror	gefroren	er friert	fröre	*freeze*
geben	gab	gegeben	er gibt	gäbe	*give*
gehen	ging	ist gegangen	er geht	ginge	*go*
gelingen	gelang	ist gelungen	es gelingt	gelänge	*succeed*
gelten	galt	gegolten	er gilt	gälte	*be worth*
genießen	genoß	genossen	er genießt	genösse	*enjoy*
geschehen	geschah	ist geschehen	es geschieht	geschähe	*happen*
gewinnen	gewann	gewonnen	er gewinnt	gewönne	*win*
gießen	goß	gegossen	er gießt	göße	*pour*
graben	grub	gegraben	er gräbt	grübe	*dig*
greifen	griff	gegriffen	er greift	griffe	*seize*

* also used as weak verb

Strong Verbs (*Continued*)

Pres. Inf.	*Past*	*Perfect Part.*	*3rd Pers. Sing.*	*Past Subj.*	*Meaning*
halten	hielt	gehalten	er hält	hielte	*hold*
hängen	hing	gehangen	er hängt	hinge	*hang*
heben	hob	gehoben	er hebt	höbe	*raise, lift*
heißen	hieß	geheißen	er heißt	hieße	*be called*
helfen	half	geholfen	er hilft	hülfe	*help*
klingen	klang	geklungen	es klingt	klänge	*sound*
kommen	kam	ist gekommen	er kommt	käme	*come*
laden	lud	geladen	er lädt *or* ladet	lüde	*load, invite*
lassen	ließ	gelassen	er läßt	ließe	*let*
laufen	lief	ist gelaufen	er läuft	liefe	*run*
leiden	litt	gelitten	er leidet	litte	*suffer*
lesen	las	gelesen	er liest	läse	*read*
liegen	lag	gelegen	er liegt	läge	*lie, be situated*
lügen	log	gelogen	er lügt	löge	*(tell a) lie*
nehmen	nahm	genommen	er nimmt	nähme	*take*
raten	riet	geraten	er rät	riete	*advise*
reißen	riß	gerissen	er reißt	risse	*tear*
reiten	ritt	ist geritten	er reitet	ritte	*ride*
riechen	roch	gerochen	er riecht	röche	*smell*
rufen	rief	gerufen	er ruft	riefe	*call*
scheinen	schien	geschienen	er scheint	schiene	*shine*
schießen	schoß	geschossen	er schießt	schösse	*shoot*
schlafen	schlief	geschlafen	er schläft	schliefe	*sleep*
schlagen	schlug	geschlagen	er schlägt	schlüge	*strike*
schleichen	schlich	ist geschlichen	er schleicht	schliche	*creep*
schließen	schloß	geschlossen	er schließt	schlösse	*shut*
schneiden	schnitt	geschnitten	er schneidet	schnitte	*cut*
schreiben	schrieb	geschrieben	er schreibt	schriebe	*write*
schreien	schrie	geschrie(e)n	er schreit	schriee	*cry*
schweigen	schwieg	geschwiegen	er schweigt	schwiege	*be silent*

Strong Verbs (*Continued*)

Pres. Inf.	Past	Perfect Part.	3rd Pers. Sing.	Past Subj.	Meaning
schwimmen	schwamm	ist geschwommen	er schwimmt	schwämme	*swim*
sehen	sah	gesehen	er sieht	sähe	*see*
sein	war	ist gewesen	er ist	wäre	*be*
singen	sang	gesungen	er singt	sänge	*sing*
sitzen	saß	gesessen	er sitzt	säße	*sit*
sprechen	sprach	gesprochen	er spricht	spräche	*speak*
springen	sprang	ist gesprungen	er springt	spränge	*spring*
stechen	stach	gestochen	er sticht	stäche	*prick*
stehen	stand	gestanden	er steht	stände	*stand*
stehlen	stahl	gestohlen	er stiehlt	stöhle *or* stähle	*steal*
steigen	stieg	ist gestiegen	er steigt	stiege	*climb*
sterben	starb	ist gestorben	er stirbt	stürbe	*die*
stoßen	stieß	gestoßen	er stößt	stieße	*push*
tragen	trug	getragen	er trägt	trüge	*carry*
treffen	traf	getroffen	er trifft	träfe	*meet, hit*
treiben	trieb	getrieben	er treibt	triebe	*drive*
treten	trat	ist getreten	er tritt	träte	*step*
trinken	trank	getrunken	er trinkt	tränke	*drink*
tun	tat	getan	er tut	täte	*do*
vergessen	vergaß	vergessen	er vergißt	vergäße	*forget*
verlieren	verlor	verloren	er verliert	verlöre	*lose*
verschlingen	verschlang	verschlungen	er verschlingt	verschlänge	*swallow up*
wachsen	wuchs	ist gewachsen	er wächst	wüchse	*grow*
waschen	wusch	gewaschen	er wäscht	wüsche	*wash*
werden	wurde	ist geworden	er wird	würde	*become*
werfen	warf	geworfen	er wirft	würfe	*throw*
wiegen	wog	gewogen	er wiegt	wöge	*weigh*
ziehen	zog	hat *or* ist gezogen	er zieht	zöge	*draw; go*

Irregular Weak Verbs

Pres. Inf.	Past	Perfect Part.	3rd Pers. Sing.	Past Subj.	Meaning
brennen	brannte	gebrannt	es brennt	brennte	*burn*
kennen	kannte	gekannt	er kennt	kennte	*know*
nennen	nannte	genannt	er nennt	nennte	*name*
rennen	rannte	ist gerannt	er rennt	rennte	*run*
senden	sandte	gesandt	er sendet	sendete	*send*
wenden	wandte	gewandt	er wendet	wendete	*turn*
bringen	brachte	gebracht	er bringt	brächte	*bring*
denken	dachte	gedacht	er denkt	dächte	*think*
wissen	wußte	gewußt	er weiß	wüßte	*know*

Modal Auxiliaries

dürfen	durfte	gedurft	er darf	dürfte	*may*
können	konnte	gekonnt	er kann	könnte	*can*
mögen	mochte	gemocht	er mag	möchte	*may, like*
müssen	mußte	gemußt	er muß	müßte	*must*
sollen	sollte	gesollt	er soll	sollte	*ought*
wollen	wollte	gewollt	er will	wollte	*will*

VOCABULARY

LIST OF ABBREVIATIONS

acc. accusative
adj. adjective
adv. adverb
art. article
cf. compare
comp. comparative
conj. conjunction
dat. dative
def. definite
dem. adj. demonstrative adjective
dem. pron. demonstrative pronoun
e.g. for example
etc. et cetera, and so forth
f. feminine; following
Fem. feminine
Fut. future
Gen. genitive
Imp. 2nd Sing. imperfect second person singular
impers. impersonal
interrog. interrogative
interrog. pron. interrogative pronoun
indecl. pron. indeclinable pronoun
indef. pron. indefinite pronoun
intrans. intransitive
m. masculine
Masc. masculine
n. Chr. = nach Christo A.D.
n. neuter

Neut. neuter
Nom. nominative
p. page
Past Subj. past subjunctive
Perf. perfect
Perf. Part. perfect participle
pers. pron. personal pronoun
pl. plural; *pl. used w. sg. verb* plural used with singular verb
poss. adj. possessive adjective
poss. pron. possessive pronoun
prep. preposition; *prep. w. acc.* preposition with accusative; *prep. w. dat.* preposition with dative; *prep. w. dat. or acc.* preposition with dative or accusative; *prep. w. gen.* preposition with genitive
Pres. present
Pres. Inf. present infinitive
pron. pronounce
rel. relative
rel. pron. relative pronoun
subj. subjunctive
trans. transitive
usw. = und so weiter etc., and so forth
w. with; *w. acc.* with accusative; *w. dat.* with dative
z.B. = zum Beispiel e.g., for example

EXPLANATION

Nouns: Articles and plural endings are always indicated: der **Mann** ⸚er; but only weak and irregular genitives are given; der **Junge** –n –n, der **Herr** –n –en, der **Vasall** –en –en.

Adjectives: Umlaut in the comparative and superlative forms is indicated: ⸚; irregular comparisons are given in full: **hoch höher höchst.**

Verbs: The principal parts of strong and irregular verbs are indicated: **rufen ie u.** When the auxiliary in the perfect is **sein,** it is given: **kommen kam ist gekommen; erwachen (ist).** When not indicated, the auxiliary is **haben.** The third person of the present indicative is given if it has a vowel change or is irregular: **nehmen, . . . er nimmt; wissen, . . . er weiß.** Separable verbs are indicated by a hyphen after the prefix: **auf-stehen.**

Stress is indicated wherever the student might be in doubt.

A

ab down

der **Abend** –e evening; **am —** in the evening; **eines Abends** one evening; **abends** (*adv.*) in the evening; **heute abend** this evening, tonight; **zu — essen** eat supper; **das —essen** supper; **das —land** Occident; **der —sonnenschein** evening sunshine

das **Abenteuer** – adventure

aber but, however

ab-fahren u a **(ist) er fährt ab** leave, depart

die **Abfahrt** –en departure

ab-holen call for, meet

abnehmen nahm ab abgenommen er nimmt ab take off (*hat*)

der **Abschied** –e departure, parting; **— nehmen** take leave, depart

die **Absicht** –en purpose, intention

ab-steigen ie ie **(ist)** dismount

das **Abteil** –e section, compartment

ab-werfen a o **er wirft ab** throw off

ach! oh! alas!

die **Acht** care

die **Achtung** attention

der **Adler** – eagle

die **Adres′se** –n address

ähnlich (*w. dat.*) similar, like

die **Ahnung** –en foreboding, suspicion

allein′ alone; but, however

aller alle alles all, every

allerlei all kinds of, all sorts of (things)

alles everything; **— mögliche** everything possible; **— weitere** all the rest, everything else

als when, as; than; **größer —** larger (taller) than; **— ob** as if

also therefore, so, accordingly

alt ⸚ old; **der Alte** –n –n the old man; **die Alten** old people

altertümlich antique, ancient

der **Amboß Ambosse** anvil

(das) **Amerika** America

der **Amerika′ner** – American

amerika′nisch American

das **Amt** ⸚er office, central (*telephone*)

an (*prep. w. dat. or acc.*) at, to, on, in

anbieten o o offer

ander– other, different

anders different

die **Anekdo′te** –n anecdote

der **Anfang** ⸚e beginning

an-fangen i a **er fängt an** begin, commence

an-fertigen prepare

an-gehen ging an angegangen concern

angenehm pleasant, agreeable

an-greifen griff an angegriffen attack

die **Angst** ⸚e fear

an-halten ie a **er hält an** stop, restrain

an-hören listen to

an-kommen kam an ist angekommen arrive

an-melden announce, notify

an-nehmen nahm an angenommen er nimmt an take, accept, receive, assume

an-probieren try on

die Anrede –n salutation

an-rufen ie u call up, telephone

der Ansager – announcer

an-schauen look at

an-sehen a e er sieht an look at; sich (*dat.*) etwas ansehen take a look at something

anstatt' (statt) (*prep. w. gen.*) instead of

an-tragen u a er trägt an offer

die Antwort –en answer

antworten (*w. dat. of person*) answer

die Anzahl number

die Anzahlung –en down payment

die Anzeige –n advertisement

an-zeigen advertise

an-ziehen zog an angezogen attract

sich anziehen zog sich an sich angezogen dress (oneself)

der Apfel – apple

der Apfelbaum –e apple tree

der Apfelkuchen – apple cake

der Apo'stel – Apostle

die Apothe'ke –n pharmacy, drug store

der Apothe'ker – apothecary, druggist

der Apparat' –e (radio) set

der Appetit' appetite

der April' April

die Arbeit –en work

arbeiten work

die Arche ark

ärgern vex, irritate; sich ärgern be angry *or* vexed

arm – poor

der Arm –e arm

die Armbanduhr –en wrist watch

die Art –en kind, sort

die Arznei' –en medicine

der Arzt –e physician, doctor

das Aspirin' aspirin

der Ast –e branch

au ouch

auch also, too; auch . . . nicht not either

auf (*prep. w. dat. or acc.*) on, upon; — und ab up and down; — immer forever

auf-atmen take a deep breath (*of relief*)

auf-bauen build up, reconstruct

der Aufenthalt –e stop, stay

auf-fallen ie a (ist) es fällt auf (*dat.*) strike (one), attract (one's) attention

auf-führen perform, present

die Aufgabe –n task, lesson

auf-geben a e er gibt auf give up; check (*baggage*)

auf-gehen ging auf ist aufgegangen rise; open, bud

sich auf-halten ie a er hält sich auf stay, stop

auf-hören stop, cease

auf-kleben paste on

auf-legen put down, hang up (*receiver*)

auf-machen open

aufmerksam attentive

auf-nehmen nahm auf aufgenommen er nimmt auf take up, receive

der Aufsatz –e theme, essay, composition

auf-setzen put on (*hat*)

auf-springen a u (*ist*) spring up *or* open

auf-stehen stand auf ist aufgestanden stand up, get up, rise

auf-suchen look up

auf-wachen (*ist*) wake up

auf-wecken (*trans.*) wake up, awaken

auf-ziehen zog auf aufgezogen wind (*clock*)

der **Aufzug** ⁎e elevator

das **Auge** –n eye

der **Augenblick** –e moment

der **August'** August

aus (*prep. w. dat.*) out of, from; (*adv.*) out; — **und ein** in and out

der **Ausdruck** ⁎e expression

der **Ausflug** ⁎e excursion, trip; **einen — machen** take a trip, make an excursion

aus-füllen fill out

aus-gehen ging aus ist ausgegangen go out

ausgezeichnet excellent

die **Auskunft** information

der **Ausländer** – foreigner

aus-reiten ritt aus ist ausgeritten ride forth

aus-ruhen rest

aus-sehen a e er sieht aus look, appear; seem

außerhalb (*prep. w. gen.*) outside of, without

außeror'dentlich unusual, extraordinary

äußerst extremely, exceedingly

die **Aussicht** –en view

aus-steigen ie ie (*ist*) get out *or* off, alight

aus-stoßen ie o er stößt aus send forth, emit

der **Ausverkauf** ⁎e sale

die **Auswahl** selection

auswendig lernen memorize, learn by heart

aus-zischen hiss off (*the stage*)

das **Auto** –s automobile

B

die **Backe** –n cheek

backen buk *or* **backte gebacken er bäckt** bake

das **Bad** ⁎er bath

sich **baden** bathe (oneself)

das **Badezimmer** – bathroom

der **Bahnhof** ⁎e railway station; **auf dem —** at the station

der **Bahnsteig** –e platform, track

bald soon

der **Ball** ⁎e ball

die **Bank** ⁎e bench

der **Bär** –en –en bear

der **Barbier'** –e barber

bauen build

der **Bauer** –n peasant, farmer

der **Baum** ⁎e tree

das **Bäumchen** – little tree

der **Beamte** –n –n (**ein Beamter**) the (an) official

beantworten (*trans.*) answer

der **Becher** – cup, goblet, chalice

bedecken cover

bedeuten mean, signify

die **Bedeutung** –en meaning, significance, importance

die **Bedienung** service

der **Befehl** –e command

befehlen a o er befiehlt command

sich **befinden a u** be, feel
befreien free, liberate
begegnen (ist) (*w. dat.*) meet
der **Beginn** beginning
beginnen a o begin
begleiten accompany
begraben u a er begräbt bury
begrüßen greet
behalten ie a er behält keep, retain, detain
behüten guard, protect; **behüt' uns der Herr!** God forbid!
bei (*prep. w. dat.*) by, with, at; at the house of; — **mir** at my house; — **der Arbeit** with the work; — **Nacht** at night; — **Tage** in the daytime
beide both; **die beiden** the two
beieinan'der together
das **Bein –e** leg
beina'h(e) almost
das **Beispiel –e** example; **z.B.** (**zum Beispiel**) e.g., for example
beißen biß gebissen bite
bekannt familiar, (well) known, acquainted
der **Bekannte –n –n** (**ein Bekannter**) the (an) acquaintance
bekannt machen make acquainted with, introduce
bekannt-machen make known, publish, announce
die **Bekanntschaft –en** acquaintance
bekommen bekam bekommen receive, get
(das) **Belgien** Belgium
beliebt well-liked, favorite, popular
die **Belohnung –en** reward
bemerken notice, remark
benutzen use, make use of

bequem' comfortable, convenient
die **Bequemlichkeit –en** convenience
bereit ready
der **Berg –e** mountain, hill
der **Bericht –e** report
berichten report
berühmt famous
berühren touch
beschäftigt busy, occupied
beschließen beschloß beschlossen decide, resolve
beschreiben ie ie describe
die **Beschreibung –en** description
beschützen protect
besetzt occupied
besiegen conquer
besitzen besaß besessen possess
der **Besitzer –** owner
besonderer besondere besonderes especial
besonders especially
besorgen attend to
besprechen a o er bespricht discuss, talk about
die **Besserung** improvement, recovery
bestecken adorn
bestehen bestand bestanden exist
bestellen order
bestimmt definite, certain
bestrafen punish
der **Besuch –e** visit; **auf —** on a visit
besuchen visit, attend (*school*)
betäubt stunned
beten pray
betrachten look at, examine

betragen u a es beträgt amount to

das **Bett** –en bed

das **Bettuch** ⸚er (bed) sheet

bewachen watch over, guard

sich **bewegen** move

die **Bewegung** –en motion, movement; (sich) **in** — **setzen** get in motion, start (to move); begin

bewohnen inhabit, occupy

bewundern admire

bezahlen pay

bezeichnen designate

die **Bibel** –n Bible

die **Bibliothek'** –en library

das **Bier** –e beer

bieten o o offer

das **Bild** –er picture

bilden make, form

die **Bildergalerie'** –n picture gallery

billig cheap

binden a u tie, bind

die **Birne** –n pear

bis (*prep. w. acc.*) till, until to; — **an** to; — **auf** down to; (*conj.*) until; — **zu** as far as

bisher' till now, hitherto, so far

bitte please

bitten bat gebeten ask, request, beg; — **um** ask for

bitter bitter

blaß pale

das **Blatt** ⸚er leaf

blau blue

bleiben ie ie (**ist**) remain, stay; **sitzen**— remain seated; **stehen**— stop, stand still

der **Bleistift** –e (lead) pencil

der **Blick** –e look, glance, view

blicken look, gaze

blind blind; der **Blinde** –n –n blind man

blitzen lighten, flash

blond blond

blühen bloom, blossom

die **Blume** –n flower

der **Blumenkohl** cauliflower

das **Blut** blood

die **Blüte** –n blossom

blutig bloody

der **Boden** ⸚ floor, ground, soil

die **Bohne** –n bean

die **Bohnensuppe** bean soup

die **Bombe** –n bomb

böse wicked, bad, evil, angry

das **Brandenburger Tor** Brandenburg Gate

braten ie a er brät fry, roast

brauchen need

braun brown

die **Braut** ⸚e bride; fiancée

brechen a o er bricht break

breit broad, wide

brennen brannte gebrannt burn; **brennend** burning, torrid

der **Brief** –e letter

der **Briefkasten** – letter box, mailbox

die **Briefmarke** –n stamp

die **Brille** –n spectacles

bringen brachte gebracht bring, take

das **Brot** –e bread

das **Brötchen** – roll, bun

der **Bruder** ⸚ brother

die **Brücke** –n bridge

das **Brummen** rumbling

der **Brunnen** – fountain

das **Buch** ⸚er book

der **Bücherschrank** ⸚e bookcase

die **Buchhandlung** –en bookstore
die **Bude** –n booth
das **Bündel** – bundle
die **Burg** –en castle, citadel
der **Bürger** – citizen
der **Bürgermeister** – mayor, burgo-
    master
der **Bürgersteig** –e sidewalk
der **Burgunder** – Burgundian
der **Busch** ⁻e bush
die **Butter** butter

C

das **Café** –s café
    Cäsar Caesar
das **Christkindlein** Christ child

D

da (*adv.*) there, then, here; (*conj.*)
    since, as, because; — **drüben**
    over there
dabei' thereby, with it, at the
    same time, in doing so
das **Dach** ⁻er roof
der **Dachshund** –e dachshund
dafür' for it
daher from that, therefore, ac-
    cordingly
dahin' there
**dahin'-gehen ging dahin ist
    dahingegangen** go there
**dahin'-kommen kam dahin ist
    dahingekommen** come there
damals then, at that time
die **Dame** –n lady; **meine Damen
    und Herren** ladies and gentle-
    men
damit' with it, with them; (*conj.*)
    so that
der **Dampfer** – steamer

das **Dampfschiff** –e steamship,
    steamer
der **Dampfwagen** – steam car, rail-
    road train, locomotive
(das) **Dänemark** Denmark
dankbar grateful
danken (*w. dat.*) thank; (**ich**)
    danke schön many thanks,
    thank you very much
dann then
daran' at it, of it, by it, to it,
    for it
darauf' thereon, on it, to it;
    thereupon
dar'auf to that
daraus' out of, from it, from them
darin' therein, in it
darü'ber about it, over it
dar'über over that
darum therefore
darun'ter under it, under them
da-sein war da ist dagewesen
    be there
daß (*conj.*) that
**da-stehen stand da dagestan-
    den** stand there
das **Datum Daten** date
dauern last; take (*time*), con-
    tinue
die **Dauerwelle** –n permanent wave
der **Daumen** – thumb
davon' therefrom, from it, away
**davon'-gehen ging davon ist
    davongegangen** go away
**davon'-reiten ritt davon davon-
    geritten** ride away
davor' in front of it
dazu' to that, for that
das **Deck** –e *or* –s deck
die **Decke** –n ceiling, cover, blanket
    (*bedding, snow*)

der **Deckel** – cover
  decken cover, set (*table*)
  denken dachte gedacht think;
    ich denke an ihn I think of
    him; **sich** (*dat.*) — imagine; **bei**
    sich — think to oneself
das **Denkmal** ⸚er monument
der **Denkzettel** – reminder
  denn for; then, anyway
  der die das (*art.*) the; (*dem.*
    adj.) that; (*dem. pron.*) he,
    she, that
  derje'nige dieje'nige dasje'nige
    that (one)
  dersel'be diesel'be dassel'be
    the same
  deutlich clear, distinct
  deutsch German; (**das**) **Deutsch,**
    das Deutsche German (lan-
    guage); **der Deutsche** –n –n
    (**ein Deutscher**) the (a) Ger-
    man; **auf deutsch** in German
(das) **Deutschland** Germany
der **Dezember** December
  dicht thick, close, near
der **Dichter** – poet
die **Dichtung** –en poetry
  dick thick
der **Dieb** –e thief
der **Diebstahl** ⸚e theft
  dienen serve
der **Diener** – servant
der **Dienst** –e service
das **Dienstmädchen** – servant girl,
    maid
der **Dienstag** –e Tuesday
  dies this
  dieser diese dieses this, this
    one, the latter
  diesmal this time
das **Ding** –e thing

  direkt' directly
  doch but, yet, still, after all,
    however, nevertheless, any-
    way, surely; do! **komm doch**
    do come
der **Doktor Dokto'ren** doctor
der **Dom** –e cathedral
die **Donau** Danube
  donnern thunder
der **Donnerstag** –e Thursday
  doppelt double
das **Doppelte** double
das **Dorf** ⸚er village
  dort there
der **Drache** –n –n dragon
das **Drama Dramen** drama
  draußen outside
  dreimal three times
  dreitausend three thousand
  dreißigjährig thirty-year
  dritt– third
die **Droge** –n drug
die **Drogerie'** –n drugstore
  dröhnen rumble, thunder
  drücken press
  dumm ⸚ stupid
  dunkel dark
die **Dunkelheit** darkness
  dunkeln grow dark
  dünn thin
  durch (*prep. w. acc.*) through, by
    means of
  durchsichtig transparent
  dürfen durfte gedurft or **dürfen**
    er darf be permitted, be al-
    lowed, may; **er darf nicht** he
    must (may) not
der **Durst** thirst
  dürsten thirst; **es dürstet mich**
    or **mich dürstet** I am thirsty
  durstig thirsty

das **Dutzend** –e dozen
der **D-Zug** ⁼e express train

E

eben just, just now
die **Ecke** –n corner
edel noble
der **Edelstein** –e precious stone
ehe before
die **Ehre** –n honor
ehren honor
ehrlich honest
das **Ei** –er egg
eigen own
die **Eigenschaft** –en property, characteristic, attribute
die **Eile** hurry; **große — haben** be in a hurry
eilen (ist) hasten, hurry
ein eine ein a, an, one
einan'der one another, each other
der **Einbruch** ⁼e burglary
einfach simple; one-way (*railroad ticket*)
ein-fallen fiel ein ist eingefallen es fällt ein (*w. dat.*) occur
ein-führen introduce
eingeschlossen included
die **Einheit** unit; unity
einige some, a few, several
der **Einkauf** ⁼e purchase
ein-kaufen shop
das **Einkaufen** shopping
ein-laden u a er lädt *or* **ladet ein** invite
die **Einladung** –en invitation
ein'mal once; **auf —** all at once, suddenly; **noch —** once more; **noch — so weit** again as far,

twice as far; **einmal'** once upon a time, sometime, some day; **es war —** there was once upon a time; **nicht —** not even; **schon —** (*in questions*) ever
ein-richten arrange, furnish
die **Einrichtung** –en arrangement, furniture, furnishings
einsam lonely, solitary
ein-schalten turn on
ein-schlafen ie a (ist) **er schläft ein** fall asleep, go to sleep
einschließlich including
einst once (upon a time)
ein-stecken arrest
ein-steigen ie ie (ist) get in, board a train
ein-treten a e (ist) **er tritt ein** enter, step in
der **Einwohner** – inhabitant
einzeln single
ein-ziehen zog ein ist eingezogen move in, enter
einzig single, only
das **Eis** ice
das **Eisen** iron
die **Eisenbahn** –en railroad
die **Eisenstange** –n iron bar
eisern (of) iron
der **Elefant'** –en –en elephant
elegant' smart, elegant
elek'trisch electrical
elend miserable, wretched
die **Eltern** (*pl.*) parents
empfangen i a er empfängt receive
empfehlen a o er empfiehlt recommend
das **Ende** –n end; **am —** in the end, finally; **zu —** at *or* to an end

enden (auf *w. acc.*) end (in)
endlich at last, finally
die Energie' energy
eng narrow
(das) England England
der Engländer – Englishman
das Englein – little angel
englisch English; (das) Englisch,
  das Englische English (language)
der Enkel – grandson
die Entdeckung –en discovery
die Ente –n duck
entfernt distant
enthalten ie a es enthält contain
entlang' along
entscheiden ie ie decide
entschuldigen excuse, pardon
entstehen entstand ist entstanden arise, originate
enttäuscht disappointed
entweder ... oder either ... or
die Erbse –n pea
das Erdbeben – earthquake
die Erdbeere –n strawberry
die Erde –n earth, soil, ground
das Erdgeschoß Erdgeschosse ground floor
erfahren u a er erfährt learn, find out
die Erfindung –en invention
der Erfolg –e success
erfüllen fulfill
ergeben (ergebenst) devoted; (*in letters*) Ihr (Dein) ergebener yours very truly
ergreifen ergriff ergriffen seize
erhalten ie a er erhält receive, get; preserve
sich erheben o o begin

sich erholen recover
erinnern (an *w. acc.*) remind (of)
sich erinnern (*w. gen. or* an *w. acc.*) remember, recollect
die Erinnerung –en memory, remembrance
sich erkälten catch cold
die Erkältung –en cold
erkennen erkannte erkannt recognize, perceive
erklären explain, declare
die Erklärung –en explanation
erklingen a u resound
sich erkundigen (nach) inquire (about)
erleben experience
der Erlkönig erlking
erneuern renew
die Ernte –n harvest
erreichen reach, catch (*a train*)
erscheinen ie ie (ist) appear
erschrecken erschrak ist erschrocken er erschrickt be frightened
erst first; only, not until
erstaunt astonished, surprised
erstens in the first place
erwachen (ist) awaken, wake up
erwarten expect
erwecken (*trans.*) wake up
erwidern reply
erzählen tell, narrate, relate
die Erzählung –en story, tale
es it; there; — sind fünf there are five
der Esel – donkey, ass
essen aß gegessen. er ißt eat
das Essen food, meal
das Eßzimmer – dining room
etwa about
etwas something, anything, a

little, some; (*adv.*) somewhat, a little; — **Neues** something new; **so** — something of the sort, anything like that

(das) **Euro'pa** Europe

F

die **Fabrik'** –en factory

fahren u a (ist) **er fährt** drive, ride, go, travel

fahrend wandering, traveling

die **Fahrkarte** –n (railroad) ticket

der **Fahrplan** ⸚e timetable

der **Fahrschein** –e ticket

der **Fahrstuhl** ⸚e elevator

die **Fahrt** –en trip, voyage

der **Falke** –n –n falcon

fallen fiel ist gefallen er fällt fall

falls in case

falsch wrong, incorrect

die **Fami'lie** –n family

famos' excellent, grand

fangen i a er fängt catch

die **Farbe** –n color

fassen take, seize, grasp

fast almost, nearly

faul lazy

der **Februar** February

die **Feder** –n pen, feather

das **Federbett** –en feather bed

fehlen be lacking, be missing; **es fehlt mir überall** everything is wrong with me; **was fehlt ihm?** what is the matter with him?

der **Fehler** – error, mistake

feiern celebrate

fein fine

der **Feind** –e enemy

das **Feld** –er field

das **Felsenriff** –e rocky reef

die **Felsenwand** ⸚e wall of rock

das **Fenster** – window

die **Fensterscheibe** –n window pane

die **Ferien** (*pl.*) vacation, holidays

fern far, distant

die **Ferne** –n distance

der **Fernsehapparat'** –e television set

fertig finished, done, ready

das **Fest** –e festival

fest firm, sound, solid

festgewurzelt rooted to the spot

fest-halten ie a er hält fest hold fast

das **Feuer** – fire

der **Fichtenbaum** ⸚e pine tree

die **Figur'** –en figure

der **Film** –e film, movie

finden a u find; **sich** — be found

der **Finder** – finder

der **Finger** – finger

finster dark

der **Fisch** –e fish

fischen fish

flach flat

die **Flamme** –n flame

die **Flammenmauer** –n wall of flame

das **Fleisch** meat, flesh

der **Fleiß** diligence, industry

fleißig industrious

flicken patch, mend

fliegen o o (ist) fly

fließen floß ist geflossen flow

die **Flocke** –n flake

der **Flughafen** ⸚ airport

das **Flugzeug** –e airplane

der **Fluß Flüsse** river

flüstern whisper

folgen (ist) (*w. dat.*) follow

folgend (the) following

die **Formel** –n form

fort away, gone; — **und** — on and on

fort-fahren u a er fährt fort continue

fort-fliegen o o (ist) fly away

fort-gehen ging fort ist fortge-gangen go away

der **Fortschritt** –e progress; **Fort-schritte machen** make prog-ress, improve

fort-setzen continue, resume

die **Fortsetzung** –en continuation; — **folgt** to be continued

die **Frage** –n question; **Fragen stel-len** ask questions

fragen ask; — **nach** ask about

(das) **Frankreich** France

französisch French; (**das**) **Fran-zösisch, das Französische** French (language)

die **Frau** –en woman; wife; Mrs.

das **Fräulein** – Miss; young lady

frei free, available, unoccupied, vacant; clear

das **Freie** open air, outdoors

freilich to be sure, of course

der **Freitag** –e Friday

fremd strange, foreign; **der Fremde** (ein Fremder) the (a) stranger

fressen fraß gefressen er frißt eat (*of animals*)

die **Freude** –n pleasure, joy; — **machen** cause *or* give pleasure, joy; **vor** — for joy

freudig joyful

freuen rejoice; **es freut uns** we are glad; **sich** — be glad, be pleased; **sich** — **auf** (*w. acc.*) look forward (with pleasure) to; **sich** — **über** (*w. acc.*) be pleased with, rejoice at

der **Freund** –e friend

die **Freundin** –nen friend (*fem.*)

freundlich friendly, pleasant, agreeable

die **Freundschaft** –en friendship

der **Friede(n)** –ns peace

frieren o o (hat/ist) freeze; **es friert mich** I am cold

frisch fresh

der **Friseur'** –e (*pron.* frisör') bar-ber, hairdresser

froh glad, happy

fröhlich joyful, happy, merry

fruchtbar fruitful, fertile

früh early

der **Frühling** –e spring

das **Frühlingslied** –er spring song

das **Frühstück** –e breakfast

frühstücken eat breakfast

fühlen feel; **ich fühle mich wohl** I feel well

führen lead, guide, bring, take

der **Führer** – guide, leader

füllen fill

funkeln sparkle, gleam

für (*prep. w. acc.*) for

furchtbar terrible

der **Fuß** ⁻e foot; **zu** — on foot

das **Fußballspiel** –e football game (soccer)

der **Fußboden** ⁻ floor

das **Futter** – fodder, feed

füttern feed

G

die **Gabel** –n fork

die **Gans** ⁻e goose

ganz (*adj.*) whole, entire; (*adv.*) very, quite, all

gar (*adv.*) very; — kein none at all; — nicht not at all; — nichts nothing at all

die Gara′ge –n garage

der Garten ⸚ garden

das Gartenhaus ⸚er garden house

die Gartentür –en garden gate

der Gärtner – gardener

die Gasse –n alley

der Gast ⸚e guest

der Gatte –n husband

das Gebäude – building

geben a e er gibt give; es gibt there is, there are

das Gebirge – mountains, mountain range

gebrauchen use

der Geburtsschein –e birth certificate

der Geburtstag –e birthday

das Gebüsch –e bushes

der Gedanke(n) Gedankens Gedanken thought

das Gedicht –e poem

geehrt honored; geehrter Herr dear Sir

gefallen gefiel gefallen er gefällt (*w. dat.*) please, like; es gefällt mir I like it

das Gefängnis –ses –se prison

gegen (*prep. w. acc.*) against, toward

die Gegend –en surroundings, region, neighborhood, country

das Gegenteil –e opposite

gegenüber opposite

der Gegner – opponent

das Geheimnis –ses –se secret

gehen ging ist gegangen go;

es geht auf die Straße it looks out on the street; es geht mir gut I am well; I am getting along well; wie geht es dir? how are you?

das Gehirn –e brain

gehören (*w. dat.*) belong to

der Geist –er spirit, ghost

die Geisterhand ⸚e ghostly hand

das Geläute ringing

gelb yellow

das Geld –er money

der Geldbeutel – purse

gelegen situated

die Gelegenheit –en opportunity, occasion

der Gelehrte –n –n scholar

das Geleit company, escort

gelingen a u (ist) es gelingt (*impers. w. dat.*) succeed; es gelang ihm nicht he did not succeed

gelten a o es gilt be valid *or* good

das Gemüse – vegetable

das Gemüt –er soul, heart

gemütlich comfortable, cozy

genau exact

der General′ –e general

genug enough

das Gepäck baggage, luggage

das Gepäcknetz –e baggage rack (*on trains*)

der Gepäckträger – porter

gerade (*adj.*) straight; (*adv.*) just, exactly

geradeaus straight ahead

das Gerät –e utensil, implement

gern(e) lieber am liebsten gladly; ich schreibe gern I like to write; gern haben like

geröstet toasted, roasted
das Geschäft –e store, shop
geschehen a e (ist) es ge-
    schieht happen
gescheit clever, smart
das Geschenk –e gift, present
die Geschichte –n story; history
das Geschlecht –er race, lineage
das Geschmeide jewelry
der Geselle –n –n helper, journey-
    man
das Gesetz –e law
das Gesicht –er face
das Gespräch –e conversation
die Gestalt –en form
    gestatten permit, allow
    gestehen gestand gestanden
        confess
    gestern yesterday
    gesund healthy, well
die Gesundheit health
das Gesundheitszeugnis –ses –se
    health certificate
das Getränk –e drink
das Getreide grain
    gewaltig powerful, mighty
die Gewandtheit skill, adroitness,
    agility
    gewinnen a o win
    gewiß certain
das Gewitter – thunderstorm
    gewöhnlich usual, ordinary
der Giebel – gable
das Giebelhaus ⸚er gabled house
    gießen goß gegossen pour
der Gipfel – summit, top
der Glanz splendor
    glänzen glitter, shine
das Glas ⸚er glass
    glauben believe (*dat. of person,
        acc. of thing*), think

gleich (*adj.*) like, equal; (*adv.*) at
    once, immediately
gleichfalls likewise
die Glocke –n bell
das Glück fortune, happiness; **zum**
    — fortunately
    glücklich happy, fortunate,
        pleasant; (*adv.*) safely
    glühend glowing
    gnädig gracious; gnädige **Frau**
        madam
das Gold gold
    golden golden
das Goldstück –e gold piece
das Golf golf
(der) Gott ⸚er God, god
das Grab ⸚er grave
    graben u a er gräbt dig
der Graben ⸚ ditch, trench, pit
    grad (grade, gerade) straight
der Gral Grail
die Gralsburg castle of the Holy
    Grail
das Gras ⸚er grass
    grau gray
    greifen griff gegriffen grasp,
    seize
der Griff –e grasp, grip
    grob ⸚ rude, coarse
    groß ⸚ large, big, tall, great
    großartig grand, grandiose
die Größe –n size
die Großeltern (*pl.*) grandparents
die Großmutter ⸚ grandmother
der Großvater ⸚ grandfather
    grün green
der Grund ⸚e reason, cause
    gründen found, establish
    gründlich thoroughly
    grünen be *or* become green
der Gruß ⸚e greeting; **mit herz-**

lichem **Gruß** with kindest regards

grüßen greet, speak to, give regards to

gucken look

gut besser best– (*adj.*) good; (*adv.*) well

H

das **Haar** –e hair

haben hatte gehabt er hat have

der **Habicht** –e hawk

der **Hafen** ⸚ harbor

die **Hafenstadt** ⸚e harbor city, seaport

halb half; **eine halbe Stunde** half an hour

der **Halbschuh** –e low shoe

der **Hals** ⸚e neck

halt! stop! wait!

halten ie a er hält hold, stop, keep; — **für** consider, take for, think

die **Haltestelle** –n stop, station

der **Hammer** ⸚ hammer

die **Hand** ⸚e hand

der **Handel** trade, commerce

handeln act

das **Handgepäck** hand baggage, luggage

der **Handschuh** –e glove

das **Handtuch** ⸚er towel

hangen (*or* **hängen**) **i a er hängt** (*intrans.*) hang

hängen (*trans.*) hang

hart ⸚ hard

der **Hase** –n –n hare, rabbit

der **Haß** hatred

der **Hauch** breath

häufig frequently, often

hauptsächlich chiefly

die **Hauptstadt** ⸚e capital city

die **Hauptstraße** –n main street

das **Haus** ⸚er house; **nach Hause** home; **zu Hause** at home

heben o o raise, lift

das **Heft** –e notebook

heftig violent

heilig holy

das **Heim** home

die **Heimat** home, native place *or* country

die **Heimatstadt** ⸚e native city, home town

heimlich secret(ly)

das **Heimweh** homesickness; — **haben** be homesick

heiß hot

heißen ie ei (*intrans.*) be called; mean; **wie — Sie?** what is your name? **das heißt** (**d.h.**) that is, i.e.

die **Heizung** heat, heating

der **Held** –en –en hero

helfen a o er hilft (*w. dat.*) help

hell bright, clear, light

das **Hemd** –en shirt

die **Henne** –n hen

her (*denotes motion toward the speaker*); **kommen Sie herein** come in (*see* **hin**)

herab'-gehen ging herab ist herabgegangen go down

heran'-kommen kam heran ist herangekommen come up, approach

heran'-nahen (**ist**) approach

heran'-rollen (**ist**) roll up

herauf'-fahren u a (**ist**) **er fährt herauf** drive *or* sail up herauf'-kommen kam herauf ist heraufgekommen come up

heraus' out

der Herbst –e autumn, fall

herein' in, into; herein! come in! walk in!

herein'-fallen ie a (ist) er fällt herein get caught, be taken in

herein'-kommen kam herein ist hereingekommen come in

die Herkunft origin

der Herr –n –en gentleman; Mr.; Lord; sir

die Herrenabteilung men's department

der Herrgott God, Lord God

herrlich glorious, splendid

die Herrschaft domain, rule

herrschen rule; prevail, predominate

herü'ber-kommen kam herüber ist herübergekommen come over

herum'-stehen stand herum ist herumgestanden stand around

herun'ter-fallen fiel herunter ist heruntergefallen er fällt herunter fall down, descend

herun'ter-hängen i a hang down

herun'ter-kommen kam herunter ist heruntergekommen come down

herun'ter-tun tat herunter heruntergetan take off

hervor'-rufen ie u call forth, cause

hervor'-ziehen zog hervor hervorgezogen pull out, take out

das Herz –ens –en heart

das Herzeleid heartache, deep sorrow

herzlich hearty, cordial

die Herzogstochter ⸚ duke's daughter

heute today; — abend this evening, tonight; — morgen this morning

die Hexerei' witchery

hie und da here and there

hier here

hierher here, hither

die Hilfe help

der Himmel – heaven, sky; am — in the sky

himmlisch heavenly

hin (*denotes motion from the speaker*); gehen Sie hinein! go in! (*see* her); — und her back and forth, up and down

hinab' down

hinab'-gleiten glitt hinab ist hinabgeglitten glide down

hinab'-klettern (ist) climb down

hinauf' up

hinauf'-fahren u a (ist) er fährt hinauf ride up; (*trans.*) haul *or* take up

hinauf'-führen lead *or* take up

hinauf'-gehen ging hinauf ist hinaufgegangen go up

hinauf'-steigen ie ie (ist) ascend, climb up

hinauf'-werfen a o er wirft hinauf toss up, throw up

hinauf'-zeigen point up

hinaus' out

hinaus'-fahren u a (ist) er fährt hinaus go out, reach out

hinaus'-gehen ging hinaus ist hinausgegangen go out

hinaus'-gleiten glitt hinaus ist hinausgeglitten glide out

hinaus'-sehen a e er sieht hinaus look out

hinaus'-treten a e (ist) er tritt hinaus step out

hinaus'-wandern (ist) wander *or* go out

hindurch' through

hinein' in, into

hinein'-fahren u a (ist) er fährt hinein go in, ride in(to)

hinein'-schieben o o push into

hinein'-schleichen schlich hinein ist hineingeschlichen creep in

hin-gehen ging hin ist hingegangen go there

hin-laufen ie au (ist) er läuft hin run there

sich hin-legen lie down

hinten at the rear, behind

hinter (*prep. w. dat. or acc.*) behind

hinterher'-laufen lief hinterher ist hinterhergelaufen er läuft hinter (ihm) her run after (him)

hinun'ter down

hinun'ter-fahren u a (ist) er fährt hinunter sail *or* drive down

hinun'ter-gehen ging hinunter ist hinuntergegangen go down

hinun'ter-laufen ie au (ist) er läuft hinunter run down

hinweg' away

der Hirsch –e deer

hoch höher höchst– high; — und ab up and down

hochachtungsvoll respectfully

die Hochbahn –en elevated railway *or* subway

hochheilig most holy

das Hochland highland

die Hochzeit –en wedding

der Hof ⸚e court

hoffen (auf *w. acc.*) hope (for)

hoffentlich I hope, let us hope

die Höhe –n height; in die — up

die Höhle –n cave

hold lovely, gracious

holen fetch, get

das Holz ⸚er wood

der Honig honey

hören hear

der Hörer – receiver

die Hornhaut horny skin, corn

die Hosen (*pl.*) trousers, pants

das Hotel' –s hotel

das Hotel'zimmer – hotel room

hübsch pretty

das Huhn ⸚er chicken, hen

der Hund –e dog

der Hunger hunger; — haben be hungry

hungern hunger, be hungry; es hungert mich *or* mich hungert I am hungry

hungrig hungry

husch! presto! away! quick!

der Hut ⸚e hat

die Hütte –n hut

I

immer always; — länger longer and longer; — noch still; — wieder again and again; auf — forever

der Impfschein –e vaccination certificate

in (*prep. w. dat. or acc.*) in, into

indem' (*conj.*) while, in that; indem er Kirchen bauen ließ by having churches built

der Inhalt contents

innerhalb (*prep. w. gen.*) within, inside of

die Insel –n island

inserie'ren advertise

interessant' interesting

das Interes'se –n interest

interessie'ren interest

inzwischen meanwhile, in the meantime

irgend: —ein —eine —ein any *or* some, at all; — möglich in any way possible; —wie somehow; —wo somewhere

(das) Irland Ireland

die Irrwurz(en) – madwort

er ißt he eats (*see* essen)

J

ja yes; why, you know; to be sure

die Jagd –en chase, hunt

der Jäger – hunter

das Jahr –e year

jahrelang for years

die Jahreszeit –en season

das Jahrhundert –e century

der Januar January

jawohl' yes, yes indeed

je ever

jeder jede jedes each, every, everyone; jeder beliebige every desired

jedermann everyone

jedesmal everytime

jemand someone, somebody

jener jene jenes that, that one, the former

jetzt now

der Jubel joy, rejoicing

die Jugend youth

der Juli July

jung ⁺ young

der Junge –n –n boy

die Jungfrau –en young woman, maid

der Juni June

K

der Kachelofen ⁺ tile stove

der Kaffee coffee

kahl bald, barren

der Kahn ⁺e boat

der Kaiser – emperor

kaiserlich imperial

der Kalen'der – calendar

kalt ⁺ cold

die Kälte cold

der Kamm ⁺e comb

kämmen comb

die Kammer –n chamber

die Kammertür –en chamber door

der Kampf ⁺e fight

kämpfen fight, give battle

der Kämpfer – champion, combatant

das Kampfspiel –e contest, tournament

die Karte –n card, ticket, map

die Kartof'fel –n potato

der Karzer – university prison

der Käse – cheese

der Käsekuchen – cheese cake

der Kasten ⁺ box

die Katze –n cat

kaufen buy

der **Kaufmann Kaufleute** merchant
kaum hardly, scarcely
kein keine kein no, not a, not
  any; **keiner von beiden** neither
  of the two
der **Keller** – cellar
der **Kellner** – waiter
die **Kellnerin** –nen waitress
kennen kannte gekannt know,
  be acquainted with; **—lernen**
  get acquainted with, meet,
  make one's acquaintance
die **Kenntnis** –se knowledge
das **Kind** –er child
das **Kinn** –e chin
das **Kino** –s cinema, movie theater
die **Kirche** –n church; **in die — gehen** go to church
der **Kirchturm** ⸚e church tower
die **Kirsche** –n cherry
der **Kirschkern** –e cherry pit
das **Kissen** – pillow
klapp! clap!
klar clear
die **Klasse** –n class
das **Klassenzimmer** – classroom
das **Klavier'** –e piano
der **Klee** clover
das **Kleid** –er dress; (*pl.*) clothes,
  clothing
das **Kleidergeschäft** –e clothing store
der **Kleiderschrank** ⸚e wardrobe
klein small, little
klettern climb
die **Klingel** –n small bell
klingeln ring (*a bell*); **es klingelt**
  the doorbell rings
klingen a u ring, sound
klirren click, rattle
klopfen knock; **es klopft** someone is knocking

klug ⸚ clever, wise, intelligent
der **Knabe** –n –n boy
die **Knospe** –n bud
kochen cook
der **Koffer** – trunk; der **Handkoffer**
  suitcase
der **Kohl** cabbage
die **Kohle** –n coal
kohlschwarz coal-black
(das) **Köln** Cologne
kommen kam ist gekommen
  come
die **Konditorei'** pastry shop
der **König** –e king
die **Königin** –nen queen
königlich royal
die **Königstochter** ⸚ princess
können konnte gekonnt *or* **können er kann** be able, can; **ich
  kann Deutsch** I know German
das **Konsulat'** –e consulate
der **Kopf** ⸚e head
die **Kopfschmerzen** (*pl.*) headache
das **Kopfweh** headache
der **Körper** – body
kosten cost
die **Kraft** ⸚e strength
krank ⸚ ill, sick
die **Krankheit** –en sickness
die **Krawat'te** –n necktie
die **Kreide** chalk, crayon
das **Kreuz** –e cross
der **Kreuzer** – small coin, farthing
kriechen o o (**ist**) creep
der **Krieg** –e war
krönen crown
krumm ⸚ crooked
die **Küche** –n kitchen
der **Kuchen** – cake
die **Kuckucksuhr** –en cuckoo clock
die **Kugel** –n ball; bullet; sphere

die **Kuh** ⸚e cow
kühl cool
kühn bold
kündigen give notice
die **Kunst** ⸚e art; skill
der **Kunstschatz** ⸚e art treasure
kunstvoll artistic
der **Kurfürst** −en −en Elector
kurz ⸚ short
der **Kurzwellenempfang** short-wave
reception
die **Kusi′ne** −n cousin (*fem.*)
küssen kiss

L

lachen laugh
lächeln smile
lächerlich ridiculous
der **Laden** − *or* ⸚ shop, store
das **Lager** − bed
der **Lahme** −n −n lame man
die **Lampe** −n lamp
das **Land** ⸚er land, country; **auf das**
— (in)to the country; **auf dem**
Lande in the country
die **Landkarte** −n map
die **Landstraße** −n highway
der **Landungsplatz** ⸚e landing pier
lang ⸚ (*adj.*) long; **lang(e)** (*adv.*)
long, a long time; **eine Stunde**
lang for an hour
länger rather long, lengthy
langsam slow
lassen ie a er **läßt** let, leave,
cause; **etwas tun** — cause
something to be done, have
something done
die **Last** −en load, burden
das **Lastauto** −s truck
die **Later′ne** −n lantern

der **Lauf** course
laufen ie au (ist) er **läuft** run,
walk; **Schlittschuh** — skate
laut loud
lauten read, run (*a sentence*)
der **Lautsprecher** − loud-speaker
leben live
das **Leben** − life
leben′dig living, alive
die **Lebensweise** mode of life, habits
leer empty
leeren empty
legen lay; **sich legen** lie down
die **Legen′de** −n legend
lehnen lean
der **Lehnstuhl** ⸚e easy chair
lehren teach
der **Lehrer** − teacher
die **Lehrerin** −nen woman teacher
der **Leib** −er body
der **Leichnam** −e corpse
leicht easy, light
das **Leid** grief, sorrow
leiden litt gelitten suffer
leider unfortunately
leid tun tat leid leid getan be
sorry; **das tut mir leid** I am
sorry about that; **es tut uns**
leid we are sorry
leinen linen
leise quiet, soft
die **Leiste** −n ridge, band
die **Leitung** −en line; leadership
lernen learn, study; **auswendig**
— learn by heart, memo-
rize
lesen a e er **liest** read
das **Lesestück** −e reading selection
letzt− last
die **Leute** (*pl.*) people
das **Licht** −er light

lieb dear; — haben love, like, be fond of

die **Liebe** love

lieben love

lieber (*comp. of* **gern**) more gladly, rather; ich lese lieber I prefer to read; (*superl.*) am liebsten: ich spreche am liebsten I like best to talk

lieblich lovely, sweet, pleasing

das **Lied** –er song, poem

liefern furnish, supply

liegen a e lie, be situated

die **Linde** –n linden (tree)

das **Lindenblatt** ⸚er linden leaf

die **Linie** (*pron.* li'-ni-e) –n line

link– left

links at the left

die **Lippe** –n lip

das **Liter** – liter

litera'risch literary

loben praise

das **Loch** ⸚er hole

lockig curly

der **Löffel** – spoon

die **Lorelei** Lorelei; der **Loreleifelsen** Lorelei Rock

lösen buy (*ticket*)

die **Luft** ⸚e air

die **Luftpost** air mail

lügen o o lie, tell a lie

lustig merry, cheerful, jolly, amusing

M

machen make, do; das macht nichts that does not matter

die **Macht** ⸚e power

mächtig mighty, powerful, huge

das **Mädchen** – girl

die **Mahlzeit** –en meal

der **Mai** May

(das) **Mainz** Mainz, Mayence

die **Majestät'** –en majesty

das **Mal** –e time

malen paint

der **Maler** – painter

malerisch picturesque

man (*indef. pron.*) one (you, they, we, people)

mancher   manche   manches
manch many a, many; **manches** many a thing

mancherlei various

manchmal sometimes

der **Mann** ⸚er man; husband

der **Mantel** ⸚ overcoat

das **Märchen** – fairy tale

die **Mari'enkirche** St. Mary's Church

die **Mark** mark (*German coin; unit of value*)

der **Markt** ⸚e market

die **Marktfrau** –en market woman

der **Marktplatz** ⸚e market place

die **Marmelade** –n jam

der **März** March

der **Marzipan'** marchpane

die **Mauer** –n wall

die **Maus** ⸚e mouse

mehr more; nicht — no more, no longer

mehrere several

die **Meile** –n mile

meinen think, mean, say

meinetwegen so far as I am concerned, all right, for aught I care

die **Meinung** –en opinion

der **Meister** – master

der **Meistertrunk** master drink

der **Meldezettel** – registration form

die **Melodie'** (Melodei') –n melody
der **Mensch** –en –en human being, man
das **Menschenwerk** –e something made by man, man's work
merken notice
das **Messer** – knife
(das) **Mexiko** Mexico
die **Miete** rent
mieten rent
die **Milch** milk
mild mild
die **Million'** –en million
die **Minu'te** –n minute
der **Minu'tenzeiger** – minute hand
mit (*prep. w. dat.*) with
miteinan'der with one another
miteingeschlossen included
mit-gehen ging mit ist mitgegangen go along; **mit-gehen können** be able to go along
mit-kommen kam mit ist mitgekommen come along
mit-können konnte mit mitgekonnt er kann mit; mitkommen können be able to come along
der **Mittag** –e noon; **am —** at noon; **zu —** essen eat dinner; **das —essen** dinner, midday meal
die **Mitte** middle
mitteilen inform, impart
das **Mittelalter** Middle Ages
mittelalterlich medieval
(das) **Mitteldeutschland** Central Germany
mitten in *or* **auf** in the middle of
die **Mitternacht** ⁻e midnight
der **Mittwoch** –e Wednesday
die **Möbel** (*pl.*) furniture
modern' modern

mögen mochte gemocht *or* **mögen er mag** like, care for, may
möglich possible
die **Möglichkeit** –en possibility
der **Monat** –e month
der **Mond** moon
das **Mondlicht** moonlight
der **Montag** –e Monday
der **Mord** –e murder
der **Morgen** – morning; **am —** in the morning; **eines Morgens** one morning
morgen tomorrow; **heute —** this morning; **— früh** tomorrow morning
die **Morgengymnastik** morning gymnastics
das **Morgenland** East, Orient
müde tired
die **Mühe** –n trouble, effort
die **Mühle** –n mill
(das) **München** Munich
der **Mund** –e, ⁻e *or* ⁻er mouth
münden in flow *or* empty into
die **Mündung** –en mouth (*of a river*)
murmeln mumble, mutter
das **Muse'um Muse'en** museum
die **Musik'** music
müssen mußte gemußt *or* **müssen er muß** have to, be obliged to
der **Mut** courage, spirits, mood
die **Mutter** ⁻ mother

N

na = nun well
nach (*prep. w. dat.*) after, to, toward, according to
der **Nachbar** –s *or* –n, –n neighbor

die **Nachbarin** –nen neighbor (*fem.*)
nachdem' (*conj*.) after
nach-denken dachte nach **nach-gedacht** meditate, reflect
nacheinan'der one after another
nach-geben a e er gibt nach give way, yield
nach-gehen ging nach **ist nach-gegangen** be slow (*of a clock*)
nachher afterwards
nach-laufen ie au (ist) er läuft nach run after
der **Nachmittag** –e afternoon; **am —** in the afternoon
die **Nachricht** –en report, news
nächst– (*superl. of* **nah**) next, nearest
die **Nacht** ⁓e night; **bei —** at night; **in der —** at night; **nachts** at night; **des Nachts** at night
der **Nachtisch** dessert
der **Nachtwächter** – night watchman *or* police
nah(e) näher nächst– near, close; **— bei** close to
der **Name(n) Namens Namen** name
die **Nase** –n nose
naß ⁓ wet
die **Nation'** –en nation
der **National'sozialist'** –en national socialist
die **Natur'** –en nature
natür'lich natural
der **Nebel** fog, mist
neben (*prep. w. dat. or acc.*) beside
nebenan next door
nebenbei besides, incidentally
der **Neffe** –n –n nephew
nehmen nahm genommen er nimmt take

nein no
die **Nelke** –n carnation
nennen nannte genannt call, name
das **Nest** –er nest
nett nice, kind, neat, fine
neu new
die **Neugier(de)** curiosity
das **Neujahr** New Year
das **Nibelungenlied** Lay of the Nibelungs
der **Nibelungenschatz** Nibelung treasure
nicht not; **gar —** not at all; **— mehr** no more, no longer
die **Nichte** –n niece
der **Nichtraucher** – nonsmoker; compartment for nonsmokers
nichts nothing
nie never
nieder-fallen ie a (ist) er fällt nieder fall down, descend
sich **nieder-lassen ie a er läßt sich nieder** settle (down)
niedrig low
niemals never
niemand no one, nobody
nirgends nowhere
noch yet, still; **— einen** one more; **— nicht** not yet; **— nie** never yet, never before; **— einmal so weit (lang)** twice as far (long); **sonst — etwas** anything else
(das) **Norddeutschland** North Germany
der **Norden** north
nordisch northern, Norse
nördlich northern
die **Nordsee** North Sea
die **Not** ⁓e need, distress

nötig necessary; — haben need
das **Notiz'buch** ⁻er memorandum
   book, notebook
der **November** November
die **Nudelsuppe** noodle soup
die **Nummer** –n number
   nun now; well
   nur only, just
(das) **Nürnberg** Nuremberg
die **Nuß Nüsse** nut
   nützen use
   nützlich useful

O

   ob if, whether
   oben above, upstairs; **da** or **dort**
      — up there
   ober– upper
   obgleich although
das **Obst** fruit
der **Ochs** –en –en ox
   öde desolate
   oder or
der **Ofen** ⁻ stove
   öffentlich public
   öffnen open; **sich** — open
   oft ⁻ often
   öfters quite often
   ohne (*prep. w. acc.*) without; —
      zu sehen without seeing
das **Ohr** –en ear
der **Oktober** October
der **Omnibus** –se omnibus
der **Onkel** – uncle
die **Oper** –n opera
das **Opernhaus** ⁻er opera house
das **Orche'ster** – orchestra
   ordentlich proper
der **Ort** –e or ⁻er place, spot
der **Osten** east

(das) **Österreich** Austria
die **Ostsee** Baltic Sea
   o weh! oh my! dear me!
der **Ozean** –e ocean

P

das **Paar** –e pair, couple; **ein** —
   Schuhe a pair of shoes
   packen pack
das **Paket'** –e package
die **Palme** –n palm (tree)
das **Papier'** –e paper
der **Papst** ⁻e pope
das **Paradies'** paradise
der **Park** –e park
der **Paß Pässe** passport
   passen fit
der **Pate** –n –n godfather
die **Pension** –en boardinghouse, pension
die **Perle** –n pearl
der **Personenzug** ⁻e local train
die **Pfeife** –n pipe
   pfeifen pfiff gepfiffen whistle
der **Pfennig** –e pfennig (¹⁄₁₀₀th of
   1 Mark)
das **Pferd** –e horse
   pflanzen plant
die **Pflaume** –n plum
die **Pflicht** –en duty
   pflücken pluck, pick
das **Pfund** –e pound
der **Philosoph'** –en –en philosopher
die **Photographie'** –n photograph
die **Pisto'le** –n pistol
der **Plan** ⁻e plan
die **Plattform** –en platform
der **Platz** ⁻e place, seat; room; —
   machen make way, clear the
   way.

plötzlich suddenly
(das) **Polen** Poland
politisch political
die **Polizei'** police
der **Polizei'direktor** police commissioner
der **Portier'** –s (*pron.* portyē') porter, doorman
die **Portion'** –en portion, order
das **Postamt** ⁻er post office
prächtig magnificent, splendid
prachtvoll magnificent, splendid
prahlen boast
der **Preis** –e price
(das) **Preußen** Prussia
die **Prinzes'sin** –nen princess
der **Profes'sor** **Professo'ren** professor
das **Programm'** –e program
(das) **Prozent'** per cent
punkt sechs Uhr at six o'clock sharp, promptly at six o'clock
pünktlich punctual, prompt
die **Puppe** –n doll

Q

die **Quelle** –n source, spring

R

die **Rache** revenge
der **Rachen** – throat
das **Rad** ⁻er wheel
das **Radio** –s radio
rasie'ren shave
rasten rest, remain
der **Rat** advice, counsel; da war guter — teuer that was a real dilemma
raten ie a er rät guess

das **Rathaus** ⁻er city hall
der **Ratskeller** – ratskeller
der **Räuber** – robber
der **Rauch** smoke
rauchen smoke
der **Raucher** – smoker; smoking compartment
das **Raucherabteil** –e compartment for smokers
der **Raum** ⁻e space, room
rauschen rustle, roar
die **Rechnung** –en bill, account, check
recht (*adj.*) right; (*adv.*) really, quite; — gut very good; — haben be right; es ist mir — it is agreeable to me
das **Recht** –e right; mit — justly
rechts at the right
der **Rechtsanwalt** ⁻e lawyer
reden talk, speak
die **Reformation'** reformation
der **Regen** rain
der **Regenschirm** –e umbrella
regie'ren rule
die **Regie'rung** –en government
regnen rain
reich rich
das **Reich** –e realm, empire; das Deutsche — Germany (from 1871–1945)
der **Reiche** –n –n rich man
reichen reach, pass, give
der **Reichskanzler** – chancellor of the Reich
der **Reichspräsident'** –en –en president of the Reich
reif ripe, mature
die **Reihe** –n row
rein clean
reinigen clean

die **Reise** –n journey, trip
　reisen (ist) travel
der **Reisende** –n –n (ein Reisender)
　traveler
der **Reiseplan** ⸚e plan for a trip,
　itinerary
　reiten **ritt** **ist geritten** ride
der **Reiter** – rider
　rennen **rannte** **ist gerannt** run
die **Republik**' –en republic
der **Rest** –e remainder, balance
das **Restaurant**' –s restaurant
das **Rezept**' –e prescription
der **Rhein** Rhine
die **Rheinreise** –n Rhine journey
das **Rheintal** Rhine valley
der **Richter** – judge
　richtig right, correct; really
　riechen o o smell
der **Riese** –n –n giant
der **Ring** –e ring
　rings um round about
der **Ritter** – knight
　ritterlich knightly, chivalrous
die **Rolle** –n part, role
　rollen roll
die **Rolltreppe** –n escalator
　römisch Roman
die **Rose** –n rose
der **Rosenstock** ⸚e rosebush
das **Roß** Rosse horse, steed
　rot ⸚ red
der **Rücken** – back
die **Rückfahrkarte** –n return ticket
die **Rückkehr** return
der **Rückweg** –e way back
　rufen ie u call, cry, exclaim
die **Ruhe** rest
　ruhen rest
　ruhig quiet, calm, still
　rühren an touch

die **Rui'ne** –n ruin
　rund round; — **herum** round
　about

S

der **Saal** Säle hall
die **Sache** –n thing; matter, affair,
　case
der **Sack** ⸚e sack, bag
　säen sow
die **Sage** –n legend
　sagen say
die **Sahne** cream
das **Salz** salt
　sammeln gather, collect
die **Sammlung** –en collection
der **Samstag** –e Saturday
der **Sattel** ⸚ saddle
der **Satz** ⸚e sentence
　sauer sour
der **Sauerbraten** sauerbraten
das **Sauerkraut** sauerkraut
die **Schachtel** –n box, carton
　schade too bad
das **Schaf** –e sheep
der **Schaffner** – conductor
der **Schalter** – ticket window
sich **schämen** (*w. gen.*) be ashamed
　(of)
　scharf ⸚ sharp
der **Schatten** – shade, shadow
der **Schatz** ⸚e treasure
　schauen look, see; — **auf** look
　at
der **Schauspieler** – actor
　scheiden ie ie (ist) depart,
　take leave
　scheinen ie ie shine, seem
die **Schelle** –n bell
　schenken present, give

scheuen fear
schicken send
schieben o o shove
schießen schoß geschossen shoot
das Schiff –e ship
der Schiffer – boatman
der Schild –e shield
die Schlacht –en battle
das Schlachtfeld –er battleground
der Schlaf sleep
schlafen ie a er schläft sleep
schläfern be drowsy, doze
schläfrig sleepy
der Schlafwagen – sleeping car
das Schlafzimmer – bedroom
schlagen u a er schlägt strike, beat
schlecht bad
schleichen i i (ist) slink, sneak
schließen schloß geschlossen close, lock
der Schlitten – sled
das Schlittenfahren tobogganing
der Schlittschuh –e skate
Schlittschuh laufen ie— au— er läuft — skate
das Schlittschuhlaufen skating
das Schloß Schlösser castle
schluchzen sob
schlüpfen (schlupfen) slip
der Schluß Schlüsse end, conclusion
der Schlüssel – key
das Schlüsselloch –er keyhole
schmal – narrow, slender
schmecken taste, taste good
schmelzen o o (ist) es schmilzt melt
der Schmerz –en pain
die Schmiede –n smithy, forge

schmieden forge
schmutzig dirty
das Schnauben puffing
der Schnee snow
der Schneemann –er snow man
schneiden schnitt geschnitten cut
der Schneider – tailor
schneien snow
schnell quick, fast; — machen hurry
der Schnelldampfer – fast steamer
der Schnellzug –e express train
schnippisch pert
die Schokolade –n chocolate
der Schokoladenpudding –s or –e chocolate pudding
schon already
schön beautiful, fine, nice
der Schornstein –e chimney
der Schoß –e lap
schrecklich terrible
schreiben ie ie write
die Schreibmaschine –n typewriter
der Schreibtisch –e writing table, desk
die Schreibwaren (*pl.*) stationery
schreien ie ie cry, scream
schreiten schritt ist geschritten stride
der Schritt –e step
der Schuh –e shoe
die Schuhabteilung shoe department
schuld haben be to blame, be guilty
die Schule –n school; in die *or* zur — gehen go to school; in der — sein be at school
der Schüler – pupil
die Schülerin –nen pupil (*fem.*)

die **Schulter** –n shoulder
der **Schupo** –s cop, policeman
der **Schuß** **Schüsse** shot
schütteln shake
der **Schutthaufen** – rubble heap
schwach ⸗ weak
der **Schwamm** ⸗e sponge
der **Schwan** ⸗e swan
der **Schwanz** ⸗e tail
schwarz ⸗ black
schweigen ie ie be silent; —d
silently, in silence
das **Schweigen** silence
das **Schwein** –e hog, pig
das **Schweinefleisch** pork
das **Schweinsleder** pigskin
die **Schweiz** Switzerland
schwer heavy, difficult, hard
das **Schwert** –er sword
die **Schwester** –n sister
schwimmen a o (ist) swim
schwingen a u swing
der **See** –n lake
die **See** –n sea
seekrank seasick
das **Segelschiff** –e sailing vessel
sehen a e er sieht see, look
das **Sehnen** longing, yearning
sehr very, very much
sein war ist gewesen er ist be
seit (*prep. w. dat.*) since; —
einem Monat for a month
seitdem′ (*conj.*) since
die **Seite** –n side
die **Sekun**′**de** –n second
der **Sekun**′**denzeiger** – second hand
selber (*indecl. pron.*) myself,
yourself, himself, itself, etc.
selbst (*same as* **selber**); (*as adv.*)
even
selig blessed, blissful

selten seldom
seltsam strange, curious; etwas
Seltsames something strange
das **Seme**′**ster** – semester
der **Semmering** Semmering (*mountain in Austria*)
senden **sandte** **gesandt** send
der **Sender** – transmitter, radio station
senken lower
der **September** September
die **Serviet**′**te** –n napkin
setzen set, place; bet, wager;
sich — sit down, seat oneself
sicher sure, safe; — **vor** secure
from
der **Sieg** –e victory
silbern silver
singen a u sing
das **Singen** singing
sinken a u (ist) sink
der **Sinn** –e mind, thought
die **Sitte** –n custom
sitzen **saß** **gesessen** sit
sitzen-bleiben blieb sitzen ist
sitzengeblieben er bleibt
sitzen remain seated, keep
one's seat
das **Skilaufen** skiing
so so, thus, therefore, then; —
alt wie as old as; — **(et)was**
something of the kind, anything like that
so bald wie as soon as
die **Socke** –n sock
soe′**ben** just (now)
das **Sofa** –s sofa
sofort′ at once
sogar′ even
sogleich′ at once, immediately
der **Sohn** ⸗e son

solcher solche solches solch
such, such a

sollen sollte gesollt *or* sollen
er soll am to, is to, shall,
should, ought, is said to; wir
sollten jetzt gehen we ought
to go now; er soll reich sein
he is said to be rich

somit′ thus, consequently

der Sommer – summer

die Sommerzeit summertime
sondern but (on the contrary)

der Sonnabend –e Saturday

die Sonne –n sun

der Sonntag –e Sunday
sonst else, otherwise; formerly;
— noch etwas anything else

die Sorge –n care, anxiety, worry
sorgen für care for, provide
soviel as much (as); soviel . . .
wie as much . . . as

der Spargel – asparagus

der Spaß Spässe fun
spät late

der Spazier′gang ⁔e walk; einen —
machen take a walk

der Speer –e spear

die Speise –n food

die Speisekarte –n menu, bill of
fare

der Speisewagen – dining car

der Sperling –e sparrow

die Sperre –n gate

der Spiegel – mirror

das Spiel –e play, game, contest
spielen play

das Spielzeug toy(s)
spitz pointed

der Spitzbube –n –n rascal

die Spitze –n point, tip

die Sprache –n language

sprechen a o er spricht speak

das Sprechen speaking

das Sprichwort ⁔er proverb
sprießen sproß gesprossen
sprout; bud, bloom
springen a u (ist) spring, jump,
run; burst
spüren notice, feel

der Staat –en state

die Staatsoper state opera (house)

die Stadt ⁔e city; die — Berlin the
city of Berlin

die Stadtmauer –n city wall

das Stadtschloß city castle

der Stadtteil –e part *or* quarter of a
city

der Stahl steel

der Stall ⁔e stable

der Stamm ⁔e trunk; tribe

die Standuhr –en grandfather clock

die Stange –n pole
stark ⁔ strong
statt (*prep. w. gen.*) instead of
statt-finden a u take place,
occur
stattlich stately
stecken (*trans.*) stick, put;
(*intrans.*) be

der Stecken – stick, pole

die Stecknadel –n pin, stickpin
stehen stand gestanden stand;
stop (*of a clock*); es steht ihm
gut it looks well on (is becom-
ing to) him
stehen-bleiben blieb stehen ist
stehengeblieben stop
stehlen a o er stiehlt steal
steigen ie ie (ist) climb
steil steep

der Stein –e stone

die Stelle –n place, spot

stellen put, place; set (*a clock*);
 Fragen — ask questions
sich **stellen** place oneself, stand
 sterben a o (ist) **er stirbt** die
der **Stern** –e star
die **Steuer** –n tax
 still quiet, still, silent
 still-stehen stand still **stillge-
 standen** stand still, stop
die **Stimme** –n voice
 stimmen vote
der **Stock** –̈e stick; (*pl.* **Stockwerke**)
 story, floor (*building*)
das **Stockwerk** –e story, floor (*building*)
 stolpern (ist) stumble
 stolz proud; **stolz auf** (*acc.*)
 proud of
 stoßen ie o er stößt thrust, push
die **Straße** –n street
die **Straßenbahn** –en streetcar
die **Strecke** –n stretch, distance
das **Streichholz** –̈er match
der **Streit** –e quarrel
 streng strict, severe
 stricken knit
der **Strom** –̈e stream, river
der **Strumpf** –̈e stocking
das **Stück** –e piece; **ein** — **Brot** a
 piece of bread
der **Student′** –en –en student
das **Studen′tenleben** student life
 studie′ren study
der **Stuhl** –̈e chair
 stumm dumb, mute
die **Stunde** –n hour, lesson, class
 stundenlang for hours
der **Stundenzeiger** – hour hand
 suchen look for, seek, search
(das) **Süddeutschland** South Germany

der **Süden** south
die **Summe** –n sum, amount; **eine** —
 Geld an amount of money
die **Suppe** –n soup
 süß sweet
die **Süßigkeit** –en sweets, candy

T

der **Tabak** –e tobacco
die **Tafel** –n blackboard, table
der **Tag** –e day; **am Tage** in the daytime, during the day; **eines
 Tages** one day, some day;
 guten Tag good day, hello;
 jeden Tag every day
 täglich daily, every day
das **Tal** –̈er valley
der **Taler** – taler (*former German
 coin*)
der **Tannenbaum** –̈e fir tree
die **Tante** –n aunt
 tanzen dance
 tapfer brave, courageous
die **Tarnkappe** magic hood
die **Tasche** –n pocket
das **Taschentuch** –̈er handkerchief
die **Taschenuhr** –en pocket watch
die **Tasse** –n cup
die **Tat** –en deed; **in der** — indeed,
 in fact
 taub deaf
 tausend thousand; **das Tausend**
 thousand
 tausendjährig one-thousand-
 year-old
das **Taxi** –s taxi
der **Tee** tea
der **Teil** –e part
 teilen divide, share
das **Telephon′** –e telephone

das **Telephon'fräulein** telephone girl, operator

telephonie'ren telephone

der **Teller** – plate

das **Tennis** tennis

die **Terras'se** –n terrace

teuer dear, expensive

der **Teufel** – devil

der **Teufelswagen** – devil's wagon

das **Teufelszeug** devil's work

der **Text** –e text, libretto (*opera*)

das **Thea'ter** – theater

tief deep

die **Tiefe** –n depth

das **Tiefland** lowland

das **Tier** –e animal

der **Tiergarten** large park in Berlin

die **Tinte** –n ink

das **Tintenfaß Tintenfässer** inkwell

der **Tisch** –e table

das **Tischtuch** ⸚er tablecloth

der **Titel** – title

die **Tochter** ⸚ daughter

der **Tod** death

der **Toilettenarti'kel** – toilet article

die **Toma'te** –n tomato

das **Tor** –e gate, city gate

die **Torte** –n cake, tart

tot dead

töten kill

die **Totenglocke** –n death knell

tragen u a er trägt carry, bear, wear

der **Träger** – bearer, carrier, wearer

die **Träne** –n tear

der **Trank** ⸚e drink

transparent' transparent

trapp! tramp! tap!

die **Trauer** sorrow, mourning

trauern mourn

der **Traum** ⸚e dream

träumen dream

traurig sad

traut dear, beloved

treffen traf getroffen er trifft hit, strike; meet

treiben ie ie drive, carry on, do

sich **trennen** separate

die **Treppe** –n stairs, staircase

treten trat ist getreten er tritt step

treu true, faithful, loyal

trinken a u drink

das **Trinken** drinking

das **Trinkgeld** –er tip

der **Triumph'** –e triumph

trocken dry

der **Trockenapparat'** –e dryer

der **Tropfen** – drop

trotz (*prep. w. gen.*) in spite of

die **Tschechoslowakei'** Czechoslovakia

das **Tuch** ⸚er cloth

tüchtig capable, thorough

tun a a er tut do

die **Tür** –en door

der **Turm** ⸚e tower

die **Turmuhr** –en tower clock

turnen exercise

das **Turnen** gymnastics

das **Turnier'** –e tournament

der **Türpfosten** – doorpost

U

über (*prep. w. dat. or acc.*) over, across, above, about, via (*by way of*); **sprechen** — (*acc.*) talk about

überall everywhere

überhaupt' in general, in fact, on the whole, at all

überlas′sen ie a er **überläßt** leave up to, entrust

überli′sten outwit

übermorgen day after tomorrow

überra′schen surprise

die **Überra′schung** –en surprise

die **Übersetzung** –en translation

übertragen u a er **überträgt** transmit, show (*television*)

überzogen covered

übrig remaining

übrig-bleiben ie ie (ist) be left, remain

die **Übung** –en exercise, practice

das **Ufer** – bank, shore

die **Uhr** –en clock, watch; **wieviel —ist es?** what time is it? **es ist zwei —** it is two o'clock

um (*prep. w. acc.*) around, about; **um . . . zu** in order to; **— zwei Uhr** at two o'clock

sich **um-drehen** turn around

umge′ben a e **umgibt** surround

umhül′len envelop, surround

der **Umschlag** ⸚e envelope (*for letter, etc.*)

sich **um-sehen** **sah sich um** sich **umgesehen** look around

um-steigen ie ie (ist) change trains

um-ziehen **zog um** ist **umgezogen** move (*change residence*)

unangenehm unpleasant

unaufmerksam inattentive

und and

unfreundlich unfriendly

die **Ungeduld** impatience

ungeduldig impatient

ungefähr about, approximately

das **Ungeheuer** – monster

ungeleitet unaccompanied

das **Unglück** misfortune, accident

unglücklich unfortunate

die **Universität′** –en university

die **Universitäts′straße** University Street

unmöglich impossible

das **Unrecht** wrong, injustice

unrecht haben be wrong

unsichtbar invisible

unsichtbarmachend making invisible

der **Unsinn** nonsense

unten below, downstairs, underneath

unter (*prep. w. dat. or acc.*) under, below, among

unter– lower

der **Untergang** destruction

unter-gehen ging unter ist **untergegangen** go down, set (*of the sun*)

die **Untergrundbahn** –en subway

unterhal′ten ie a er **unterhält** entertain

sich **unterhal′ten** ie a er **unterhält** sich converse, carry on a conversation

die **Unterhaltung** –en conversation, entertainment

unternehmen unternahm unternommen er unternimmt undertake

der **Unterricht** instruction

der **Unterschied** –e difference

die **Untertasse** –n saucer

unverwundbar invulnerable

unwohl ill

usw. = und so weiter etc., and so forth

V

der **Vasall'** –en –en vassal

der **Vater** ⸚ father

verbieten o o forbid

verbinden a u connect, combine, unite

verbleiben ie ie (ist) remain (*used in closing a letter*)

verdienen earn

vereinigen unite

die **Vereinigten Staaten** the United States

verflucht! confound it!

vergehen verging ist vergangen pass

vergessen vergaß vergessen er vergißt forget

vergeßlich forgetful

vergleichen i i compare

das **Vergnügen** – pleasure

verhaften arrest

verkaufen sell

der **Verkäufer** – salesman

die **Verkäuferin** –nen saleswoman

der **Verkehr** traffic

das **Verkehrslicht** –er traffic light

verknüpfen tie, connect

verlangen demand

das **Verlangen** desire

verlassen verließ verlassen er verläßt leave; **sich — auf** (*w. acc.*) depend upon

verlegen embarrassed

sich **verlieben** fall in love

verlieren o o lose

der **Verlust** –e loss

vermieten let, rent

vernichten destroy

verraten ie a er **verrät** betray

der **Vers** –e stanza

(sich) **versammeln** gather, meet **versammelt** assembled

die **Versammlung** –en meeting

versäumen miss

verschieden different, various

verschlingen a u swallow

verschwinden a u (ist) disappear

versprechen a o er **verspricht** promise

verstecken hide, conceal

verstehen verstand verstanden understand

versuchen try

verteidigen defend

verwandeln change

verwandt related; der **Verwandte** –n –n (ein Verwandter) the (a) relative

verwenden use, employ

verwundbar vulnerable

verwunden wound

verzeihen pardon

die **Verzeihung** pardon

der **Vetter** –n cousin (*masc.*)

viel mehr meist– much; **viele** many

vielleicht perhaps

viermal four times

das **Viertel** – fourth, quarter; section of a city

die **Viertelstunde** –n quarter of an hour

vierzehn Tage two weeks

das **Visier'** –e visor

das **Visum Visa** visa

der **Vogel** ⸚ bird

das **Vöglein** – little bird

das **Volk** ⸚er people, nation

das **Volkslied** –er folk song

voll full, complete

völlig complete(ly)

vollständig complete(ly)

von (*prep. w. dat.*) of, from; by

vor (*prep. w. dat. or acc.*) before, in front of; — **fünf Wochen** five weeks ago

voraus advance; im — in advance

vorbei' past, by

vorbei'-fahren u a (ist) er fährt vorbei (an *w. dat.*) drive (go) past, pass

vorbei'-fliegen o o (ist) fly past

vorbei'gehen ging vorbei ist vorbeigegangen go past, pass by

vorbei'-kommen kam vorbei ist vorbeigekommen come past

sich **vor-bereiten** prepare

die **Vorbereitung –en** preparation

vor-gehen ging vor ist vorgegangen be fast (*of a clock*)

vorgestern day before yesterday

der **Vorhang ̈e** curtain

vorher before, previously, in advance

vorig– previous

vor-kommen kam vor ist vorgekommen appear, occur

vor-lesen a e er liest vor read aloud

die **Vorlesung –en** lecture

der **Vormittag –e** forenoon

vorn in front, before, forward (*in trains*)

der **Vorschlag ̈e** proposal, suggestion

vor-schlagen u a er schlägt vor propose

vorsichtig careful

vorspringend projecting

vor-stellen introduce; **sich —** introduce oneself

die **Vorstellung –en** introduction

W

wach awake

wachen watch, keep vigil

wachsen u a (ist) er wächst grow

der **Waffenschmied –e** armorer

wagen venture

der **Wagen –** wagon, carriage, coach, car

wählen choose, elect

wahr true; **nicht —?** is it not so? isn't it? don't we? hasn't he?, etc.

während (*prep. w. gen.*) during; (*conj.*) while

die **Wahrheit –en** truth

der **Wald ̈er** forest, woods

die **Wand ̈e** wall

die **Wanderlust** wanderlust (*desire to travel*)

die **Wandtafel –n** blackboard

die **Wanduhr –en** wall clock

wann when

die **Wanze –n** bedbug

die **Ware –n** wares, goods

das **Warenhaus ̈er** department store

warm ̈ warm

warnen warn

warten wait; — **auf** (*acc.*) wait for

warum' why

was (*interrog. pron.*) what; (*rel. pron.*) whatever, that which; = **etwas** something, anything

was für ein eine ein what kind of (a)

die **Wäsche** washing, linen, laundry

waschen u a er wäscht wash; **sich —** wash (oneself)

die **Waschfrau –en** laundress

das **Wasser** – water
der **Wasserfall** ⸺e waterfall
wecken wake up, awake, waken
der **Wecker** – alarm clock
die **Weckuhr** –en alarm clock
weder . . . **noch** neither . . . nor
der **Weg** –e way, road; **sich auf den
— machen** start out
wegen (*prep. w. gen.*) on account
of
weg-laufen ie au (ist) **er läuft
weg** run off, wear off by running
weh! woe! alas!
das **Weh** woe, pain, grief; **es tut weh**
it hurts, pains
die **Wehmut** sadness, melancholy
weich soft
(die) **Weihnachten** (*pl. used w. sg.
verb*) Christmas
der **Weihnachtsabend** –e Christmas
Eve
der **Weihnachtsbaum** ⸺e Christmas
tree
der **Weihnachtstag** –e Christmas Day
weil because
eine **Weile** a while
der **Wein** –e wine
der **Weinberg** –e vineyard
weinen weep
das **Weinglas** ⸺er wineglass
ich **weiß** I know (*see* **wissen**)
weiß white
die **Weißwarenabteilung** –en linen
department
weit far, distant, wide; **— und
breit** far and wide
die **Weite** space, distance; **ins —** far
away
weiter on, onward, further, farther; **alles weitere** everything

else; **ohne weiteres** without
further ado, at once
**weiter-fahren u a er fährt
weiter** go on, travel farther
**weiter-gehen ging weiter ist
weitergegangen** go on *or* farther
weiter-laufen ie au (ist) run on
or farther
**weiter-reiten ritt weiter ist
weitergeritten** ride on *or* farther
weiter-turnen continue exercising
welcher welche welches welch
which, which one; (*rel. pron.*)
who, which; **welch ein** what a
die **Welle** –n wave
die **Welt** –en world
der **Weltkrieg** –e World War
sich **wenden an wandte sich sich
gewandt** turn to, apply to
wenig little; **wenige** few
wenigstens at least
wenn when, if, whenever; **—
auch** even if
wer who; (*rel. pron.*) he who,
whoever
werben um a o court, woo
**werden wurde ist geworden er
wird** become, get; **— aus** become of
werfen a o er wirft throw
das **Werk** –e work
wert worthy
das **Wesen** – being, creature
wessen whose
der **Westen** west
wetten wager, bet
das **Wetter** weather
der **Wetterbericht** –e weather report
wichtig important

wider (*prep. w. acc.*) against
wie how; (*conj.*) as, like
wieder again
der Wiederaufbau reconstruction
wieder-finden a u find again
wieder-her-stellen stellte wieder her wiederhergestellt restore
wiederho'len repeat, review
wieder-kommen kam wieder ist wiedergekommen come again, return
wieder-sehen a e er sieht wieder see again
das Wiedersehen reunion, seeing again; auf — good-bye, till we meet again
wiegen (wägen) o o weigh
das Wiegenlied –er cradlesong, lullaby
das *or* der Wiener Schnitzel – breaded veal cutlet
die Wiese –n meadow
wieviel how much, how many; wie viele how many
wild wild
der Wille –ns will
willkommen welcome
der Wind –e wind
winken wave, beckon
der Winter – winter
der Wintersport winter sports
der Wipfel – top (*of a tree*)
wirklich real, actual
der Wirt –e innkeeper
die Wirtin –nen landlady
das Wirtshaus ⁻er inn, tavern
wissen wußte gewußt er weiß know
wo where, when
die Woche –n week

die Wochenschau –en newsreel
woher' whence, from where
wohin' whither, where to
das Wohl welfare
wohl well, indeed, probably, perhaps, I suppose, to be sure
wohnen dwell, live
das Wohnhaus ⁻er dwelling
die Wohnung –en dwelling, residence, apartment
das Wohnzimmer – living room
der Wolf ⁻e wolf
wollen wollte gewollt *or* wollen er will want, wish, be about to; ich wollte (*subj.*) I wish
wollen (*adj.*) woolen
womit' wherewith, with what, with which
woran' on what, in what
worauf' whereupon, upon what
woraus' wherefrom, whereof, from what, of what, out of what, from which
worin' in what, in which
das Wort ⁻er *or* –e word
das Wörterbuch ⁻er dictionary
worü'ber over *or* about which *or* what
wovon' of *or* about which *or* what
wunderbar wonderful
wundersam marvelous
wunderschön very beautiful
wundervoll wonderful
der Wunsch ⁻e wish
wünschen wish
der Wurm ⁻er worm

Z

zahlen pay
zählen count

der **Zahn** ⸚e tooth
der **Zaun** ⸚e fence
  z.B. = **zum Beispiel** e.g., for example
die **Zehe** –n toe
  zehnmal ten times
das **Zeichen** – sign, signal
der **Zeigefinger** – index finger
  zeigen show; — **auf** point to
der **Zeiger** – hand (*of a clock*)
die **Zeile** –n line
die **Zeit** –en time; **zur** — at the time
die **Zeitschrift** –en magazine, periodical
die **Zeitung** –en newspaper
die **Zentral′heizung** central heating
  zerreißen zerriß zerrissen tear (to pieces)
  zerstören destroy
das **Zicklein** – kid
  ziehen zog gezogen (**hat**) draw, pull; (**ist**) pass, go; march
  ziemlich (*adv.*) rather
die **Ziffer** –n number, figure
das **Zifferblatt** ⸚er dial (*of a clock*)
die **Zigaret′te** –n cigarette
die **Zigar′re** –n cigar
das **Zimmer** – room
  zornig angry
  zu (*prep. w. dat.*) to; (*adv.*) too
  zu-bringen brachte zu zugebracht spend (*time*)
  zucken jerk, twitch
  zuerst′ first, at first·
  zufrie′den satisfied
der **Zug** ⸚e train; draught
  zu-gehen ging zu ist zugegangen happen; **es geht nicht mit rechten Dingen zu** there is something uncanny about it

der **Zügel** – rein
  zu-halten ie a er hält zu keep shut *or* closed
  zu-hören (*w. dat.*) listen (to)
  zuletzt′ (at) last, finally
  zu-machen close
  zunächst′ first
die **Zunge** –n tongue
  zu-nicken nod to
  zurück′ back
  zurück-fahren fuhr zurück ist zurückgefahren er fährt zurück ride *or* drive back
  zurück-gehen ging zurück ist zurückgegangen go back, return
  zurück-kehren (**ist**) return
  zurück-kommen kam zurück ist zurückgekommen come back, return
  zusammen together
  zusammen-schrumpfen (**ist**) shrivel up
  zusammen-treffen traf zusammen ist zusammengetroffen meet
  zu-sehen a e er sieht zu look on, watch, observe
der **Zustand** ⸚e condition
  zuviel′ too much
  zuwei′len sometimes
  zwar to be sure, in fact, indeed
der **Zweifel** – doubt
der **Zweig** –e twig, branch
  zweimal twice
  zweitens secondly
der **Zwerg** –e dwarf
der **Zwilling** –e twin
  zwischen (*prep. w. dat. or acc.*) between

A

a, an ein, eine, ein; **not a** kein, keine, kein

able: to be — können, konnte, gekonnt (können), er kann

about über (*acc.*), von (*dat.*); **— it** darüber, davon; **I was — to go** ich wollte eben gehen

accompany begleiten

acquaintance der Bekannte –n –n

acquainted: to become — kennenlernen

after (*prep.*) nach (*dat.*); (*conj.*) nachdem

afternoon der Nachmittag –e; **in the — am** Nachmittag

ago vor (*dat.*); **a year —** vor einem Jahr

all aller, alle, alles; ganz; **— day** den ganzen Tag; **— night** die ganze Nacht

almost beinahe

alone allein

already schon

also auch

always immer

among unter (*dat.*)

and und

another (*a different*) ein anderer, eine andere, ein anderes; **from one city to —** von einer Stadt zur anderen

answer antworten; (*noun*) die Antwort –en

apple der Apfel ⸚

apple tree der Apfelbaum ⸚e

arm der Arm –e

armchair der Lehnstuhl ⸚e

around um (*acc.*)

arrive ankommen kam an ist angekommen

as (*causal*) da; (*temporal*) als, indem; (*comparison*) wie; **as . . . as, so . . . as** so . . . wie; **— if** als ob

ask (*question*) fragen; **— about** fragen nach (*dat.*), (*request*) bitten; **— for** bitten um (*acc.*)

at an (*dat. or acc.*); in (*dat. or acc.*); zu (*dat.*); um (*acc.*); **— 8 o'clock** um acht Uhr; **— night** in der Nacht; **— the university** auf der Universität; **— home** zu Hause

aunt die Tante –n

B

back zurück

bad: that is too — das ist schade

baggage das Gepäck

bathroom das Badezimmer –

be sein war ist gewesen er ist; **it is to —** es soll sein; **there is, there are** es gibt, es ist, es sind

beautiful schön

because weil

become werden wurde ist geworden er wird

bed das Bett –en

bedroom das Schlafzimmer –

before vor (*dat. or acc.*); **not —** erst

begin anfangen i a er fängt an; beginnen a o

behind hinter (*dat. or acc.*)

bench die Bank ⸚e

beside neben (*dat. or acc.*)

best best–; am besten; am liebsten;

I like spring — ich habe den Frühling am liebsten, der Frühling gefällt mir am besten

better besser; **I like summer** — ich habe den Sommer lieber, der Sommer gefällt mir besser

between zwischen (*dat. or acc.*)

big groß ⸚

bird der Vogel ⸚

black schwarz ⸚

blackboard die Tafel –n; die Wandtafel –n

blue blau

boat das Schiff –e

book das Buch ⸚er

bookcase der Bücherschrank ⸚e

boy der Junge –n –n; der Knabe –n –n

bread das Brot –e

breakfast das Frühstück –e; **for** — zum Frühstück

bring bringen brachte gebracht

broad breit

brother der Bruder ⸚

brown braun

build bauen

building das Gebäude –

burn brennen brannte gebrannt

but aber; (*but on the contrary*) sondern

butter die Butter

buy kaufen; (*ticket*) lösen

by von (*dat.*); — **train** mit dem Zug

C

call rufen ie u; (*name*) nennen nannte genannt; **be called** heißen ie ei

can (*to be able*) können konnte gekonnt (können) er kann

care to mögen mochte gemocht (mögen) er mag

carry tragen u a er trägt

castle das Schloß –sses ⸚sser

catch fangen i a er fängt; — **a cold** sich erkälten

cathedral der Dom –e

ceiling die Decke –n

chair der Stuhl ⸚e

child das Kind –er

church die Kirche –n

city die Stadt ⸚e; **the** — **of Berlin** die Stadt Berlin

claim: he claims to be er will sein

class die Klasse –n

classroom das Klassenzimmer –

clean rein, sauber

climb steigen ie ie (ist)

clock die Uhr –en; **at three o'clock** um drei Uhr

close zumachen; schließen schloß geschlossen

coffee der Kaffee

cold kalt ⸚; (*noun*) die Erkältung; **to catch a** — sich erkälten

come kommen kam ist gekommen; — **in** hereinkommen kam herein ist hereingekommen

comfortable bequem′

continue fortsetzen

cool kühl

country das Land ⸚er; **in the** — auf dem Lande; **to the** — auf das Land

cousin (*masc.*) der Vetter –n; (*fem.*) die Kusi′ne –n

cover die Decke –n

cow die Kuh ⸚e

cream die Sahne

cup die Tasse –n

curiosity die Neugier

D

dance tanzen
dark dunkel, finster
daughter die Tochter ⸚
day der Tag –e; **one** — eines Tages; **in the daytime** am Tage
dear lieb
deep tief
depart Abschied nehmen nahm genommen er nimmt
describe beschreiben ie ie
description die Beschreibung –en
dictionary das Wörterbuch ⸚er
dining room das Eßzimmer –
dinner das Mittagessen; **for** — zum Mittagessen
dirty schmutzig
do tun tat getan; **doesn't he?** nicht wahr?
door die Tür –en
doubt der Zweifel –; **without** *or* **no** — ohne Zweifel
drama das Drama Dramen
dress sich anziehen zog sich an sich angezogen
drink trinken a u
during während (*gen.*)

E

each jeder jede jedes
ear das Ohr –en
early früh
eat essen aß gegessen er ißt
eight acht
Elector der Kurfürst –en
end das Ende –n
enough genug
entertain unterhalten ie a er unterhält

evening der Abend –e; **in the** — am Abend; **one** — eines Abends; **this** — heute abend
every jeder jede jedes
everything alles
everywhere überall
exactly genau
expect erwarten
explain erklären
eye das Auge –n

F

fall fallen fiel ist gefallen er fällt
family die Fami'lie –n
famous berühmt
fast schnell; **the clock is** — die Uhr geht vor
father der Vater ⸚
feel sich fühlen; **I** — **well** ich fühle mich wohl
few wenige; **a** — einige
field das Feld –er
finally endlich
find finden a u
finger der Finger
fire das Feuer –
first erst; (*adv.*) zuerst
five fünf
floor der Fußboden ⸚
flower die Blume –n
following folgend
foot der Fuß ⸚e; **on** — zu Fuß
for (*conj.*) denn; (*prep.*) für (*acc.*); zu (*dat.*); um (*acc.*); **ask** — bitten um; wegen (*gen.*); — **breakfast** zum Frühstück; — **ten minutes** seit zehn Minuten; — **two weeks** zwei Wochen (vierzehn Tage) lang
forenoon der Vormittag –e; **in the** — am Vormittag

forget vergessen vergaß vergessen er vergißt

four vier

Frederick the Great Friedrich der Große

fresh frisch

friend (*masc.*) der Freund –e; (*fem.*) die Freundin –nen

from von (*dat.*); aus (*dat.*); **a letter — Germany** ein Brief aus Deutschland

fruit das Obst

G

garden der Garten –

German deutsch; Deutsch; das Deutsche; **in —** auf deutsch; **the —** der *or* die Deutsche; **a —** ein Deutscher, eine Deutsche; **Germans** Deutsche

Germany (das) Deutschland

get (*receive*) erhalten ie a er erhält; (*become*) werden wurde ist geworden er wird; **— out** aussteigen ie ie (ist); **— up** aufstehen stand auf ist aufgestanden er steht auf

girl das Mädchen –

give geben a e er gibt

glad: to be — sich freuen

glass das Glas –er

go gehen ging ist gegangen

good gut besser best–

grandfather der Großvater –

grandmother die Großmutter –

grass das Gras –er

great groß –

green grün

ground der Boden –; die Erde –n

grow wachsen u a (ist) er wächst;

werden wurde ist geworden er wird

guide der Führer –

H

half halb

hand die Hand –e

hang hängen

happy glücklich

hat der Hut –e

have haben hatte gehabt er hat; **— to** müssen mußte gemußt (müssen) er muß

he er

head der Kopf –e

hear hören

help helfen a o er hilft (*w. dat.*)

her (*pers. pron.*) (*dat.*) ihr; (*acc.*) sie; (*poss. adj.*) ihr ihre ihr

here hier

high hoch höher höchst–

hill der Berg –e

him (*dat.*) ihm; (*acc.*) ihn

himself sich

his (*poss. adj.*) sein seine sein; (*poss. pron.*) seiner seine sein(e)s

history die Geschichte –n

home: at — zu Hause; **go —** nach Hause gehen

homesick: to be — Heimweh haben

hope hoffen; **I —** hoffentlich

horse das Pferd –e

hot heiß

hotel das Hotel –s

hour die Stunde –n

house das Haus –er

how wie; **— are you?** wie geht es Ihnen? wie befinden Sie sich? **— long?** wie lange?

hungry hungrig
hurry eilen

I

I ich
ice das Eis
if wenn; (*whether*) ob
ill krank ⸚
in in (*w. dat. or acc.*); — **it** darin
inform mitteilen (*w. dat.*)
ink die Tinte –n
inquire (**about**) sich erkundigen (nach)
intend to wollen wollte gewollt (wollen) er will
interesting interressant'; **much that is** — viel Interessantes
into in (*w. acc.*)
invite einladen u a er ladet *or* lädt ein
it er sie es

J

January der Januar
journey die Reise –n
jump springen a u (ist)
June der Juni

K

kind freundlich; **all kinds of** allerlei
king der König –e
kitchen die Küche –n
knife das Messer –
knock: there is a — es klopft
know wissen wußte gewußt er weiß; (*be acquainted with*) kennen kannte gekannt; (*a language*) können nen; **do you** — **German?** können Sie Deutsch?
known bekannt

L

land das Land ⸚er
large groß ⸚
last letzt–; (*adv.*) zuletzt
late spät
laugh lachen
lawyer der Rechtsanwalt ⸚e
lay legen
learn lernen; **to** — **by heart** auswendig lernen
least: at — wenigstens
leave abfahren u a (ist) er fährt ab; **the train leaves** der Zug fährt ab
lecture die Vorlesung –en
lesson die Aufgabe –n
letter der Brief –e
library die Bibliothek' –en
lie liegen a e (hat/ist); **to** — **down** sich hinlegen
life das Leben –
like (*w. a verb*) gern; **I** — **to play** ich spiele gern; (*w. an object*) gern haben; — **better** lieber; — **best** am liebsten; ich habe den Winter gern, den Sommer lieber, den Frühling am liebsten; gefallen gefiel gefallen es gefällt; **How do you** — **the book?** Wie gefällt Ihnen das Buch? mögen mochte gemocht (mögen) er mag; **I do not** — **the book** ich mag das Buch nicht; **I should** — **to** ich möchte (gern)
linden (**tree**) die Linde –n
lip die Lippe –n
little (*size*) klein; (*quantity*) wenig; **a** — ein wenig
live (*dwell*) wohnen
living room das Wohnzimmer –

long lang ⸗; (*adv.*) lange; **a — time** lange; **how —** wie lange

longer: no — nicht mehr

look (*appear*) aussehen sah aus ausgesehen er sieht aus; **it looks out upon** es geht auf

low niedrig

M

make machen

man der Mann ⸗er; (*human being*) der Mensch –en –en

many viele

matter: What is the — with him? Was fehlt ihm?

may (*permission*) dürfen durfte gedurft (dürfen) er darf; (*possibility*) mögen mochte gemocht (mögen) er mag; können konnte gekonnt (können) er kann

me (*dat.*) mir; (*acc.*) mich

meadow die Wiese –n

meet treffen, begegnen (*w. dat.*); (*call for*) abholen; (*become acquainted with*) kennenlernen

middle die Mitte; **in the —** mitten in

milk die Milch

mine meiner meine mein(e)s; der, die, das meinige

minute die Minu'te –n

moment der Augenblick –e

Monday der Montag –e

money das Geld –er

month der Monat –e

moon der Mond

monument das Denkmal ⸗er

more mehr

morning der Morgen –; **in the —** am Morgen; **one —** eines Morgens;

good — guten Morgen; **this —** heute morgen

most meist–

mother die Mutter ⸗

much viel mehr meist–; **so —** soviel

museum das Muse'um Museen

must müssen mußte gemußt (müssen) er muß; **you must not play** du darfst nicht spielen

my mein meine mein

myself mich

N

name der Name(n) Namens Namen; nennen nannte genannt

need brauchen

nephew der Neffe –n

nest das Nest –er

never nie, noch nie

new neu

newspaper die Zeitung –en

next nächst–

nice schön

niece die Nichte –n

night die Nacht ⸗e; **at —** in der Nacht

nine neun

no (*adv.*) nein; (*adj.*) kein keine kein

none keiner keine keines

nose die Nase –n

not nicht; **— any, — a** kein keine kein; **— yet** noch nicht

nothing nichts

now jetzt

O

o'clock: at eight — um acht Uhr

of von (*w. dat.*); **— which** wovon

often oft

old alt ⸗

on auf (*w. dat. or acc.*)
only nur; erst
open öffnen, aufmachen
opportunity die Gelegenheit –en
or oder
other ander–
ought: you — to come Sie sollten
   kommen
our unser uns(e)re unser
out: — of aus (*w. dat.*)
over über (*w. dat. or acc.*)

P

paper das Papier' –e
parents die Eltern (*pl.*)
park der Park –e
past (*after*) nach (*w. dat.*); half —
   eight halb neun
peasant der Bauer –n
pen die Feder –n
pencil der Bleistift –e
people die Leute (*pl.*)
perhaps vielleicht, wohl
permit erlauben; to be permitted
   dürfen durfte gedurft (dürfen)
   er darf
physician der Arzt ⸚e
picture das Bild –er
pig das Schwein –e
play spielen
please bitte
pocket die Tasche –n
poet der Dichter –
possible möglich
practice die Übung –en; — makes
   perfect Übung macht den Meister
preserved erhalten
pupil (*masc.*) der Schüler –; (*fem.*)
   die Schülerin –nen
put stecken, stellen, setzen, legen

Q

quarter: a — to nine ein Viertel vor
   neun
quickly schnell

R

rain regnen; (*noun*) der Regen
read lesen a e er liest
receive erhalten ie a er erhält; bekommen bekam bekommen
red rot ⸚
relative der Verwandte –n –n; die
   Verwandte –n –n; ein Verwandter, eine Verwandte
rest ruhen
restaurant das Restaurant' –s
Rhine der Rhein
ride reiten ritt geritten (ist); fahren
   u a (ist) er fährt
right recht, richtig; the clock is —
   die Uhr geht richtig
ring der Ring –e
ripe reif
role die Rolle –n
room das Zimmer –
row die Reihe –n
run laufen ie au (ist) er läuft

S

sad traurig
Saturday der Sonnabend –e; der
   Samstag –e
say sagen; it is said to be es soll
   sein
school die Schule –n; to — zur
   Schule, in die Schule
seasick seekrank
seat der Platz ⸚e

see sehen a e er sieht
semester das Semester –
send schicken; senden sandte gesandt
servant der Diener –
set out: — for home sich auf den
Weg nach Hause machen
several mehrere, einige
shade der Schatten –
shake schütteln
shall sollen sollte gesollt (sollen)
er soll; (*as auxiliary of future*)
werden er wird
she sie
sheep das Schaf –e
shine scheinen ie ie
ship das Schiff –e
shoe der Schuh –e
short kurz ⸚
show zeigen
simple einfach
since (*conj.*) da; (*prep.*) seit (*w. dat.*)
sing singen a u
sister die Schwester –n
sit sitzen saß gesessen; **to — down**
sich setzen
sky der Himmel –
sleep schlafen ie a er schläft
sleepy schläfrig
slow, slowly langsam; **the clock is
slow** die Uhr geht nach
small klein
snow schneien; (*noun*) der Schnee
so so
soft weich
something etwas; **— new** etwas
Neues
sometimes manchmal
son der Sohn ⸚e
soon bald
sorry: to be — leid tun; **I am —** es

tut mir leid; **we were —** es tat uns
leid
speak sprechen a o er spricht
spite: in — of trotz (*w. gen.*)
splendid schön, ausgezeichnet,
prachtvoll, prächtig; **— weather**
schönes Wetter
stand stehen stand gestanden
start out sich auf den Weg machen
state der Staat –en
station der Bahnhof ⸚e
stay bleiben ie ie (ist)
still (*yet*) noch
story die Geschichte –n
strange fremd; **— to me** mir
fremd
stranger der Fremde –n –n; die
Fremde –n –n; ein Fremder, eine
Fremde
street die Straße –n
streetcar die Straßenbahn –en
strong stark ⸚
student der Student' –en –en
study studie'ren, lernen
stupid dumm ⸚
such solcher solche solches
(solch)
suddenly plötzlich
summer der Sommer –; **in —** im
Sommer
sun die Sonne –n
Sunday der Sonntag –e
surprise überraschen; (*noun*) die
Überraschung –en
surprised erstaunt, überrascht

T

table der Tisch –e
take nehmen nahm genommen er

nimmt; führen; **to — a walk** einen Spaziergang machen, spazierengehen

teacher (*masc.*) der Lehrer –; (*fem.*) die Lehrerin –nen

tell erzählen, sagen

tenth zehnt–

than als

thank danken (*w. dat.*)

that (*dem. pron.*) der, die, das; jener, jene, jenes; (*rel. pron.*) der, die, das; **everything** — alles, was; (*conj.*) daß

the der, die, das

theater das Thea'ter –

their ihr ihre ihr

then dann

there dort, da; **— is** *or* **— are** es ist, es sind (*followed by nom.*); es gibt (*w. acc.*)

therefore darum

they sie

thick dick

think denken dachte gedacht; meinen; **to — of** denken an (*w. acc.*)

this dieser diese dieses (dies)

three drei

through durch (*w. acc.*)

Thursday der Donnerstag –e

ticket die Fahrkarte –n

time die Zeit –en; **what — is it?** wieviel Uhr ist es? **(for) a long —** lange; **at what —?** um wieviel Uhr? **in the daytime** am Tage; **at the time** zur Zeit

tired müde

to nach (*w. dat.*); zu (*w. dat.*); an (*w. dat. or acc.*); bis (*w. acc.*); **— that** dazu

toasted geröstet

today heute

together zusammen

tomorrow morgen; **— morning** morgen früh

too auch; zu

train der Zug ⸚e; **by —** mit dem Zug

travel reisen

tree der Baum ⸚e

trip die Reise –n; **to take** *or* **make a —** eine Reise machen

Tuesday der Dienstag –e

twelve zwölf

twenty zwanzig

two zwei

U

uncle der Onkel –

under unter (*w. dat. or acc.*)

understand verstehen verstand verstanden

university die Universität' –en; **at the —** auf der Universität

until bis (*w. acc.*); **not —** erst

upon auf (*w. dat. or acc.*)

upper ober–

V

very sehr; **— much** sehr, sehr viel

visit besuchen; (*noun*) der Besuch –e

W

wait warten; **— for** warten auf (*w. acc.*)

walk der Spazier'gang ⸚e; **to —** gehen ging ist gegangen; **to take a —** spazierengehen, einen Spaziergang machen

wall die Wand ⸚e
want to wollen wollte gewollt (wollen) er will
warm warm ⸚
wash waschen u a er wäscht
watch die Uhr –en
water das Wasser –
we wir
weather das Wetter –
Wednesday der Mittwoch –e
week die Woche –n
well (adv.) gut, wohl; (adj.) gesund
wet naß
what was
when (interrog.) wann; (whenever) wenn; (def. time) als
where wo, wohin
whether ob
which (interrog.) welcher welche welches; (rel. pron.) der die das; welcher welche welches
while während; a — eine Weile
white weiß
who (interrog.) wer; (rel. pron.) der die das; welcher welche welches
whoever wer
whole ganz
whose (interrog.) wessen; (rel.) dessen deren dessen; deren

wide breit
wind der Wind –e
window das Fenster –
winter der Winter –; in — im Winter
with mit (w. dat.); bei (w. dat.); — it damit
without ohne (w. acc.)
wolf der Wolf ⸚e
woman die Frau –en
woods der Wald ⸚er
woolen wollen
word das Wort ⸚er or –e
work arbeiten; (noun) die Arbeit
world die Welt –en
write schreiben ie ie
writing desk der Schreibtisch –e

Y

year das Jahr –e
yes ja
yesterday gestern; only — erst gestern
yet noch; not — noch nicht
you du ihr Sie
young jung ⸚
your dein deine dein; euer eu(e)re euer; Ihr Ihre Ihr

am	— **Abend,** — **Morgen,** — **Tage** in the evening, morning, day-time; *see* **in der Nacht** at night
	— **Montag,** — **Dienstag usw.** on Monday, Tuesday, etc.
	— **ersten April, Mai usw.** ⎫
	den ersten April, Mai usw. ⎬ the first of April, May, etc.
Angst	— **haben vor** (*w. dat.*) be afraid of
auch	— **nicht** neither, not . . . either
	er kommt — **nicht** he is not coming either
auf	— **dem Lande** in the country
	— **das Land** to the country
	— **deutsch, englisch, französisch usw.** in German, English, French, etc.
	— **und ab** up and down
befinden	**wie befinden Sie sich?** how are you?
bei	— **dem Onkel** at our uncle's (house)
	— **uns** at our house
Beispiel	**zum** —, **z.B.** for example, e.g.
bitten	— **um** (*w. acc.*) ask for, request
	bitte schön please; don't mention it (*in reply to* **danke schön**)
bleiben	**er bleibt stehen** he stops
	er bleibt sitzen he keeps his seat
danken	(*w. dat.*) **ich danke Ihnen** I thank you
denken	— **an** (*w. acc.*), **er denkt an mich** he thinks of me
	— **Sie daran!** think of it!
	woran denken Sie? what are you thinking of?
doch	**kommen Sie** —! do come
eines	— **Abends,** — **Morgens,** — **Tages** one evening, one morning, one day
Einkäufe	**sie macht** — she goes shopping
einmal	**auf** — all at once
	es war — there was once
	nicht — not even
	noch — once more
Ende	**am** — finally, after all, perhaps
	zu — at an end, over
erst	— **morgen** not until tomorrow
	— **gestern** only yesterday
essen	**zu Mittag (Abend)** — eat dinner (supper)

[li]

fehlen	**was fehlt ihm?** what is the matter with him? what is wrong with him?
Frage	**eine — stellen** ask a question
fragen	**er fragt nach dem Freunde** he asks about the friend
freuen	**das freut mich** that pleases me, I am glad of it
	er freut sich über etwas he is pleased with something
	er freut sich auf etwas he looks forward to something
Fuß	**zu — on** foot
ganz	**den ganzen Tag** all day
	die ganze Nacht all night
gar	**— nicht** not at all
	— nichts nothing at all
	— kein none at all
	— niemand no one at all
geben	**es gibt** there is, there are
	es gibt viele Studenten there are many students
	was gibt's? what's up?
gefallen	**es gefällt mir** I like it
gehen	**wie geht es Ihnen? ihm? der Mutter?** how are you, he, your mother?
	es geht ihm, ihr gut he, she is well
	das geht nicht that won't do
	das geht mich nichts an that does not concern me
gelingen	**es gelingt mir** I succeed
gern	**er hat es (ihn) —** he likes it (him)
	er arbeitet — he likes to work
	er liest lieber he prefers to read
	er singt am liebsten he likes best to sing
gestern	**— abend** last evening
halten	**ich halte ihn für reich** I consider him rich
	er hält mich für den Lehrer he takes me for the teacher
Haus	**er geht nach Hause** he goes home
	er ist zu Hause he is at home
heißen	**wie heißt er?** what is his name?
	das heißt that is, that means
	was soll das heißen? what does that mean?
heute	**— abend, — morgen, — mittag** this evening, morning, noon
hin	**— und her** to and fro, back and forth
im	**— Sommer, Winter usw.** in summer, winter, etc.
	— Januar, Februar usw. in January, February, etc.

immer	*with comparative:* — **weiter, schneller usw.** farther and farther, faster and faster, etc.; — **wieder** again and again
in	— **der Nacht** at night
irgend	—**ein** anyone
	— **etwas** something or other, anything (at all)
können	**er kann Deutsch usw.** he knows German, etc.
lang	**ein Jahr —, eine Stunde —** usw. for a year, an hour, etc.
	stundenlang for hours; **tagelang** for days
lassen	**ich lasse es tun** I have it done
leid	**es tut mir —** I am sorry
lernen	**er lernt ihn (sie) kennen** he makes his (her) acquaintance
los	**was ist —?** what is the matter?
machen	**das macht nichts** that does not matter
	mach schnell hurry, be quick
	er macht sich auf den Weg he starts out
mal	**zum erstenmal, zweitenmal** usw. for the first time, second time, etc.
	einmal, zweimal usw. once, twice, etc.
	diesmal this time; **jedesmal** every time
	manchmal sometimes
mitten	— **in** in the middle of
morgen	— **früh** tomorrow morning
noch	— **ein** another; — **einmal** once more, again; — **etwas** something else; — **immer** still; — **nicht** not yet; — **nichts** nothing yet; — **nie** never yet
oben	**mein Zimmer ist —** my room is upstairs
ohne	— **ein Wort zu sagen** without saying a word
recht	**er hat —** he is right; **es ist mir —** it pleases (suits) me
	er macht es mir — he pleases me, he does as I wish
schade	**es ist —** it is too bad
so	— **was,** — **etwas** something of the kind
soll	**er — reich sein** he is said to be rich
Tag	**jeden —** every day; **eines Tages** one day; **alle Tage** every day
Tat	**in der —** indeed
Uhr	**wieviel — ist es?** what time is it? **es ist ein, zwei** usw. **—** it is one, two, etc. o'clock; **um ein —** at one o'clock
	die — geht vor the clock is fast
	die — geht nach the clock is slow
	die — bleibt stehen the clock stops

vor	— zehn Minuten, — vielen Jahren, — langer Zeit ten minutes ago, many years ago, a long time ago
	— allem above all; — Freude for joy
wahr	nicht —? isn't he? hasn't he? doesn't he? etc.
warten	— auf (*with acc.*) wait for
was für	— ein Buch usw. what kind of a book, etc.
Weg	er macht sich auf den — he sets out, starts
weh	es tut ihm — it hurts him
Wiedersehen	auf — good-bye
unrecht	er hat — he is wrong

INDEX

INDEX

Nordsee
DÄNEMARK
SCHLESWIG-HOLSTEIN
Kiel
Lübeck
Rostock
MECKLENBURG
Hamburg
Elbe
Bremerhaven
Bremen
Weser
NIEDERLANDE
Ems
NIEDERSACHSEN
Hannover
Osnabrück
Braunschweig
Münster
Bielefeld
SACHSEN-
Magdeburg
ANHALT
NORDRHEIN-
WESTFALEN
Gelsenkirchen
Dortmund
Duisburg
Essen
Wuppertal
Düsseldorf
Kassel
Halle
Leipzig
BELGIEN
Köln
Aachen
Bonn
Rhein
Bad Godesberg
HESSEN
Erfurt
THÜRINGEN
Chemnitz
Koblenz
Wiesbaden
Frankfurt
RHEINLAND-
PFALZ
Main
LUXEMBURG
Trier
Bingen
Mainz
Würzburg
Mosel
SAAR
Mannheim
Heidelberg
Nürnberg
Saarbrücken
Ludwigshafen
Karlsruhe
BADEN-WÜRTTEMBERG
BAYERN
Regensburg
Stuttgart
Schwarzwald
Neckar
WESTDEUTSCHLAND
OSTDEUTSCHLAND
BRANDENBURG
SACHSEN
FRANKREICH
Augsburg
Donau
Freiburg
München
Bodensee
ÖSTERREICH
SCHWEIZ